"Записки безумной оптимистки"

«Прочитав огромное количество печатных изданий, я,
Дарья Донцова, узнала о себе много интересного. Например, что
я была замужем десять раз, что у меня искусственная нога... Но
более всего меня возмутило сообщение, будто меня и в природе-то
нет, просто несколько предприимчивых людей пишут иронические
детективы под именем «Дарья Донцова».
Так вот, дорогие мои читатели, чаша моего
терпения лопнула, и я решила
написать о себе сама».

Дарья Донцова открывает свои секреты!

Читайте романы примадонны иронического детектива Дарьи Донцовой

Сериал «Любительница частного сыска Даша Васильева»:

1. Крутые наследнички
2. За всеми зайцами
3. Дама с коготками
4. Дантисты тоже плачут
5. Эта горькая сладкая месть
6. Жена моего мужа
7. Несекретные материалы
8. Контрольный поцелуй
9. Бассейн с крокодилами
10. Спят усталые игрушки
11. Вынос дела
12. Хобби гадкого утенка
13. Домик тетушки лжи
14. Привидение в кроссовках
15. Улыбка 45-го калибра
16. Бенефис мартовской кошки
17. Полет над гнездом Индюшки
18. Уха из золотой рыбки
19. Жаба с кошельком

Сериал «Евлампия Романова. Следствие ведет дилетант»:

1. Маникюр для покойника
2. Покер с акулой
3. Сволочь ненаглядная
4. Гадюка в сиропе
5. Обед у людоеда
6. Созвездие жадных псов
7. Канкан на поминках
8. Прогноз гадостей на завтра
9. Хождение под мухой
10. Фиговый листочек от кутюр
11. Камасутра для Микки-Мауса
12. Квазимодо на шпильках

Сериал «Виола Тараканова. В мире преступных страстей»:

1. Черт из табакерки
2. Три мешка хитростей
3. Чудовище без красавицы
4. Урожай ядовитых ягодок
5. Чудеса в кастрюльке
6. Скелет из пробирки
7. Микстура от косоглазия
8. Филе из Золотого Петушка

Сериал «Джентльмен сыска Иван Подушкин»:

1. Букет прекрасных дам
2. Бриллиант мутной воды
3. Инстинкт Бабы-Яги
4. 13 несчастий Геракла

Дарья Донцова

Улыбка 45-го калибра

Москва

ЭКСМО

2004

ИРОНИЧЕСКИЙ ДЕТЕКТИВ

ГЛАВА 1

Если день не заладился с самого утра, вечером непременно случится какая-нибудь пакость. Что касается меня — это стопроцентная закономерность. Но утро первого апреля для всех дураков не предвещало ничего плохого. Домашние веселились как могли. Услышав грохот, а потом лай всех наших пяти собак, я натянула халат и спустилась на первый этаж. Домработница Ирка огорченно сказала:

— Вот, тянула шланг и разбила вазу.

— Ну и фиг с ней, — ответила я, зевая, — она мне никогда не нравилась, а выбросить рука не поднималась. Но зачем тебе понадобился садовый шланг в доме?

— Так позвонили от охранников и сообщили, что нам отключают воду на неделю, — тяжело дыша, сказала Ирка, — я побежала в ванную на первом этаже, открутила краны и...

— Что?

— Ничего, ни капли, как в пустыне. Вот хотела из колонки во дворе воды набрать.

— Значит, звонили?

— Ага, мужчина.

— В доме воды нет?

— Нет. Сказали, во всем поселке семь дней воды не ждите.

— Ира, — строго сказала я, — раскинь мозгами.

Во всем нашем поселке нет воды, а у нас в колонке, по-твоему, есть?

— Действительно, — призадумалась домработница, — странно.

— Ничего удивительного, — вздохнула я, — тебя Аркадий который год первого апреля именно так и разыгрывает. Идет в подвал, перекрывает вентиль, а потом сообщает по телефону, что все, больше ни капли целый месяц, и ты начинаешь таскать в дом воду ведрами. Ну вспомни, как он в прошлом году приказал тебе заполнить все емкости вплоть до чайных чашек!

Ира надулась.

— Ну уж и не такая дура, как вы меня представить хотите! Сразу поняла, что Аркадий Константинович шутит!

— Зачем тогда шланг потянула?

— А вдруг действительно отключат?

Сказав последнюю фразу, домработница повернулась ко мне спиной. Она явно собиралась идти за веником и совком, чтобы убрать осколки.

И тут я захохотала в голос: пониже спины у Ирки болталась прицепленная крючком к юбке рыбка, вырезанная из бумаги. Это чисто французский прикол. Русские люди первого апреля самозабвенно врут и обманывают друг друга, а граждане Первой республики цепляют всем подряд — знакомым и незнакомым — рыбок. Я встречала на улицах Парижа ничего не подозревающих людей, спины которых украшали стаи «лососей». Прохожие, встретив такого «рыбака» или «рыбачку», естественно, смеются. Для нас Париж — второй дом, вот мы и набрались чужих обычаев.

За завтраком подали оладьи. Аркадий, Ольга и Маня быстро расхватали дымящуюся гору и принялись с аппетитом поедать любимое блюдо. Я же никак не могла справиться с оладушкой, оказавшейся на моей тарелке. Нож не хотел ее резать, вилка не желала в нее втыкаться... Наплевав на приличное поведение, я ухватила жирный кругляшок пальцами и попыталась откусить. Не тут-то было. Повторив несколько раз бесплодные попытки, я уставилась на сына, дочь и невестку, которые, мигом слопав свои ароматные лепешки, собирались приступить к кофе.

— Странная какая, — пробормотала я, тыча ножом в оладушку.

— Вам ее ни за что не съесть, — хихикнула Ирка, подавая кофе.

— Почему?

— Так она резиновая, — сообщила домработница и откровенно захохотала.

Противные дети начали бурно радоваться. Я молчала. Ничего, ничего, сейчас кто-нибудь откроет сахарницу. И точно. Ничего не подозревающая Ольга, которую все дома зовут Зайкой, схватила керамический бочонок, сняла крышку и насыпала себе в кофе три ложечки песка. Вслед за ней и остальные потянулись за сахаром. Вмиг над их чашками появился белый дымок, и содержимое начало фонтаном взлетать вверх.

— Что это? — заорала Зайка.

Я хихикнула: продавцы в магазине «Смешные ужасы» не обманули. «Взрывающийся сахар» — весьма эффектная фенька.

Потом в столовую влетел как всегда опаздывающий на работу Дегтярев и плюхнулся на стул. Раздался характерный звук: «пу-ук».

— Что случилось? — подскочил полковник.

Маша с самым невинным видом заявила:

— Извини, дядя Саша, но мы слишком хорошо

воспитаны, чтобы реагировать на то, что ты пука-
ешь за завтраком.

— Я? — побагровел Александр Михайлович.

— Но ведь не я же, — ответил Кеша.

Полковник разинул рот и не нашел достойного
ответа. Мне стало жаль наивного толстяка:

— Встань.

Дегтярев покорно поднялся. Я откинула со
стула накидку и потрясла перед ним резиновым ме-
шочком.

— Сегодня первое апреля, и они подсунули тебе
пукательную подушку.

Весело хохоча, домашние понеслись к выходу.
Всех их ждал напряженный день: у Мани сегодня
две контрольные, потом занятия в кружке при
Ветеринарной академии, у Зайки выход в эфир на
телевидении где-то около пяти. Моя невестка ведет спортивную программу. Аркадий направлялся
в тюрьму. Не подумайте плохого: мой сын — адвокат и в следственном изоляторе встречается с кли-
ентами.

— Дурацкая шутка, — буркнул полковник.

С недавнего времени Дегтярев живет в нашем
доме в Ложкине. Нас связывают годы дружбы, и
дети хотели, чтобы полковник переселился в Ложкино. Тот долгое время сопротивлялся изо всех сил,
но в конце концов они его «сломали», и Александр
Михайлович перебрался в коттедж. Он мой старый
друг. Дегтярев был свидетелем моих четырех заму-
жеств, и я никогда не рассматривала полковника
как возможного сексуального партнера. Впрочем,
он тоже не пытался ухаживать за мной.

— Нет, все-таки здорово, — сказала как-то раз
Манюня, — что дядя Саша не захотел жениться на
мусечке. Он бы давным-давно от нее сбежал, роняя
тапки. А так живет с нами под одной крышей.

— Какой кретин придумал эти подушки? — негодовал Дегтярев, наваливая себе на тарелку оладьи.

Я изловчилась, сунула ему в чай пластмассовую муху и предложила:

— А ты отомсти.

— Как?

— Кто из нас в милиции работает? Придумай.

— Верно, — обрадовался полковник, — сейчас Аркадию мало не покажется!

Он схватил телефон и закричал:

— Алло! Симбирцева позовите. Слышь, Коля, это я, Дегтярев. Сообщи там на посты, пусть тормознут джип «Шевроле» номер М 377 ОМ. За рулем Воронцов Аркадий Константинович. Нет, ничего не сделал, он адвокат, просто мне нужно, чтобы он от Кольцевой дороги до СИЗО № 3 пару часов ехал. Останавливайте, проверяйте документы, багажник, извиняйтесь и отпускайте. Только отдай приказ всем! Ну спасибо.

Положив трубку, полковник торжествующе сказал:

— Вот, будет знать, как меня прилюдно позорить!

Я была в курсе, что подушечку под полковника положила Маруська, но выдавать дочь не стала, а просто поднялась к себе и позвонила сыну на мобильный.

— Кешка, оставь джип где-нибудь на стоянке и пользуйся сегодня леваками.

— Это еще почему? — возмутился парень.

— Поверь, что так будет лучше.

— Знаешь, мать, — донеслось из трубки, — ты фиговая выдумщица, даже разыграть не можешь как следует.

Я швырнула трубку на кровать. Ладно, посмотрим, как ему понравится объясняться сегодня весь день с дорожно-патрульной службой. Мое дело предупредить, а его — не прислушаться к моему совету.

День потек своим чередом. Я мирно читала детектив, когда раздался звонок.

— Дашка, ты? — нервно прокричал Жора Колесов.

— Привет, слушаю.

— Чего делаешь вечером?

— Смотря в каком часу...

— В семь.

— Наверное, буду глядеть «Новости» по НТВ, а что?

— Дашка, — заныл Жора, — будь другом, выручи!

— Опять машину разбил? — спросила я.

Жору Колесова я знаю лет десять. Его первая жена Катюшка была моей хорошей подругой. Катька прожила с Жоркой лет шесть, потом развелась и уехала в Израиль, а ее бывший муж остался в России и числился у нас в друзьях. Колесов, расставшись с Катей, женился еще не раз. Вторую его супругу, Аню, я тоже знала, а вот с остальными не успела познакомиться, уж больно часто он их менял. Жора занимается бизнесом, торгует компьютерами и довольно хорошо зарабатывает, но вечно сидит без денег. Во-первых, он жуткий бабник старой закваски. Даже случайным любовницам делает дорогие подарки, а во-вторых, гоняет на автомобиле как угорелый и вечно попадает в аварии. Как всех дураков, господь его бережет: Колесов еще ни разу не побывал в больнице, но тачки он сдает в металлолом — они после аварий восстановлению уже не подлежат.

— Нет, — ответил приятель, — сходи со мной в гости.

— Зачем? — изумилась я.

— Меня пригласили на вечеринку, велено явиться с дамой.

— Господи, да позвони любой из твоих девиц.

— Они в данном случае не подходят, — грустно сообщил Жора, — шалавы, не тот уровень. Еще, не дай бог, вздумает рот раскрыть, потом позора не оберусь. Тут такое дело, ты послушай.

Колесов ухитрился получить исключительно выгодный заказ. Университет медицинского образования собрался закупать компьютеры, штук триста, а то и больше. А вместе с ними принтеры, сканеры и прочие прибамбасы. Прежде сделок такого масштаба у Жоры не было. Колесов и ректор договорились обо всем всего за одну неделю и остались довольны друг другом. Один — тем, что сумел провернуть отличное дельце, другой — тем, что как оптовый заказчик получил значительные скидки. И вот теперь этот ректор прислал Жоре приглашение. Колесов прибалдел, когда вынул из конверта открытку, на которой было написано: «Доктор наук, профессор Рыков Юрий Анатольевич имеет честь пригласить Вас с дамой по Вашему выбору на прием, который состоится первого апреля в 19.00 по адресу: Киселевский проезд, 18, к. 7, кв. 2». Внизу мелкими буковками значилось: «Форма одежды мужчин — смокинг!»

Со смокингом у Жорки проблем нет, их у него несколько. А вот со спутницей дело обстоит гораздо хуже. Девки Колесова категорически не годятся для того, чтобы появляться с ними в свете. Молоденькие, хорошенькие, длинноногие, в мини-юбочках, они, к сожалению, глупы как пробки и вульгарны. Что поделать, Жорку привлекает именно такой типаж. С умной, интеллигентной Катюшей, образованной и самодостаточной Аней он ужиться не смог. Лучше всего Жора чувствует себя в компании нимфеток из социальных низов. На их фоне он — король, но как привести подобную даму на прием к господину Рыкову? Конечно, можно было бы прикинуться больным и не пойти на суарэ, но Жоре очень хотелось побывать на этой тусовке. Скорей всего, там соберутся непростые люди, и Колесов надеялся завязать контакты, ему уже виделись в перспективе выгодные сделки. Вот он и ныл теперь в трубку:

— Дашка, ну что тебе стоит? Одень брюликов побольше...

— И тебя не скрючит пойти на тусовку с такой старой кошелкой, как я?

— Все бы так выглядели, — фыркнул Жора. — Ну чего тебе, трудно, а? Потусуешься, поговоришь по-французски, позвякаешь украшениями, глядишь, у меня контракт в кармане. Будь другом, выручи, ну не могу же я на такое мероприятие с кем-нибудь из своих курочек топать, а?

— Ладно, уговорил.

— Клево, — заорал Колесов, — в шесть тридцать явлюсь в Ложкино!

— Зачем? Сама приеду.

— Ну нет, дама должна приехать с кавалером, — уперся Жорка.

По-моему, все эти условности этикета — не более чем китайские церемонии. Жуткая глупость, придуманная людьми, которым некуда девать свободное время. Ну скажите на милость, не все ли равно, какой вилкой есть рыбу? И так ли уж важно, какого цвета ботинки на мужчине, если часы показывают девять вечера? Но не надо хихикать, не все так просто, как вам кажется. Если стрелки подобрались к восемнадцати часам, лица мужского пола не должны надевать ничего коричневого. Только не спрашивайте, почему. Не должны, и все тут. Кстати, если прием проводится с рассадкой за столом, вы не можете плюхнуться на любое место, а обязаны занять то, которое предназначено именно вам.

И не дай бог сесть не на свое место. Вас мигом переместят. Помните знаменитую фразу Ельцина:

— Не там сели, пересядьте!

Для кого-то имеет принципиальное значение, в каком порядке устроились за столом служащие. Вот и Жорка не мог допустить, чтобы я явилась на прием одна в своем «Пежо». Хотел, чтобы приехала вместе с ним.

Около шести часов я, одетая для приема, с вечерним макияжем на лице, вышла в гостиную и увидела Машу.

— Ты дома? В академии отменили занятия?

— За Черри приехала, — вздохнула девочка, — хочу ее профессору показать.

— Что случилось? — испугалась я.

В нашем доме пять собак, и пуделиха Черри из них самая пожилая: ей стукнуло уже девять лет.

Маня тяжело вздохнула:

— Тебе ничего не показалось странным в ее поведении?

— Ну... есть стала очень много, сильно растолстела, вон какое брюшко отвисло, просто сарделька ходячая, а не собака.

— Я пальпировала ее живот, — завела Маруська.

— Что ты сделала? — не поняла я.

— Ну пощупала ей пузо, по-моему, там опухоль.

Мое хорошее настроение мигом улетучилось. Опухоль... Бедняга Черри, собаки, как и люди, могут получить онкологическое заболевание. Девять лет — преклонный возраст для пуделя... Мы, конечно, сделаем для Черри все, но скорей всего конец ее близок. Слезы подступили к глазам. Заводя собаку, понимаешь, естественно, что переживешь ее, но, когда верный друг покидает тебя, это очень тяжело.

Машка нацепила на ошейник Черри поводок, села в машину к Ольге, и они уехали. Я вышла во двор, и тут же появился Жорка на не слишком шикарном, но довольно новом «Мерседесе». Он окинул меня оценивающим взглядом и сообщил:

— Блеску мало, нацепи еще колечек, браслетиков и цепочек.

Я села на переднее сиденье и ответила:

— Жорик, там, куда мы едем, наверное, не принято навешивать на себя килограммы золота. Поверь, эти серьги и перстень стоят очень дорого, но они не вульгарны и не бросаются в глаза. Тот, кто понимает в драгоценностях, сразу сообразит, что к чему.

ГЛАВА 2

Юрий Анатольевич Рыков обитал в огромной отлично отремонтированной семикомнатной квартире. Темная старинная мебель в гостиной выглядела великолепно: никаких царапин, пятен или сколов. По стенам тут и там висели картины в тяжелых рамах. На потемневших холстах мужские и женские портреты. Стол переливался хрусталем. Сам хозяин выглядел сногсшибательно — черный смокинг, красная бабочка и такого же цвета пояс. Ярковатое сочетание, но Юрий Анатольевич, щупленький мужчинка чуть выше меня ростом, одевался так, наверное, чтобы казаться повыше. Этой же цели служили и лаковые ботинки на высокой платформе. В домашних тапочках профессор был росточком с нашего мопса Хуча. Зато жена его оказалась роскошной молодой дамой лет двадцати пяти, не больше. Ярко-зеленое платье туго облегало ее аппетитную фигуру. К такому наряду полагаются туфли на шпильках, но на ногах госпожи Рыковой красовались элегантные кожаные лодочки без всякого намека на каблуки. В них она была почти одного роста с супругом, разве что сантиметров на пять-семь повыше, не больше. И бриллианты у нее в ушах и на пальцах были много крупнее моих. Оглядев присутствовавших в гостиной дам, я поняла, что, собираясь на прием, фатально просчиталась: мне следовало бы нацепить на себя все драгоценности, хранящиеся в домашнем сейфе. Дамы сверкали и переливались. На хозяйке рядом с бриллиантами красовались изумруды. В ушах — размером с куриное яйцо, на пальцах — чуть поменьше, скажем, с яйцо перепелки, а на шее, если продолжить этот ряд сравнений, болталась цепь, на которой покачивалось нечто похожее на яйца, из которых вылупляются страусята. И уж поверьте мне, это были отличные камни, чистой воды, в вычурных дорогих оправах.

Одна из дам пламенела рубинами. Тетки, должно быть, договорились предварительно между собой, чтобы не оказаться в одном цвете, а может быть, так получилось случайно, однако женщину, которую представили мне как Розу Андреевну, украшал такой же набор, как и у хозяйки — серьги, ожерелье, кольцо, — но с камнями темно-красного цвета.

Вечер протекал вяло. Хозяйка дома, ее звали Сабина, совершенно не занималась гостями. Она оживленно разговаривала с мужчиной, отзывавшимся на имя Яков. Два мужика — Владимир Сергеевич и Леонид Георгиевич — без конца рассказывали Юрию Анатольевичу о каких-то делах, понятных только им. Никто не собирался вовлекать Жору и меня в беседу. Было вообще непонятно, зачем

Колосова сюда позвали. Я еле-еле дождалась возможности встать из-за стола. Моей соседкой справа оказалась Роза Андреевна, от которой удушающе несло духами «Шанель». Легендарная Коко понимала толк в парфюмерии, я люблю созданные ею ароматы, но все хорошо в меру. Если опрокинуть на себя целый флакон, а милая Розочка, похоже, не пожалела и двух, то окружающие ощущают себя словно в газовой камере. Старая истина, которую любят повторять врачи: в ложке — лекарство, а в чашке — яд, может быть перефразирована: в капле — аромат, во флаконе — удушье. Да еще все окна были плотно закупорены, и я почувствовала приближение мигрени.

После десерта я пошла в туалет и по дороге заглянула в пару комнат. Повсюду роскошные люстры, туркменские ковры и антикварная мебель.

В санузле я провела полчаса. Уходить оттуда совершенно не хотелось. Там пахло намного приятней, чем в гостиной. В ванную комнату, явно не предназначенную для гостей, я скорей всего попала по ошибке. На полочках стояло несметное количество незнакомых мне баночек. Я не утерпела и стала изучать их содержимое. Вся косметика была сделана в России неизвестной мне фирмой «Маркус». Честно говоря, я удивилась. Сабина выглядела модной светской дамой. У такой предполагается наличие косметики ведущих западных фирм, а здесь была российская продукция... Это удивительно. В полном недоумении я перебирала тюбики и пластмассовые баночки. В нашей стране производят хорошие шоколадные конфеты, вкусную сырокопченую колбасу и замечательные хлопчатобумажные ткани. Но духи и кремы у нас не ахти какие. Может, этот «Маркус» исключение? Вот, например, крем для удаления пигментных пятен. Преисполненная любопытства, я выдавила на ладонь немного светло-желтой массы и поморщилась. Так и есть — сильно отдает аптекой. Попробую намазать им руки, у меня как раз появилась парочка ненужных темных пятен на кистях рук.

Но, как ни интересно было в ванной, пришлось возвращаться в гостиную и маяться там в ожидании момента, когда прилично начинать откланиваться.

Дома я очутилась около полуночи. Злая, с больной головой и в плохом настроении.

— Мусечка, — прошептала Маня, влезая ко мне в спальню, — не спишь?

— Пытаюсь уснуть.

— Прикинь, радость-то какая!

— Ну?

— Угадай, что с Черри? — хихикнула дочь.

— Опухоль доброкачественная, — заулыбалась я. Маня рассмеялась.

— Доброкачественнее некуда, более того, не одна, а целых пять.

— Опухолей?

— Нет, мусик, ну подумай еще раз.

— Извини, не понимаю, чего пять?

— Щенков.

Я так и подскочила.

— Ты хочешь сказать, что Черри беременна?

— Именно.

— Но ей девять лет!

Маруська развела руками.

— Любви все возрасты покорны.

— Мы не водили ее к кавалеру.

— Она его сама нашла.

— Где?

— Понятия не имею.

— Может, Хуч постарался?

— Вряд ли, — вздохнула Маруська, — он слишком маленький, если только табуреточку подставил.

— А Банди со Снапом?

— Питбуль и ротвейлер? Ты чего, мамуля, они же здоровенные.

— Кто же тогда?

Манюня поколебалась минуту.

— Я думаю на Гектора.

Гектор, мальтийская болонка снежно-белого цвета, принадлежит нашим соседям Сыромятниковым.

— Ему лет десять, — возмутилась я.

— Вот такой шалунишка, — засмеялась Маруся. — Мулечка, не куксись, радуйся, что Черри здорова.

Я кивнула.

— И когда ждать прибавления?

— Со дня на день, — пояснила Маня. — Прикинь, как здорово! Обожаю щеночков.

Я была настроена не столь оптимистично. Наша йоркширская терьериха Жюли родила один раз детей от мопса Хуча. Мопсотерьеров мы потом пристраивали с огромным трудом. Теперь, похоже, получатся пуделеболонки или болонкопудели. Ладно, если хоть один окажется белым, как Гектор, мигом суну его Карине Сыромятниковой. В конце концов отец тоже должен нести ответственность за произошедшее.

На следующий день где-то около часа раздался звонок. Высокий дамский голос произнес.

— Позовите Дарью.

— Слушаю, — отозвалась я.

— Это Сабина, вы вчера были у нас в гостях.

— Да, да, большое спасибо, вечер прошел чудесно.

— Лучше отдайте по-хорошему, — заявила вдруг мадам Рыкова.

Я растерялась.

— Что?

— Сами знаете.

— Извините, не понимаю.

— Не корчи из себя дуру!

Я обомлела.

— Да в чем дело?

— Воровка!..

— Я?

— Конечно.

— Но что случилось?

— Она еще спрашивает! Отдай по-хорошему, без скандала.

— Я ничего у вас не брала.

Сабина отрезала железным тоном:

— Ну ладно, тебе же хуже будет, дрянь подзаборная.

Я в недоумении уставилась на противно пищащую трубку. У этой дамы что, крыша поехала? И откуда она знает мой телефон, мы только вчера познакомились, я своего номера ей не давала. Ничего так и не поняв, я позвонила Жоре и потребовала у того разъяснений. Колесов удивился не меньше моего и сказал:

— Забудь, небось у этой Сабины с головой беда. Идиотская вечеринка. Зачем они вообще меня звали, да еще с дамой! Сидели бы в своей компании и болтали между собой, на фиг мы им сдались. Забудь, Дашутка, плюнь и разотри.

Но мне все равно было неуютно. Что я должна отдать? Около пяти часов вечера Ирка всунула голову в мою комнату.

— К вам гость.

— Кто?

Домработница хихикнула:

— Такой важный, прямо павлин. Вошел и заявил: «Любезнейшая, передайте господам мою визитную карточку». Ну чисто, как в кино!

Я взяла красный прямоугольник, на котором золотом была вытиснена информация: «Юрий Анатольевич Рыков».

Через секунду я влетела в гостиную и увидела профессора около окна. Он услышал звук шагов, повернулся и, забыв поздороваться, сурово заявил:

— Вот, пришел выяснить недоразумение.

Я оглядела незваного гостя. Сегодня на нем красовался элегантный костюм густо-серого цвета, белая рубашка, подходящий по тону галстук, на котором виднелся простой золотой зажим. Однако ноги, как и вчера, были обуты в туфли на толстенной подошве. Мне стало смешно. Этот мужик, старающийся произвести впечатление богатого и самодостаточного человека, на самом деле явно страдает комплексом неполноценности. Так переживать по поводу собственного роста!..

— Любезнейшая, — продолжил Рыков, — лучше отдайте подобру-поздорову.

— Что?

— Ну хватит!

— Послушайте, — вскипела я, — мне надоела эта глупейшая ситуация. Сначала звонит ваша жена и устраивает истерику, теперь вы являетесь. В чем дело, в конце концов? В чем меня подозревают?

Юрий Анатольевич налился кровью.

— Подозревают! Да я точно знаю, что вы украли его.

— Кого?

— Не кого, а что, и хватит идиотничать! Отдавай немедленно!

Я встала и распахнула дверь.

— Убирайтесь вон. Я ничего не брала в вашем доме.

— И не подумаю, — заявил мужик, — буду тут сидеть.

В полном негодовании я схватила телефон и позвонила в домик охранников.

— Алло, из пятого коттеджа Васильева беспокоит. У меня тут человек буянит. Явился без приглашения и теперь хулиганит.

Спустя две минуты в гостиной появились трое парней в черной форме.

— Вот этот, — указала я пальцем на Рыкова.

— Пройдите на выход, — сказал один из охранников.

Юрий Анатольевич стал нежно-зеленым, точь-в-точь как только взошедший на грядках салат.

— Имейте в виду, я этого так не оставлю. У меня связи на самом верху.

— Пройдемте, — настаивал дежурный.

С видом оскорбленного короля Рыков дошел до двери, потом обернулся и прошипел:

— Ну погоди, дрянь, будешь знать, как обкрадывать приличных людей.

Я только вздохнула. Милейший Юрий Анатольевич уверен, что красть нельзя только у тех, кто добился успеха в жизни? А у простых граждан, значит, можно?

— Тварь, — выплюнул Рыков.

— Запишите номер его машины, — попросила я секьюрити, — и больше никогда не пропускайте этот автомобиль на территорию Ложкина.

Примерно через два часа во дворе хлопнула дверца машины, и в гостиную влетел Жора Колесов.

— Ты одна? — заорал он.

— Мои еще не вернулись.

— Это хорошо, — пробормотал Жорка, плюхаясь в кресло.

— Почему? — удивилась я.

— Потому что тут такое дело...

— Говори, — мрачно пробурчала я. — Знаю, знаю, о чем речь пойдет. К тебе приезжал Рыков. Одного не пойму: он несет такую чушь...

— Слушай, — мрачно сообщил Колесов и принялся вываливать информацию.

Чем дольше он говорил, тем ниже у меня отвисала челюсть. В такую ситуацию я попала впервые, хотя могла бы оказаться в подобном положении и раньше. Долгие годы работала преподавателем французского языка, ходила по домам в качестве репетитора. Семьи попадались разные, хозяева тоже. Кое-где меня угощали чаем и даже кормили обедом, иногда чересчур ретивые мамаши сидели во время урока в комнате, изредка мне подсовывали дополнительного ребенка, бесплатно сестру или брата того, кто учил французский, порой обманывали с оплатой. Одна дама, густо обвешанная золотом, долго обещала заплатить заработанные мною деньги:

— На следующем уроке отдам сразу за два раза.

Потом за три, четыре, пять... Когда неоплаченных занятий оказалось двадцать, она позвонила и заявила:

— Мы в ваших услугах более не нуждаемся.

Так что я попадала в разные, подчас очень неприятные ситуации, но в воровстве меня не подозревали ни разу. Хотя кое-кто из моих коллег порой оказывался в щекотливом положении. Ленка Сидорова рассказывала, как один раз, придя на урок к семикласснице, увидела у нее на столе дорогое золотое кольцо с бриллиантом. Естественно, Лена, ничего не сказав, провела урок и ушла. Но на следующий день около кольца оказался браслет, потом часы и кулон... Наконец Сидорова не выдержала и поинтересовалась:

— Скажи, пожалуйста, твоя мама всегда так драгоценности разбрасывает?

— А она сейчас в отпуске, — невпопад ответила девочка.

— И что? — не поняла Ленка.

Школьница хихикнула:

— Так ей потом на работу выходить, придется вас со мной наедине оставлять, вот и проверяет, можно училке доверять или нет? Словом, сопрете вы колечко или постесняетесь?

Но меня господь от подобных ситуаций уберег, поэтому сейчас, слушая рассказ Жоры, я даже слегка растерялась.

Вчера из спальни хозяев пропала очень дорогая вещь: золотое пасхальное яйцо работы самого Фаберже. Симпатичная безделушка украшена нехилыми камушками и стоит баснословно дорого.

— Господи, — только и смогла я вымолвить, — откуда оно у них?

Жора вздохнул:

— Родители Рыкова из дворян. Его бабка состояла фрейлиной при последней императрице. По семейному преданию, юная графиня Рыкова прогуливалась мартовским днем по берегу реки в одной из царских резиденций. Возможно, это был пруд. Юрий Анатольевич точно знает только, что невесть как в проруби оказалась любимая кошка Александры Федоровны. Фрейлина смело кинулась спасать животное и при этом чуть сама не утонула. В конце концов киску благополучно выудили, доставили императрице. Поговаривают, что Александра Федоровна была слегка скуповата, особых подарков придворные от нее не имели, но тут, учитывая факт, что графиня Рыкова заболела воспалением легких и чуть не отдала из-за кошки богу душу, императрица расщедрилась. В первый день Пасхи она навестила больную и преподнесла ей яйцо.

Бабка Рыкова, великолепно понимала ценность презента. После революции она отчаянно бедствовала, но ни разу даже не подумала о том, чтобы продать эту «царскую милость». Ее родственники, коим яйцо досталось по наследству, также тщательно берегли сувенир. И вот теперь он пропал.

— Но почему решили, что это я?

Жора развел руками.

— Говорят, больше ни на кого нельзя подумать.

— Отчего?

— Ну, баба эта, Роза, старинная подруга Рыкова, сто лет в дом ходит. Владимир Сергеевич — директор крупного НИИ, Леонид Георгиевич — его заместитель, а Яков у него в помощниках. Вроде бы гребут лапой миллионы, и им без надобности что-либо переть, даже яйца Фаберже.

— Но я тоже не бедствую!

Колесов вздохнул:

— Оно так, но за все время званого вечера из гостиной на полчаса удалялась только ты.

— Ходила в туалет!

— На тридцать минут? Тебя что, понос разобрал?

— Нет.

— Чего тогда просидела столько в сортире?

— Не хотелось в гостиную возвращаться, вот и нюхала содержимое всяческих баночек у хозяйки в ванной. Помазала кремом руки, ой!

— Что случилось?

Я в недоумении пробормотала:

— У этой Сабины отечественная косметика фирмы «Маркус» разложена в такие невыразительные баночки из желтой пластмассы, а кое-что и в тюбики советского дизайна. Да вот поди ж ты! У меня на внешней стороне кистей рук появились пигментные пятна. Что только ни пробовала, все бесполезно. Покупала дорогущие средства от «Виши» — мази, капли. А тут один разок нанесла, и все. Просто чудо какое-то.

Жорка уставился на мою руку и пробормотал:

— Видишь, не все отечественное — какашка.

Потом он замолчал, и в воздухе повисла тишина.

— Хочешь чаю? — решила я нарушить тягостное молчание.

Приятель помотал головой и сообщил:

— Слышь, Дашка, этот Рыков пообещал меня растоптать. Говорит, что разошлет по всем учебным заведениям столицы предупреждение о том, что фирма Колесова состоит из жуликов. Он, правда, сказал, что, если мы ему вернем раритет, то он ничего затевать не станет.

— Как можно отдать то, чего ты не брал?

— Он еще говорит, что согласен принять деньгами.

— И сколько?

— По оценке «Сотбис», яичко тянет на триста тысяч «зеленых».

Я чуть не упала со стула.

— Да он с ума сошел.

— Не знаю, — забормотал Жора и принялся перекладывать лежащие на столике газеты, — не знаю, обещает крупный скандал. — Потом он помолчал и тихонечко осведомился: — Дашутка, мне ты можешь сказать правду. Ты его точно не брала?

ГЛАВА 3

Около трех ночи ко мне в спальню ворвалась Маша:

— Муся!

Я села в кровати.

— У нас пожар?

— Нет, Черри рожает.

Пришлось натягивать халат и идти в комнату к Машке. Там уже стояли растерянные Зайка и Аркадий. Пуделиха, тяжело дыша, лежала на диване.

— Вот, — сообщила Маня, — процесс пошел.

— Как ты определила, что роды начались? Ей, по-моему, просто жарко.

Маруська показала градусник.

— Видишь? Всего 37 градусов.

— Ну и что, подумаешь, чуть повышена.

Девочка засмеялась:

— Наоборот, понижена. У собак, как правило, 38 градусов, а если падает на целый градус, то верный признак, что началась родовая деятельность.

— Может, ветеринара вызвать? Дениску, к примеру, — предложила Ольга.

Машка махнула рукой, показывая на письменный стол, где на белой простынке лежали ножницы, нитки и какой-то инструментарий.

— Сама справлюсь.

— А ты сумеешь? — засомневалась Зайка.

— Я принимала роды даже у обезьяны, — гордо заявила Манюня, — про собак все знаю. Нужно разрезать пузырь, вытащить щенка, отсосать слизь изо рта и носа...

— Избавь меня от подробностей, — побелел Кеша, который приходит в ужас от поцарапанного пальца.

Машка фыркнула:

— Поверь, это не намного сложнее, чем поменять колесо у твоего джипа.

— Ну-ну, — недоверчиво пробормотала Зайка.

В шесть утра стало понятно, что Черри совсем плохо. Пуделиха лежала, вывалив из пасти сухой язык. Бока ее тяжело вздымались, и она ни на что не реагировала. Не хотела пить воду, пробовать обожаемую сгущенку и прикасаться к шоколадке.

— Я бы позвала Дениса, — вздохнула Зайка.

Маня ничего не сказала, но спустя полчаса вдруг хлопнула дверь, и влетел растрепанный Денька. Он младший сын моей лучшей подруги Оксаны. С самого детства Дениска обожал животных и буквально с трех лет всем сообщал:

— Хочу быть ветеринаром.

Оксанка, хирург по профессии, пыталась надавить на сына. Как все врачи, она считала профессию ветеринара чем-то несерьезным. Вроде бы доктор, но ненастоящий.

— Иди в медицинский, — упрашивала она сына.

Но Денисыч стоял насмерть:

— Только в ветеринары.

В конце концов Александр Михайлович не выдержал и заявил:

— Слышь, Оксанка, отцепись от парня. Похоже, он лучше тебя знает, кем хочет стать.

— Хочу дать ребенку такую профессию, — завела подруга, — чтобы твердо стоял на ногах. Мужчине важно иметь стабильный заработок.

Дегтярев хмыкнул и на следующий день принес Оксанке вырезку из журнала.

— «Каждый второй москвич имеет в семье домашнее животное», — прочитала подруга. — Ну и что?

— А то, — сообщил полковник, — что Дениске хватит работы.

Надо отдать должное Оксане, она умеет давать задний ход. Денисыч поступил в Ветеринарную академию, и к третьему курсу стало понятно, что он «Айболит» милостию божьей. Диагноз Денька ставит удивительно, животные его любят, каким-то десятым чувством понимая, что, хоть сей молодой человек и делает в данный момент болезненный укол, после им будет хорошо. И еще, по-моему, он владеет собачьим и кошачьим языком, потому что иногда заявляет изумленным владельцам:

— У вашей кошки болит печень. Она мне только что пожаловалась на дискомфорт в правом боку.

Окинув глазом Черри, Денька мигом заорал:

— Едем в клинику.

— Почему? — засуетились домашние.

— Надо срочно сделать кесарево, сама не родит.

— Точно знаешь? — решил подстраховаться Кеша.

— Абсолютно, — отрезал Дениска, — два щенка идут одновременно, они перекрыли друг другу выход на свет божий.

Поднялась суматоха. Начали складывать вещи в сумку: простыни, электрогрелку, теплое одеяльце для щенков...

К десяти утра мы получили от хирургов пять щеночков размером чуть больше зажигалки. Я со злорадством отметила, что двое из них — вылитый Гектор: белые, а остальные угольно-черные, совсем как мать.

Домой мы явились к одиннадцати. Черри с выбритым животом выглядела ужасно. Она храпела на диване.

— Отличный шов, — сообщил Денька.

Я взглянула на жуткое нечто, делившее пузо собачки пополам, и вздрогнула. Если это отлично, то как выглядит плохой шов?

Сначала Дениска и Маруська пытались подсунуть щенков матери, но та никак не реагировала на детей.

— От наркоза еще не отошла, — пояснила Маня.

Впрочем, щенята тоже не хотели сосать. Они разевали маленькие пасти и слабо пищали.

— Надо их кормить, — сказал Дениска, — иначе умрут от голода.

Поднялась жуткая суматоха. Аркадий понесся в магазин «Марквет» за детским питанием для щенят. Назад он прилетел с огромной банкой, на которой был нарисован толстый щенок с крошечными бутылочками и пипетками. Мы развели смесь и приступили к кормлению. Маня, Зайка, Аркашка и Дениска довольно ловко закапали своим подопечным в пасть молоко, мне же достался совсем крохотный черный мальчик, очевидно последыш. Жалкий и какой-то полуживой. Глотать пищу он не хотел, капли молока выливались у него из пасти. Кое-как это несчастье проглотило грамм еды и мигом заснуло.

Мы положили щенков на грелку.

— И долго нам их так кормить? — спросил Кеша.

— Пока у Черри не проснется материнский инстинкт, кормить нужно каждые полтора часа, — хором ответили Маня и Денис.

— А если он у нее вообще не проклюнется, инстинкт этот? — осторожно поинтересовалась я. — Тогда как?

— Быть тебе кормящей сукой, — успокоил меня сын.

— Почему именно мне предназначена эта роль? — попробовала я возмутиться, но домашние мигом дали мне отпор:

— Потому что все остальные учатся или работают.

Одним словом, они бросили меня около пластмассового короба, в котором слабо попискивали пять комочков, и унеслись. До самого вечера я, не зная отдыха, кормила кутят. Процесс казался бесконечным. Когда пятый заканчивал завтракать, наступала пора полдничать первому, и так по кругу. Черри не реагировала ни на что. Пару раз только приоткрыла глаза и обвела затуманенным взором гостиную.

Прошло два дня. Ситуация в нашем доме не сильно изменилась. Пуделиха никак не могла оклематься, щенки, правда, начали довольно активно сосать из бутылочек. Я сидела около них неотлучно, удивляясь, отчего это в ящике чисто.

Приехавший Дениска пояснил:

— У них желудки не работают.

— Почему?

— Собака постоянно облизывает щенков, она делает им языком массаж, и это возбуждает перистальтику, — пояснил студент.

— Делать-то чего?

— Как чего? Облизывать, — ответил наш ветеринар и убежал пить чай.

Я с сомнением покосилась на тихо копошащийся выводок. Облизывать? Честно говоря, не очень хочется, но, похоже, альтернативы нет. Мне жалко несчастных собачат.

Поколебавшись минут пять, я взяла самого хилого черненького мальчика и, глубоко вздохнув, приступила к облизыванию. Честно говоря, думала, стошнит сразу, ан нет. Ничем противным от щенят не пахло. Целых полчаса я старательно изображала из себя заботливую собачью мамашу, потом, решив вознаградить себя за труды чашечкой чая, отправилась в столовую.

— Тебе кофе? — спросил Дениска, хватая чайник.

— Чай, — с глубоким вздохом ответила я, — весь рот в шерсти.

— Почему? — удивился наш ветеринар.

— Да со щенков шерсть облезает.

— При чем тут твой рот?

— Как это? Ты же велел щенят облизывать, ну для возбуждения перистальтики!

Дениска захохотал и мигом пролил чай на ковер.

— Ой, не могу, ты их языком, да? Своим?

— Нет, — обозлилась я, — чужим!

— Даша, — стонал Денька, — люди берут тряпочку, мочат теплой водой и протирают щенят. Этакая имитация облизывания. А ты... Ой, держите меня, завтра в академии народ просто завянет, когда узнает!

— Надо было нормально объяснить!

— Но я и подумать не мог, что ты так буквально воспримешь мои слова!

Я уже хотела было заорать от возмущения, но тут зазвонил телефон. Незнакомый женский голос прочирикал:

— Дашу позовите.

— Слушаю.

— Ты газету «Улет» читала?

— Нет, — рявкнула я, — подобной дрянью не интересуюсь. Кто говорит?

— Сгоняй к метро и купи сегодняшний номер, — злорадно заявила незнакомка, — там про тебя такое написано, богатенькая ты наша. Усраться можно. Теперь тебя никто в гости не позовет.

Я растерянно посмотрела на телефон. Про меня? В газете «Улет»? Самое интересное, что хорошо знаю этот бульварный листок, и он мне совершенно не нравится. Его издает один из моих дальних знакомых, Антон Чебуков. Когда-то Антоша работал, как тогда говорили, в партийной советской печати и писал напыщенные заметки о преимуществе социалистического строя над загнивающим капиталистическим. Он дружил с моим последним мужем Генкой, и одно время мы тесно общались. Затем отношения прервались. Гена уехал в Америку, а Антон пропал. Но пару лет назад я столкнулась с ним на вечере, который устраивал в честь своего пятидесятилетия наш сосед банкир Сыромятников. Мы мило побеседовали на отвлеченные темы, потом я подошла к жене Ивана Александровича Карине и поинтересовалась:

— Откуда знаешь Чебукова?

Кара вздернула брови.

— Жуткая дрянь, но с ним нужно дружить, иначе напакостит по полной программе. — И, видя мое глубочайшее удивление, добавила: — Антон — владелец газеты «Улет».

Я тогда не поленилась доехать до метро и купить газету. Поверьте, держала ее в руках впервые. Просто сточная канава, а не издание, на ее фоне даже «Экспресс-газета» и «Мегаполис» выглядят суперреспектабельными. Каких только гадких сплетен не было на ее страницах. Я бросила мерзкую газетенку и понеслась мыть руки. Вот уж не ожидала подобного от Антона, он казался мне интеллигентным человеком. Но я не являюсь лакомой добычей для «Улета»: человек я самый обыкновенный, на светских тусовках почти не бываю, для сплетников никакого интереса не представляю. Живу себе тихо-спокойно, воспитываю внуков. Впрочем, сейчас Анька и Ванька живут в Киеве у Зайкиной мамы. Марина обожает близнецов, она — идеальная бабушка, не то что я.

Вновь зазвонил телефон, на этот раз на том конце провода нервничал Жора:

— Ты «Улет» сегодня покупала?

— Нет, я его никогда не читаю.

— И правильно, — ответил Колесов, — имей в виду, никто не поверит.

— Чему?

Но Жорик уже отсоединился.

— Можешь покараулить щенков? — попросила я Дениску. — На пять минут отъехать надо.

У метро я схватила «Улет» и ахнула. Первую полосу украшала моя фотография, над ней красовалась шапка: «Одна из богатейших женщин столицы промышляет воровством в домах знакомых». Я юркнула в «Пежо» и принялась читать статью.

«Наша милая Даша Васильева, появляющаяся со скучной миной на лице лишь на избранных тусовках, эта безупречно одетая и обвешанная нехилыми камушками дама, эта тетка, чей банковский счет неприлично велик... Держитесь за стену, господа! Впрочем, лучше сядьте, поскольку я сообщу вам такое, что можно упасть: мадам, претендующая на пушистость, оказалась самой обычной воровкой, обворовавшей Юрочку Рыкова...»

Далее излагалась история с яйцом «работы самого Фаберже». Несколько минут я тупо сидела за рулем, переваривая информацию. Мне показалось, что кто-то выплеснул мне на голову ведро помоев, и я, забыв про то, что оставила Дениску со щенками всего на пять минут, рванула по адресу, указанному на последней странице мерзкой газетенки.

ГЛАВА 4

Очевидно, торговля гадостями — выгодное занятие, потому что «Улет» помещался в новехоньком здании. У входа сидел охранник.

— Вы к кому? — весьма вежливо, но строго спросил он.

— К Чебукову.

Узнав мою фамилию, секьюрити принялся терзать телефон, потом сказал:

— Второй этаж, в конце коридора.

Вне себя от злости я, проигнорировав лифт, понеслась по лестнице, перепрыгивая через две ступеньки, распахнула вызывающе шикарную отлакированную дверь и буквально уткнулась в грудь широко улыбающегося Антона.

— О, Дашута, чему обязан?

— Еще спрашиваешь, — прошипела я и швырнула ему на стол газету. — Твоих рук дело?

Чебуков хмыкнул:

— Фотка не нравится? Извини, другой не нашли, ты редко ходишь на такие мероприятия, где бродят мои корреспонденты с аппаратурой.

— Фотография хорошая.

— Тогда чего?

— Статья омерзительная.

— Ну? Неужели?

— Хватит из себя идиота корчить! — рявкнула я. — Кто тебе рассказал чушь про это яйцо?

Антон ткнул пальцем в газетную полосу:

— Это имеешь в виду?

— Да.

— Я тут ни при чем. Вот, смотри, подпись — «госпожа Резвая», к автору и претензии. Можешь подать в суд, у нас в месяц по пять-шесть процессов бывает.

— И тебе нравится таскаться по судам?

Антон с жалостью посмотрел на меня:

— Весь мир изменился, а ты все та же. На судебное разбирательство ходят адвокаты. Кстати, имей в виду: мы почти всегда выигрываем и потом пишем об этих заседаниях. Вот так.

— Как найти эту госпожу Резвую?

— Если в редакции, то сидит на третьем этаже, сорок вторая комната.

— И что, в твоей газетенке можно напечатать все, что угодно.

Антон поднял руки вверх.

— Ну, ну, спокойно! Мы интеллигентные люди, давай без мордобоя. Кстати, если сейчас начнешь бить окна и ломать мебель, мигом прибегут из информационного отдела. Драка — хороший повод для новой статьи. Прикинь, тебе такое надо?

Я пошла к выходу.

— Дашута, — окликнул Чебуков, — не злись. На самом деле ничего не знал. Я — владелец издания, занимаюсь только коммерческими вопросами, а полосы находятся в ведении редакторов. Это они решают, какой материал помещать.

Ничего не ответив, я побежала на третий этаж, отыскала нужное помещение, рванула дверь и обнаружила внутри прехорошенького рыженького мальчика с по-детски пухлыми щеками.

— Где госпожа Резвая? — рявкнула я.

Парнишка от испуга дернулся, и компьютерная мышка свалилась со стола.

— Где она? — не унималась я.

Подросток подхватил болтающуюся на шнуре мышку и тоненьким голоском пропищал:

— Слушаю.

— Ты мне не нужен, где госпожа Резвая?

— Это я, только меня на самом деле зовут Петя.

От неожиданности я села на стул и глупо переспросила:

— Ты?

Мальчонка кивнул.

— Но почему подписываешься женским именем?

— У меня много псевдонимов, — пустился в объяснения гадкий ребенок. — Колючий, Сплетник, Госпожа Резвая, Любитель свиней.

— Твоя работа?

— Ну, в общем...

— Да или нет?

— Это как посмотреть...

— Прямо на страницу погляди! — заорала я. — Как ты посмел меня на весь свет опозорить? Дал непроверенную информацию. Мало ли кто чего наболтает!

— Да вы не расстраивайтесь, — затарахтел юноша, — это же слава, скандальная, правда, но слава. Знаете, сколько всякие звезды шоу-бизнеса платят, чтобы их хоть упомянули? А про вас бесплатно...

— Издеваешься, да? — прошипела я и схватила стоящую на столе пластиковую бутылку с пепси.

— Эй, эй, — отшатнулся Петя, — осторожней. Я ни при чем вовсе.

— Да ну? Кто же тогда все написал под твоим псевдонимом?

— Антон Григорьевич в кабинет вызвал, дал фото, сообщил информацию и велел действовать. А мне чего? Главный приказал, я и выполнил. Еще торопил. Утром задание озвучил, а в обед уже статью получить хотел.

— Тебе велел написать обо мне Чебуков?

— Ага, — сообщил Петя, — и фотку вручил.

Я понеслась на второй этаж с твердым желанием разорвать мерзавца на куски, но дверь его кабинета оказалась запертой, на косяке покачивалась записка: «Зная милую привычку сотрудников обсуждать поведение начальства, сообщаю всем: уехал на блядки, на...сь и вернусь. Ваш главный».

Дрожа от негодования, я села в «Пежо». Ну не сволочь ли! Сколько раз я кормила его по вечерам ужином. Антон частенько брал у нас с Генкой деньги в долг. Суммы, правда, были небольшие, но он их всегда забывал вернуть. А когда Нинка Вишнякова, его бывшая жена, выперла мужика на улицу в одних подштанниках, куда он пришел? Правильно, к нам. Жил в большой комнате на раскладушке, пока не познакомился с Наташкой Луниной, у которой имелась собственная жилплощадь. Да Антон меня знает как облупленную. Конечно, я способна совершить неподобающий поступок. Один раз, когда Генка явился домой пьяный в лоскуты, да еще с парочкой нетрезвых приятелей, я окатила мужиков грязной водой из ведра. Им не повезло, в момент их появления я мыла полы. Но украсть! Да мне такое никогда даже в голову не приходило!

Тут я вспомнила про щенков и Дениску. Парень, должно быть, весь там извелся, ожидая меня.

Наш дом стоит за коттеджем Сыромятниковых. Я обогнула небольшой палисадник, где Карина разводит розы, и внезапно мне в голову пришла очень полезная мысль: интересное дело, почему я должна одна выкармливать из бутылочки пятерых кутят? Их отец явно Гектор, вот пусть Кара и забирает себе двух беленьких, все мне легче будет.

Обрадованная столь легким решением сложной проблемы, я позвонила в дверь Сыромятниковых.

Она мигом распахнулась. На пороге стояла их дочь Леля, подруга Машки. Девочки — одногодки, они ходят в один класс. Лелечка приветливая, спокойная и очень милая, но сегодня, увидев меня, она неожиданно покраснела и пробормотала:

— Здрассти.

— Мама дома? — спросила я, входя в хорошо знакомый холл, заставленный кадками с растениями.

Карина увлекается цветоводством. В доме Сыромятниковых на каждом метре пространства красуются емкости с экзотическими растениями.

— Ее нет, — произнесла Леля, став пунцовой.

Я удивилась:

— Куда же она подевалась? Обычно дома сидит.

Лелина лицо приобрело оттенок кетчупа «Чумак», который очень любит Маруся.

— Это, ну, в общем... В бридж играть пошла, к Локтевым.

Локтевы тоже наши соседи. Их коттедж стоит слева от дома Сыромятниковых. Я пришла в полное изумление:

— К Локтевым? Но ведь они еще на прошлой неделе заперли дом и отправились в Лондон.

У бедной Лели на глазах выступили слезы, и она в полном отчаянии воскликнула:

— Ну не помню, куда мама пошла, нет ее!

В полном недоумении я вышла на крыльцо. Очень странно. Нас с Сыромятниковыми связывают скорее дружеские, а не просто соседские отношения. Несколько лет мы запросто общаемся, забегаем друг к другу в халатах...

Внезапно из-за закрытой двери донесся высокий голосок Лели:

— Я больше не буду ей врать, тетя Даша хорошая.

— Ты же видела газету, — ответила Карина, — мадам Васильева — воровка, обокрала приятелей, таких людей в дом не пускают!

— Это ошибка!

— В газете всегда помещают проверенные сведения, — с уверенностью человека, выросшего в стране социализма, заявила Карина.

— Она не могла украсть, да и зачем? — пыталась оправдать меня Леля. — У них денег больше, чем у нас!

— Дурочка, — ласково ответила Карина, — она же не двадцать рублей сперла. Яйцо, сделанное самим Фаберже! Прикинь, сколько оно стоит. И потом, как у людей обстоят дела в действительности, никогда не узнать. Наш папа в прошлом году чуть не разорился, но об этом никто не догадывался. Мы на «мерсе» ездили и в шубах щеголяли...

Не слушая, что ответила Леля, я побрела по дорожке, соединяющей наши участки. Да, дело плохо. Если уж Карина поверила, то у тех, кто знаком со мной не так близко, и сомнений, должно быть, не осталось. Небось все соседи перестанут со мной здороваться. И что делать? Ума не приложу. Внезапно мне в голову пришла гениальная мысль. Я вытащила мобильный и, поеживаясь от совсем не по-апрельски прохладного ветерка, набрала номер Колесова.

— Жора? Сделай доброе дело. Звякни этому Рыкову и посоветуй подать заявление в милицию о краже. Пусть в происшествии разберутся компетентные органы.

— Я ему предлагал, — вздохнул Жорка.

— И что?

— Не хочет. Говорит, его родственники — до десятого колена аристократы — никогда никаких

дел с полицией не имели и ему завещали поступать
так же.

— Какая глупость!

— Точно, — подхватил Жорка, — только он уверен, что воровка — ты.

Я стала набирать другой номер.

— «Улет» на проводе.

— Чебукова позовите.

— Кто просит?

— Майя Плисецкая.

— О, как я рад, — донеслось через секунду из
мембраны, — как счастлив, несравненная...

— Можешь не разливаться соловьем, это Даша
Васильева.

Антон поскучнел:

— Ну и чего надо?

— Если принесу тебе неопровержимые доказательства того, что яйцо украла не я, а кто-то другой,
ты дашь опровержение?

— Обязательно тисну статью с опровержением.

— Обещаешь?

— Слово джентльмена.

— Ну в твоих устах это не гарантия.

— Хорошо, в честь нашей дружбы.

Я хмыкнула: мог бы и раньше об этом вспомнить.

— Только имей в виду, — завел Антон.

— Что еще?

Чебуков помолчал, а потом внезапно спросил
голосом нормального человека, того, кто просиживал в былые времена табуретку у меня на кухне:

— Слышь, Дашка, ты вправду его не брала? Сделай милость, скажи честно!

— Скоро приволоку к тебе за шиворот того, кто
совершил кражу, — пообещала я и побежала домой.

Надо вновь становиться собачьей нянькой. Эту

ночь я спала совершенно спокойно. Наша домработница сжалилась надо мной и сказала:

— Давайте я повожусь со щенятами.

Правда, Маруся предлагала мне это еще раньше, но я не хотела, чтобы девочка шла на занятия, абсолютно не выспавшись.

Накинув халат, я сползла вниз, открыла дверь столовой, и на меня с ужасающим рычанием бросился черный лохматый комок. Я выскочила в коридор и налетела на Ирку.

— Испугались, да? — спросила домработница. — Сама прибалдела чуток, когда она сегодня зубами защелкала.

— Там кто?

— Черри.

— Черри?!

— Ага, — кивнула Ирка, — у нее материнские чувства проснулись.

Я безмерно обрадовалась:

— Боже, какая радость! Теперь не надо кормить щенят из бутылочки и протирать их тряпочкой. Я так счастлива, будто из дома вывели козу.

— Козу? — не поняла Ирка.

— Ну да, — ликовала я, — анекдот такой есть. Один человек пожаловался священнику: «Так трудно, святой отец, — в крохотной комнатенке живем всемером. Сил моих нет». — «А ты посели к себе козу», — предложил умный батюшка. Прихожанин послушался. Когда он через неделю вновь пришел в церковь, священник поинтересовался: «Как тебе теперь живется, сын мой?» — «Невыносимо, — ответил тот, — семеро в крохотной комнатенке, и еще коза! От нее ужасная вонь, к тому же она все время блеет... Наверное, не выдержу и умру». — «Тогда выведи козу», — спокойно велел священник. На следующее утро мирянин примчался к батюшке и упал на колени: «Спасибо, спасибо, мы просто счастливы, нас в этой комнате ВСЕГО семь человек и никакой козы».

Вот так и у нас получается. Черри начнет сама заботиться о щенятах, просто гора с плеч...

— Что-то я никак не соображу, при чем тут коза, — вздохнула Ирка, — да и радоваться рано. Эта придурочная пуделиха не собирается их ни кормить, ни вылизывать...

— Ты же сообщила, будто у нее проснулись материнские чувства!

— Ага, исключительно по охране потомства, — хмыкнула Ирка. — Щелкает зубами и никого к ним не подпускает.

Я проникла в столовую. Черри сидела у короба, ее глаза горели злобой. Я слегка растерялась. Вообще-то наша пуделиха — милейшее создание, не способное укусить даже того, кто начнет тыкать ее палкой, и вот за одну ночь она превратилась в беснующуюся фурию. Увидев меня, собачка вздернула верхнюю губу и серьезно произнесла:

— Р-р-р.

— Послушай, — осторожно сказала я, показывая бутылочку с молоком, — они есть хотят.

Черри подняла шерсть дыбом.

— Р-р-р.

— Твои дети умрут с голода!

— Р-р-р.

— Даже мне нельзя? Тогда корми их сама!

Словно поняв мои слова, пуделиха опрометью кинулась в короб и легла на бок. Мигом послышалось дружное чавканье. Я перекрестилась и пошла к себе. Хорошо бы все мои проблемы решались столь же легко.

Подумав минут десять, я отыскала визитку Рыкова, набрала указанный там номер и, зажав пальцами нос, попросила:

— Можно Сабину.

— Я у телефона, — прощебетала госпожа Рыкова.

— Вас беспокоят из «Экспресс-газеты».

— Здорово, — оживилась Сабина, — обожаю «Экспресску», отлично пишете.

— Нам очень приятно, что такая известная светская дама читает наше скромное издание, — кривлялась я. — До редакции дошли слухи, будто у вас в доме случилась неприятность?

— Да, обокрали.

— Хотели дать материал на эту тему. Вот только небольшая задержка вышла.

— В чем?

— Не знаем имен остальных гостей, и, если можно, их телефончики.

— Пожалуйста, — радостно попалась на крючок дурочка, — пишите, никакого секрета тут нет. Роза Андреевна Шилова. Она — врач, косметолог. Кстати, великолепный. Если надо морду пошлифовать, только к ней.

— Спасибо, пока еще не нуждаюсь, — прогундосила я, записывая координаты дамы.

— Потом Владимир Сергеевич Плешков и Леонид Георгиевич Рамин. Они владеют торговой фирмой, только не спрашивайте какой. У них узнавайте, я не в курсе. С ними пришел некто Яков. Но про этого мужчину ничего сообщить не могу, знаю только, что они все вместе работают.

— Вы не знаете тех, кого зовете к себе в дом?

— Муж приглашал, они ему по каким-то делам понадобились. Словом, нужники, — пояснила глуповатая Сабина. — Еще позвал этого Колесова, ну а он прибыл с воровкой. Сразу, сразу поняла, что она еще та штучка.

— Почему?

— Прикиньте, — взвизгнула Сабина, — явилась в скромном платьице, колечко с сережками копеечные, макияж простецкий, и села в углу. За весь вечер, как мы ни старались ее разговорить, рта не раскрыла. Молчала, словно говна в рот набрала, и только по сторонам поросячьими глазками зырила.

— Почему поросячьими? — обиделась я.

— Они у нее такие маленькие, противные, — пояснила Сабина, — прямо отвратительные. А потом взяла и ушла из гостиной на целых два часа! Бродила, бродила по нашей квартире, в ванной все мои кремы попробовала, пальцами своими грязными лазила, крышечки не закрыла. А потом, сами знаете, яйцо работы Фаберже утянула. Ну не мразь?!

— Неужели такая ценность не лежала в сейфе? Сабина вздохнула:

— Нет, муж любил перед сном на него любоваться. У него в спальне на столике под стеклянным колпаком стояло.

— И вы не заперли комнату перед приходом гостей, среди которых были незнакомые вам люди? Сабина фыркнула:

— У нас в доме бывают только приличные люди, я за Юрой три года замужем, и за все это время лишь одна мерзавка и пришла — эта Даша Васильева. Она, к слову сказать, случайно к нам попала, в качестве дамы Колесова.

Я повесила трубку и внимательно посмотрела на себя в зеркало. «Поросячьи глазки, маленькие и противные, прямо отвратительные...» Вот уж неправда! Конечно, господь не наградил меня очами лемура, этакими огромными блюдцами, но имею вполне нормальные органы зрения, и совершенно не похожа на детеныша свиньи!

Затем взгляд мой переместился на листок бумаги, где были записаны рядком имена и номера телефонов. Ну, господа из хорошего общества, кто из вас ухитрился сунуть в карман раритет? Делать нечего, придется самой искать вора. Берегись, нечестный жулик, ей-богу, ты не знал, с кем связался!

ГЛАВА 5

Мне свойственно совершать спонтанные поступки. Иногда действую, не подумав, просто кидаюсь как в омут головой, но на этот раз, прежде чем начать действовать, я решила как следует пораскинуть мозгами.

Сначала набрала рабочий телефон Александра Михайловича и с глубоким изумлением услышала:

— Дегтярев.

— Ты на месте?

— Звонишь в надежде не застать? — парировал полковник.

— Нет, конечно.

— Тогда чего удивляешься?

Нет, к старости он определенно становится занудой, но я ему не скажу этого вслух, потому что не в моих интересах злить сегодня толстяка.

— Представь, что я обокрала Женьку, ну эксперта.

— Ты?!

— Просто представь такую ситуацию. Явилась к Женюрке в гости и сперла у него бриллиантовое ожерелье.

— С ума можно сойти! — заорал Дегтярев. — Да откуда оно у него? Знаешь, сколько Женька получает?

Тяжелый вздох вырвался из моей груди. А еще

занимается такой ответственной работой! Никакого воображения.

— Скажи по-человечески, чего тебе надо? — злился Дегтярев.

— Я пытаюсь, а ты не даешь.

— Коротко и четко, — рявкнул полковник, — излагай суть!

— Одну мою подругу, Ксению Малову, обвинили в воровстве. Якобы она была в гостях и утянула ценную безделушку. Хозяин начал требовать ее у Ксюхи, а та предложила ему обратиться в милицию.

— И что? — устало спросил Александр Михайлович. — Чего ты от меня-то хочешь?

— Так этот хозяин не желает писать заявление.

— Его право, как поступать в такой ситуации.

— Но он во всех гостиных обвиняет Ксюху в воровстве! Скажи, она может обратиться в органы с просьбой расследовать кражу?

— Нет.

— Почему?

— Не ее обокрали.

— Но ее обвиняют, клевещут!

— Пусть подает в суд иск о защите чести и достоинства. Или, если мужик начнет применять против нее физическую силу, пусть обратится в районное отделение с заявлением на хулиганские действия.

— Значит, она не может просить об открытии дела?

— Нет, — обозлился Дегтярев, — извини, если у тебя все, давай заканчивать. Мне некогда.

Я отсоединилась. Слабая надежда, что кто-то начнет вместо меня выполнять работу, развеялась как дым. Что ж, придется самой...

Следующий час я сидела у стола и рисовала на бумаге загогулины. Ясное дело, яйцо спер кто-то из гостей. Было нас не так уж много. Ну-ка, вспоминай, Дашутка, кто выходил из комнаты?

Я начала прокручивать в голове события того вечера. Сначала все сидели за столом, потом подали кофе, но не в столовой, где мы ужинали, а в соседней комнате, в гостиной. Мужчины взяли сигары, Сабина включила музыку и потащила Якова танцевать. Жорка о чем-то оживленно беседовал с Леонидом Георгиевичем, Владимир Сергеевич и Рыков смотрели какую-то книгу, я тосковала в одиночестве на диване. Роза Андреевна... А вот милейшая Розочка выскользнула за дверь. Правда, она вернулась очень быстро, со свеженакрашенным лицом. Очевидно, что дамочка просто-напросто ходила поправлять макияж, но она все же покидала гостиную. Впрочем, остальные тоже на протяжении вечера удалялись. Сначала Яков похлопал себя по карманам и заявил:

— Черт, сигареты в машине забыл.

— Возьми в коробке на столике, — мигом предложила Сабина.

— Нет, — ответил мужчина, бросив мимолетный взгляд на сигаретницу, — могу курить только «Мальборо Лайт».

Бросив эту фразу, он вышел и вернулся с бело-золотой пачкой.

Потом во дворе истомно завыла сигнализация какого-то автомобиля, и Леонид Георгиевич, услыхав этот вой, подскочил:

— Кажется, мой «Вольво» крадут.

А Владимир Сергеевич уронил себе на колено кусок шоколадного торта и пошел замывать брюки.

Получается, что из гостиной не выходили лишь Жорка и хозяева. Хозяева вне подозрений, а Колесов не имел возможности что-либо спереть, так как он неотступно ходил за Рыковым в надежде начать разговор о поставке компьютеров. Значит, под подозрением четверо, и моя задача узнать об этих людях как можно больше.

Я уставилась в окно. Кто вор? Возможно, кто-то из них оказался в тяжелом финансовом положении и рассчитывает тайком продать раритет и поправить свои дела. Или среди гостей был ненормальный коллекционер? В большинстве случаев люди, собирающие старинные безделушки, странные особи. В свое время, когда мы еще жили в Медведкове, в одной из квартир нашего дома обитал старик. Завидя фигуру, замотанную во все времена года в тяжелое пальто из буклированной ткани, мы шарахались в сторону. Честно говоря, от деда ужасно пахло. Сначала я считала его алкоголиком, пропившим разум, но потом узнала удивительную вещь. Оказывается, наш нищий на самом деле был доктором наук и страстным собирателем редкостей. Все средства коллекционер тратил на раритеты. Чтобы приобрести нечто, о чем он давно мечтал, чудак обменял свою четырехкомнатную квартиру на Арбате на крошечную халупу в Медведкове. А вонью от деду ли несло потому, что он регулярно ездил на городскую свалку и рылся там в отбросах, надеясь найти что-нибудь необычайное, случайно оказавшееся в мусорном ведре. Если у человека имеется дикая страсть к собирательству и он увидит вожделенный, но недоступный объект... Ладно, пора за дело: Начнем с милейшей Розы Шиловой.

Я схватила мобильник и начала названивать своей ближайшей подруге Оксане.

— Да, — ответила она, запыхавшись.

— Откуда я тебя вытащила?

— В комнате у Дениски вставляют новую оконную раму. Случилось чего?

— У тебя есть знакомые в косметологической клинике на Семипрудной улице?

— Сейчас, погоди, — ответила подруга и зашелестела страничками телефонной книги.

Я ждала. Оксана знает несметное количество народа, в основном медиков. С кем-то она училась, кто-то посылает ей больных на консультацию.

— Нашла, — обрадовалась Ксюта, — там Ленка Ромашкина работает, но она стоматолог, прикус исправляет и все-такое. А тебе зачем?

Я на секунду заколебалась. Оксане можно сказать правду, подруга никогда меня не выдаст и ни за что не расскажет о случившемся ни моим детям, ни Дегтяреву. Я не хочу, чтобы они знали о моей проблеме. Помощи от них ждать нечего. Александр Михайлович, естественно, не станет открывать никакого уголовного дела, а Зайка и Аркадий начнут завывать на разные лады:

— Вот, так и знали: стоит из дома отпустить, и она мигом попадет в какую-нибудь неприятность.

Но у Оксаны слабое сердце, она разнервничается, схватится за таблетки. Нет уж, лучше совру.

— Да тут приехала к нам тетка...

— У тебя опять гости, — вздохнула Оксана. — Надолго?

— На пару дней всего, проездом из Питера, подруга Аньки Малышевой. Она хочет проконсультироваться в этой клинике, но предварительно желает провести разведку, узнать, кто там из докторов получше.

— А зачем туда? — оживилась Ксюха. — Давай дам телефончик чудного дядьки...

— Ее заклинило именно на этой больнице, не стану же я спорить с полузнакомой дамой.

— Ну ладно, — сдалась всегда желающая всем сделать хорошо Оксанка, — пиши: Лена Ромашкина. Дам тебе домашний и рабочий. Пусть твоя протеже возьмет коробку конфет, двести рублей и топает к Ленке. Назовет мою фамилию, и Ромашкина ее как родную примет. Да, вот еще, предупреди эту бабу, что коньяк нести нельзя, только шоколадный набор, желательно без алкогольной начинки.

— Почему?

— Ленка очень выпить любит, — вздохнула Ксюта, — хватит рюмку-другую, и все, съехала с катушек. Так что уж лучше шоколадки. Ну пока!

Я полетела в гостиную и открыла бар. Где они? Ага, вот, замечательный ликер «Барокко». В Россию этот напиток практически не поступает из-за его дороговизны: цена поллитровой бутылки едва не дотягивает до стоимости нашего «Жигуля». В Москве раздобыть «Барокко» можно только в магазине «Музей вина». Да и то там одна разновидность — миндальный, а у нас в баре их набралось более десяти, причем самых разных. Дело в том, что производитель «Барокко» Жан Делижанс мой хороший знакомый. Кроме «Барокко», Жан производит вполне приличное красное сухое вино, которое можно найти на полках дорогих супермаркетов. Жан частенько наведывается в Москву. Останавливается у нас в Ложкине и всегда привозит в подарок «Барокко». Нехорошо, конечно, идти в гости к пьянчужке с бутылкой, но, выпив, она станет разговорчивой, может быть, даже болтливой.

Ромашкина, услыхав, что ее телефон мне дала Оксана, мигом стала любезной:

— Слушаю, чем могу быть полезна?

— Видите ли, Леночка, — защебетала я, — разговор не телефонный. Можно подъехать?

Лена вздохнула:

— Только домой, после трех.

— Я вам не помешаю? Лучше на работе.

Ромашкина вновь издала тяжелый вздох:

— Там точно не дадут поговорить клиенты, медсестры. Нет, если дело такое деликатное, то домой. Пишите адрес.

Что ж, она права, в квартире болтать сподручнее, никто не будет мешать и влезать в разговор. Хотя, если у нее дети и муж...

Но Лена жила одна в крохотной, великолепно отделанной квартирке в районе Песчаных улиц. Я вошла в узенький коридорчик и восхищенно цокнула языком. Просто хоть присылай сюда корреспондента из журнала «Ваш дом». Вот ведь что можно сделать из обычной «хрущобы», если вложить в нее силы и средства! Сама когда-то жила в такой же — крохотная кухонька, прилегающая к ней семиметровая комната, потом «гостиная» и кукольный санузел. Но Лена сделала перепланировку, и из небольшого коридорчика вы попадали в просторный «пищеблок», битком забитый всяческими модными прибамбасами. Дорогая кухонная мебель, бар, высокие стулья, а каждый сантиметр, нет, даже миллиметр пространства нес функциональную нагрузку. Пол покрывала кафельная плитка, а еду Лена готовила на сверхсложном агрегате. Повсюду мигающие лампочки, какие-то ручки, рычажки и никаких конфорок. Даже непонятно, куда ставить кастрюльки.

Я вынула из пакета «Барокко». В глазах Лены появился блеск, и она удивленно произнесла:

— Такой вижу впервые.

— А вы попробуйте.

— Это нечто, — пробормотала стоматолог, смакуя первый глоток, — и где же берут сей божественный нектар?

— В магазине «Музей вина».

— Завтра же сгоняю туда, — сообщила Лена, допивая рюмку.

Я промолчала. «Надеюсь, дорогая, что, увидав его цену, ты откажешься от мысли купить этот ликер», — подумала я.

— В чем проблема? — повернула ко мне слегка порозовевшее лицо стоматолог.

Я произнесла заранее заготовленный спич. Работаю на телевидении, на одном из кабельных каналов, веду передачу о моде. Выгляжу вполне пристойно, но на хвост садятся молодые да резвые, вот и пришла пора сделать подтяжку. Кое-кто посоветовал обратиться в клинику на Семипрудной. Но идти просто так, наобум, не хочется. Моя молодость прошла при социализме, поэтому я твердо усвоила истину: врача должен порекомендовать кто-то из знакомых.

— Совершенно справедливо, — подтвердила Лена, — а то так натянут! Морду ведь не спрячешь. Ну сделает тебе хирург отвратный шов, удалив аппендицит. Неприятно, конечно, но можно одеждой прикрыть. А лицо все время на виду. Зачем тебе наша клиника? Конечно, не очень хорошо так говорить о месте, где работаешь, но у нас сплошные жо-порукие собрались. Беда, а не специалисты. Бородавку могут убрать, массаж хороший сделают. А подтяжку!.. Ступай лучше в Институт красоты. Хочешь, дам телефончик чудесного хирурга?

Я отметила, что Лена, проглотившая уже четверть бутылки «Барокко», перешла со мной на «ты», и сказала:

— Мне советовали некую Розу Андреевну Шилову. Говорят, что она берет бешеные деньги, но люди уходят от нее с обновленными лицами.

Леночка побарабанила пальцами по красивой кружевной скатерти.

— Роза не хирург, но результаты у нее и впрямь сногсшибательные, бабы к ней так и рвутся. Она ухитряется омолодить без операции.

— Как это? — искренно удивилась я.

Леночка пожала плечами:

— Не знаю. Она, естественно, об этом не рассказывает. Но результат налицо. Приходит к ней пятидесятилетняя кошелка. Сама понимаешь, как ни старайся, а полтинник есть полтинник. Скажу тебе откровенно, всякие маски, кремы, массажи — это хорошо. Но не верь, если обещают, что таким образом избавишься от морщин. Неправда. Все процедуры затрагивают только верхний слой, а морщина формируется глубже. Исправить морду может лишь подтяжка. Если будешь за лицом тщательно ухаживать, операция попозже понадобится. Поняла?

— И при чем тут Шилова?

— Странное дело, — протянула Лена, — она крем делает и продает его, естественно. Состав никому не открывает, это ее «ноу-хау». Правда, предупреждает сразу, что помогает он не всем. Но уж если действует! Просто чудеса какие-то. Кожа белеет, пигментные пятна исчезают, «гусиные лапки» разглаживаются. Невероятно, но факт. Я сама у нее баночку купила для пробы. Одну — руки мазать, другую — физиономию. Не поверишь, но кожа на руках как у молодой стала, а на лице только слабый эффект получился. Видела Ирэн Фабер?

— Актрису из театра «Центр»?

— Ну да, сейчас сериал по телику идет «Убить, чтобы выжить», она там главную роль играет.

— Видела, конечно. Еще удивилась, как она похудела и помолодела.

— Это с ней Роза работала.

— Правда?

— Совершенно точно. Мой кабинет рядом с ее находится. Я иногда с разными клиентками сталкиваюсь. Ты не поверишь, какая эта Фабер была год назад. Я, когда впервые ее увидела, аж вздрогнула. На сцене-то они все красавицы, а в жизни... Кожа желтая, синяки под глазами жуткие, опухшая вся, «сеточка» на щеках, да и сама довольно упитанная, если не сказать толстая. Небось в корсет затягивалась на съемках. Стала к Розе ходить, просто преобразилась.

— Дорого, наверное, берет?

Лена кивнула:

— Если только крем покупаешь, то пятьсот баночка.

— Долларов?!

— Уж не рублей. Но она еще предлагает массаж. Наши считают, что именно в нем все дело. Первый курс — двадцать процедур. Кому-то одного хватает, кому-то два, а то и три раза повторять приходится. Но эффект!..

— А массаж сколько стоит?

Лена хмыкнула:

— С этим вопросом к ней, она сама цену назначает в зависимости от состояния кожи.

— Ты сама к ней не ходила?

— Она коллег не берет. Говорит, что нервничать начинает, руки дрожат. Знаешь, многие хирурги не могут оперировать знакомых и родственников.

Я кивнула. Слышала о таком.

— Только думается, что дело не в дрожащих руках, — засмеялась Лена. — Небось опасается, что наши узнают, как она работает, и переймут опыт.

— Роза эта, должно быть, богатая женщина.

— А то, — вздохнула Лена, — у меня отродясь столько денег не будет. Ты бы поглядела на ее машину! Закачаться можно. Я уж не говорю об одежде, драгоценностях, духах. Квартира у мадам на Кутузовском проспекте, дача... Чего только нет. Да и понятно. Она одинокая, ни мужа, ни детей, так что все на себя тратит.

— Значит, в деньгах не нуждается...

— Чтоб ты так всю жизнь нуждалась. Вчера в клинике собирали деньги на подарок. Катька Романцева ребенка родила. Народ у нас обеспеченный и в общем не жадный. Кто триста рублей дал, кто пятьсот.

Лена, обходившая врачей с подписным листом, заглянула и к Шиловой. Та вытащила из кошелька стодолларовую банкноту и спокойно протянула Ромашкиной со словами:

— Извини, дорогая, у меня только валюта, не успела разменять.

Лена машинально глянула на портмоне, увидела в нем тугую пачку «зеленых» купюр и спросила:

— Сколько сдачи дать?

— Ерунда, — отмахнулась Шилова, — все ваши. Ромашкина не сумела сдержать завистливый вздох. Конечно, она сама хорошо зарабатывает, но вот так небрежно, походя выбросить сто долларов ей слабо.

— Одевается наша Розочка только в бутиках, — самозабвенно попивая ликер, сплетничала хозяйка, — обедать каждый день ездит в «Охотник», ресторан при Центральном доме литераторов, а там чашечка кофе на пятьдесят баксов тянет. Одним словом, похоже, денег ей девать некуда, вот и ломает голову, куда бы их рассовать.

— Я бы на ее месте начала коллекционировать предметы старины.

Лена засмеялась:

— Роза патологически не переносит, как она

говорит, «старушечьи штучки». Тут недавно дядька приходил ко мне зубы себе делать, директор антикварного магазина. В благодарность за хорошую работу предложил:

— Хотите, приезжайте ко мне в магазин. За копейки отличные вещи можете купить. Некоторые старики такое сдают, что закачаться можно. Сами не понимают, чем владеют.

Лена любит безделушки, поэтому с удовольствием воспользовалась случаем и приобрела за бесценок несколько изумительных фарфоровых статуэток балерин. Желая похвастаться, она принесла одну на работу и показала в ординаторской. Врачи заахали, заохали. Такая красота! Надо же, сделано из фарфора, а кажется, что на танцовщице настоящие кружева. И тут появилась Шилова.

— Розочка, посмотри, какая прелесть, — кинулась к ней Вера Стеблова, операционная медсестра.

Косметолог сморщила нос:

— Господи, да мне от бабки ящики с таким барахлом достались в наследство. Все выкинула. Как, скажите на милость, из этих дырок грязь выковыривать?

— Но это же настоящая старина, — попыталась объяснить Вера.

Роза Андреевна только хмыкнула:

— Вещи должны быть новыми, чистыми и красивыми. Может, кому и нравится иметь дело с треснувшими тарелками и выцветшими тряпками, но только не мне.

ГЛАВА 6

Домой я приехала разочарованная. Похоже, что Роза яйца не брала. Вернее, на девяносто процентов это не Шилова. Дама отлично зарабатывает, родственников не имеет, коллекционированием не увлекается...

Продолжая размышлять на эту тему, я открыла дверь и увидела забившегося в угол мопса Хуча.

— Милый, ты почему прячешься? Натворил чего?

Но всегда приветливый Хучик сидел под стулом, понурив голову.

Не понимая, что случилось с собачкой, я сняла куртку, ботинки, и тут в прихожую, радостно лая, влетел Хуч. Я так и села. У меня глюки? Один Хучик с мрачной мордой забился под стул, другой весело вертится у меня под ногами, пытаясь облизать хозяйку.

— Как день провела? — поинтересовалась, выглянув из гостиной, Зайка.

— Ольга, — осторожно спросила я, — ты Хуча видишь?

— Да вот же он!

— А там тогда кто?

Зайка засмеялась и вытащила из-под стула еще одного мопса.

— Это Юнона, в обиходе Юня или Нюня. Она откликается на любую кличку.

Я уставилась на слишком толстую собачку:

— Ничего не понимаю.

— Часа два тому назад, — пустилась в объяснения Зайка, — к нам заявилась Агата Кроуль. Помнишь ее?

Еще бы, с Агаткой мы долгие годы проработали бок о бок в одном институте, преподавали иностранные языки. Я — французский, а Агата — немецкий. Она этническая немка. Ее дед и бабка, оба коммунисты, приехали в тридцатые годы в Москву по линии Третьего Интернационала. Была такая международная организация, объединявшая в раз-

ных странах тех, кто хотел строить светлое комму-
нистическое будущее. Супругам Кроуль не удалось
ничего построить — в начале сороковых годов они
оказались в лагере. Их сына Германа, отца Агаты,
почему-то не тронули. Когда грянула перестройка,
Герман, еще вполне бойкий мужчина, отыскал в городе Киль родственников и, прихватив Агату, от-
был на историческую родину. Мы с Агаткой пере-
писываемся. Она, когда приезжает в Москву, останавливается у нас.

— Агата в Москве проездом, — вещала Зайка,
поглаживая Юню. — У нее были билеты на самолет,
который через пару часов улетел в Новосибирск.
Она только завезла к нам мопсиху и умчалась.

— Ничего не понимаю, объясни толком.

— О, господи, — обозлилась Ольга, — повторяю еще раз, специально для самых тупых. Агата
летит в Новосибирск.

— Зачем?

— Так в академгородке какой-то семинар по
новой методике преподавания.

— Ну?

— Что — ну? Прямого рейса нет, Агата летела с
пересадкой в Москве, понятно?

— Это да, но при чем тут мопс?

— Ей было не с кем оставить Юню в Германии,
пришлось взять с собой. Но бедной собаке стало
так плохо в самолете, что Агата не решилась тащить
несчастную в Новосибирск, вот и приволокла к нам.

Теперь ясно. Мопсиху подсунули нам на пере-
держку. Агата правильно рассудила: собакой больше, собакой меньше, в нашем случае роли не играет.

— Надолго она к нам? — поинтересовалась я,
поглаживая дрожавшую Юнону.

— На две недели, — ответила Ольга. — Забилась
в темный угол и трясется, даже есть не захотела.

Я потрогала плотно набитое пузо мопсихи.

— Ничего, вон какая жирненькая, ей не повредит денек-другой на диете посидеть.

— Муся, — завопила, влетая в холл, Маня, — тебя к телефону!

Я взяла трубку. Дребезжащий старческий голосок проговорил:

— Вы Дарья Васильева?

— Да.

— Та самая, что украла яйцо Фаберже у Рыкова?

Не желая продолжать разговор, я нажала на красную кнопочку. Ну вот, начинается. Теперь мне станут звонить всякие идиоты. Но телефон затрезвонил вновь. На этот раз трубку схватила Зайка.

— Меня нет, — трагическим шепотом просвистела я.

Ольга кивнула и спросила:

— Вам кого? Ага, сейчас. На! — и сунула мне трубку.

— Просила же не звать! — возмутилась я.

— Кого? Меня? Ничего не слышала, — отрезала Ольга.

Пришлось покориться.

— Простите, Дарья, — задребезжал в трубке старческий голос, — понимаю всю глупость моего звонка, но вы не можете взглянуть на это яйцо?

— Зачем? — обозлилась я.

— Там на самом верху есть узор из зеленых камешков, их всего двенадцать. Так вот, одиннадцать — цвета травы, а один — синий. Это маменька камешек потеряла, а папенька вставил другой, но не угадал, а может, не достал нужного изумруда.

Я быстро поднялась к себе в спальню, захлопнула плотно дверь и сердито спросила:

— Какого черта идиотничаете? Кто дал вам мой телефон?

— В газете «Улет» подсказали.

— Вот оно что, — разозлилась я, — больше не смейте мне звонить!

— Душенька, я очень старая, мне девяносто два года, — пробурчала бабка, — уж извините, коли побеспокоила.

— Хорошо, хорошо, только больше не звоните.

— Ну скажите, сделайте милость...

— Что?

— Вы брали яичко?

— НЕТ!!! — заорала я так, что задрожали стекла. — НЕТ!!!

— Ах, какая жалость, — заплакала старуха, — так надеялась, что оно у вас.

От неожиданности я спросила:

— Почему?

— Ну мы могли бы поменяться. Вы мне — яичко, а я вам... Выбор большой! Картину Репина, например, или серебряный кофейный сервиз... Не хотите?

— Вы коллекционер?

— Нет.

— Зачем вам яйцо?

— Ах, ангел мой, оно было талисманом нашей семьи.

— Вы мать Юрия Анатольевича Рыкова?

— Упаси бог! — вскричала дама. — Он сын Анатолия, который обокрал нас. Долгие годы мы считали яйцо исчезнувшим, естественно...

— Погодите, — перебила я говорившую, — вы кто?

— Амалия Густавовна Корф, — с достоинством представилась дама. — Вообще-то фон Корф, но уже давно приставку мы опускаем. Наш род...

— Постойте, яйцо принадлежало вам?

— Да.

— Но Рыков рассказывал о своей бабке-фрейлине, которая получила его в подарок от императрицы!

Собеседница неожиданно звонко, совсем не по-старушечьи рассмеялась.

— Бог мой, какое вранье! Юра, наверное, думает, что все Корфы уже покойники. Ан нет, я еще жива, скриплю потихоньку и такого рассказать могу. Фрейлина! Да его отец, Анатолий, служил в дворниках, как сейчас помню...

— Амалия Густавовна можно к вам приехать?

— Отчего нет, душенька?

— Но уже поздно.

— Э, милая, бессонница замучила, никакие лекарства мне не помогают, так что приезжайте.

— Говорите адрес.

— Так на одном месте всю жизнь живу.

— Но я-то у вас не бывала.

— И то верно, — опять по-девичьи звонко рассмеялась бабуся, — пишите, сделайте милость. Поливанов переулок, дом 8, квартира 3. Когда-то весь дом был наш, но случилось горе, революция эта...

— Уже еду.

— Милая, яичко прихватите, мы с вами поменяемся.

Я выскочила в холл и налетела на Зайку, которая несла миску с молоком. Белый фонтанчик взметнулся вверх и осел на блузку Ольги.

— Куда ты так несешься? — разозлилась девушка.

— А ты зачем с миской молока по дому бродишь?

— Хочу Юню покормить. Она сидит под стулом и сопит.

Я направилась к двери.

— Куда на ночь глядя? — проявила бдительность Зайка.

Я растерялась. Правду говорить не хочется, что соврать, не знаю.

— Машину в гараж решила загнать.

Ольга не выказала никакого удивления и, присев на корточки, засюсюкала:

— Юнечка, выползи, на. Это вкусно, пей!

Поливанов переулок прячется в районе Старого Арбата. Остались еще там дома, возведенные в XIX веке. Амалия Густавовна и жила в одном из таких строений. Подъезд поражал великолепием. Я ожидала увидеть обшарпанные стены и скопище табличек с фамилиями жильцов, но коммуналки, очевидно, расселили, и в квартиры въехали богатые люди, потому что холл потряс. Пол был выложен нежно-зеленой плиткой, с ним гармонировал сочно-зеленый цвет стен. На мраморных ступенях широкой, отмытой добела лестницы лежала красная ковровая дорожка, которую придерживали начищенные латунные прутья. В вестибюле у подножия лестницы стояли огромные напольные вазы, из них торчали букеты искусственных цветов.

— Вы к кому? — раздался голос.

Я невольно вздрогнула, повернула голову и заметила в углу, почти под лестницей, парня в черной форме, сидящего за письменным столом.

— В третью квартиру.

— К хозяйке, значит, — улыбнулся секьюрити, — второй этаж.

— Почему к хозяйке? — удивилась я.

Охранник хмыкнул:

— Так ей раньше, еще при царе, весь дом принадлежал. Она об этом всегда рассказывает. Бойкая такая бабуся, не подумаешь, что ей девяносто лет. Больше семидесяти не дать.

Я поднялась по роскошной лестнице на второй этаж. По мне, так, что семьдесят, что девяносто, — это уже глубокая старость. Вот двадцать и сорок — это существенная разница, а стукнуло тебе восемьдесят или сто, разобраться уже невозможно.

На втором этаже было три двери, все обитые розовой лакированной кожей. Я ткнула пальцем в кнопку звонка и услышала слабое «бом, бом». Залязгали запоры, и на лестничную клетку высунулась крохотная старушка, похожая на белую мышку.

— Вы Даша?

Я кивнула и вошла в темноватую прихожую, где сильно пахло пылью.

— Раздевайтесь, — радостно предложила бабуся, — сейчас чаю попьем, а еще лучше кофе со сливками. Не возражаете?

— Какая у вас дверь красивая! Розовая...

— Отвратительная, — рассердилась Амалия Густавовна, — прежняя была намного лучше. Из цельного мореного дуба, я ее с трудом открывала, и замки стояли от «Файна». В 1916 году врезали, а они как новенькие. Вы слышали о «Файне»?

— Нет.

— Да, действительно, откуда, молода слишком. А эту дверь мне купили соседи. Они богатые люди и хотели, чтобы лестница выглядела прилично. По-моему, сейчас она стала кошмарной, но им нравится. Простонародье обожает блеск и цыганщину.

Продолжая тарахтеть, она пошла в кухню.

— Принесли яичко? — с детской непосредственностью поинтересовалась бабуся, сев за круглый стол.

— Амалия Густавовна, я его не брала.

— Ах, какая жалость, — запричитала старушка, — так сначала обрадовалась, так понадеялась.

Вы мне яйцо, а я вам сервизик. Смотрите, какой замечательный, может, передумаете?

— Откуда вы про меня узнали и что это за история с яйцом, дворником и кражей?

В лице Амалии Густавовны мелькнуло нечто похожее на злорадство, и она принялась обстоятельно рассказывать о делах давно минувших дней.

Родилась Амалия в этом самом доме в 1907 году. Ее отцу Густаву фон Корфу принадлежало все здание. Потом случилась Октябрьская революция...

Как это вам ни покажется странным, но Густава, его жену Марту и дочь Амалию репрессии не коснулись. То ли о них забыли, то ли посчитали безобидными, бог знает, отчего так вышло, только жили они по-прежнему на Арбате. Правда, от всего дома им оставили лишь одну квартиру, но других-то дворян вообще отправили на лесоповал. Фон Корфы не только остались живы, но им удалось припрятать многое из семейных ценностей — картины, иконы, посуду, кое-какие украшения. На улице они старались ничем не выделяться среди прохожих. Густав носил картуз и не слишком ладный костюм, Марта имела скромное пальто без остромодной тогда чернобурки, а Амалия, сначала пионерка, потом комсомолка, надевала полосатые футболочки и начищала зубным порошком парусиновые тапочки. Домой девочка никого из друзей не звала.

— Папа очень болен, — объясняла она одноклассникам, — он шума не выносит.

То же самое говорила коллегам Марта, работавшая скромным библиотекарем.

— Муж, к сожалению, из-за болезни стал нелюдимым, все его раздражают.

Короче говоря, в их квартире никто из посторонних не бывал. Но Густав был абсолютно здоров.

Фон Корфы просто не хотели, чтобы любопытные глаза ощупывали мебель, картины и иконы. Но самым ценным в их доме было яйцо работы Фаберже. Густав подарил его Марте в 1907 году на Пасху, специально заказал мастеру, заплатив немалые деньги. Через десять лет случилась маленькая неприятность — один из изумрудиков, украшавших верхушку, потерялся, и Густав снова обратился в ту же мастерскую. Уже грянула революция, ювелиры сворачивали дело, нужного изумруда у них не оказалось, и на пустое место вставили сапфир. Так яйцо и осталось с «отметиной». Марта очень дорожила подарком и считала его семейным талисманом.

— Видишь, какое оно красивое, — показывала она раритет маленькой дочери. — Вырастешь, береги его, помни: пока яичко с тобой, все беды отлетят.

Так Амалия и выросла, сохранив наивную детскую уверенность в волшебную силу безделушки.

Густав скончался в 1941 году, Марта пережила его на десять лет. Амалия осталась одна.

ГЛАВА 7

Жить ей стало тоскливо. Друзей не завела, сказалась привычка никого не звать к себе в дом. Семейная жизнь тоже не сложилась. Лучшие годы пришлись на войну, потом ухаживала за тяжело больной матерью. Похоронив Марту, Амалия поняла, что куковать ей теперь в одиночестве до конца дней. Хотя о какой старости могла тогда идти речь? Женщине только исполнилось сорок четыре года. По ночам она иногда плакала в подушку, пытаясь задушить рыдания. Зачем всегда слушалась маму?

Марта запрещала дочери встречаться с кавалерами, презрительно роняя:

— Они не нашего круга.

Но где же ей было искать тот круг? Осколки благородных фамилий тщательно скрывали свои знатные корни. Это после перестройки многие мигом стали князьями, графами и баронами, а долгое время все они писали в анкетах, в графе «происхождение»: из рабочих. Да и Корфы, кстати, тоже сообщали о себе, что они — «служащие». Если кто начинал удивляться их редкой фамилии, Марта быстро поясняла:

— Мой муж был подкидышем, на улице нашли. Воспитал его дворник, немец по происхождению, отсюда и пошла эта фамилия.

Когда началась война, эта версия претерпела некоторые изменения.

— Мой супруг, — сообщала Марта, — был сиротой, воспитан дворником, который подобрал на улице младенца. Добрый человек носил фамилию Корфоленяновешский, он был поляком. Но попробуйте выговорить такое! Поэтому фамилию и сократили до первых четырех букв, и он стал Корфом.

Но подобные ситуации, когда нужно было что-то объяснять, возникали редко — друзей у семьи не было. А у Амалии с детства сложилось мнение: дворник — это хороший человек. Девочке лет до двадцати не сообщали правду о ее происхождении. Только в 1927 году мать показала ей документы и велела строго-настрого хранить тайну. Но уверенность в том, что все люди с метлой благородны, по-прежнему жила в душе Амалии. Из-за этого-то она и лишилась яйца.

В 1960 году в их дом въехали Рыковы. Анатолий, Зина и мальчик Юрочка. Амалия, страшно одинокая и абсолютно никому не нужная, сблизилась с молодой семейной парой. Он был дворником, значит, все в семье были хорошими людьми. Иногда детские впечатления оказываются очень крепкими. И хотя Амалия давно знала правду о происхождении отца, новые соседи вызвали у нее почти родственные чувства. Она захотела подружиться с ними, и скоро Рыковы стали своими людьми в ее квартире.

Анатолий и Зина между собой посмеивались над окончательно выжившей из ума старой девой, но не отталкивали тетку. Будучи людьми корыстными, они частенько брали у нее деньги в долг. «Для Юрочки», — так говорила всякий раз, радостно улыбаясь, Зина. Амалия сильно полюбила мальчика, а ему постоянно требовались брючки, ботиночки, хорошая еда... Естественно, взятые поначалу копейки, а потом и рубли, обратно к ней не возвращались. Но Амалия не жалела о потраченных на благое дело радужных бумажках. Она относилась к деньгам легко, без жалости расставаясь с ними. Собственных детей нет, копить не для кого, так пусть хоть Юрочка порадуется новому велосипеду или железной дороге. А еще в голове иногда мелькала мысль, что будет кому подать ей на смертном одре стакан воды. Короче говоря, через пару лет Амалия стала искренне считать Анатолия и Зину своими братом и сестрой, а к Юрочке относилась как к любимому племяннику. Естественно, что секретов от них она не имела. Рыковы знали о благородном происхождении, цокая от восхищения языками, рассматривали яйцо работы Фаберже и драгоценности, оставшиеся от Марты.

В 1970 году Рыковым наконец-то дали отдельную квартиру. Амалии показалось, что мир рухнул, она даже попробовала завести разговор о том, что как хорошо бы им по-прежнему жить вместе на Арбате. Она была готова, оставив себе одну комнату, поселить Рыковых в трех других, но Зина только качала головой:

— Спасибо, конечно, но своя хата лучше.

В одну из майских суббот Рыковы уехали. Телефона в их квартире пока не было, но адрес они Амалии оставили, пообещав, как только дом телефонизируют, мигом связаться с «тетей». Прошла неделя. Рыковы не объявлялись. Амалия решила развеять тоску и полюбоваться на яйцо.

Но бархатная коробочка оказалась пуста. Драгоценная безделушка исчезла, а вместе с ней пропали кольца, браслеты и броши Марты.

Невозможно описать, что пережила Амалия, когда обнаружила, что ее, попросту говоря, обокрали. То, что это совершили Рыковы, она предположила сразу. У нее дома, кроме них, никто не бывал.

Схватив плащ, женщина полетела по оставленному адресу. Дверь открыл Анатолий. Он широко улыбнулся.

— О, Амалия, молодец, что приехала. Мы, правда, хотели сначала распаковать вещи, а уж потом новоселье устраивать. Проходи на кухню.

— Толя, — пробормотала Корф, — умоляю, верни яйцо. Это мой талисман, мне мама завещала его хранить. Бог с ними с побрякушками, не нужны совсем, я сама думала их Зине передать, но яйцо отдай.

Когда Анатолий понял, в чем его подозревают, он сделался пунцовым и заорал:

— С ума сошла! Я честный человек, никогда копейки ни у кого не взял!

На шум вылезла Зина, сообразив мигом, о чем идет речь, она затопала ногами.

— Мерзавка! Да я всю жизнь по чужим людям полы мою, нитки не переложила. Как смеешь такое говорить! Дрянь! Подавись своими ломаными цепочками!

— С чего взяла, что это мы? — бесился муж.

— Так, кроме вас, у меня никто не бывал, — растерянно ответила Амалия.

— Ах, так уж и никто, — взвизгнула Зина, — как же! Доктор приходил, потом медсестра уколы делала, пенсию тебе на дом приносят. Вон сколько народа!

Амалия опешила. Она действительно недавно перенесла грипп. Прибегала к ней милая Леночка со шприцем, пенсию приносили регулярно.

— Ты когда свои цацки в последний раз проверяла?

— На первомайские праздники, — пробормотала вконец замороченная дама.

— А сейчас июнь настал, первое число сегодня, — сообщила Зина, — убирайся вон и больше никогда не приходи сюда.

— Нечего с ворами дело иметь, — подвел итог муж и вытолкал плохо соображавшую Амалию на лестничную клетку.

Она поехала домой. Голова кружилась, мозг отказывался повиноваться. Яйцо и впрямь могла утащить улыбчивая Леночка или терапевт из районной поликлиники, опять же почтальон проходил в гостиную и терпеливо ждал, пока Амалия Густавовна отыщет паспорт...

Но разум подсказывал, что кражу совершили все же Рыковы. Только они знали, где лежали драгоценности, лишь им Амалия показывала, куда прятала заветные коробочки.

Естественно, следовало пойти в милицию, но в Амалии жил жуткий страх перед людьми в форме. Перешагнуть порог районного отделения, оказаться глаз на глаз со следователем было для нее совершенно невозможно, и она постаралась смириться с утратой.

Как нарочно после пропажи яйца ей на голову посыпались многочисленные неприятности. Сначала любимая кошка выпала из окна. И хоть лететь было невысоко, сломала позвоночник. Животное пришлось усыпить. Затем соседи сверху забыли выключить стиральную машину, залили Амалии спальню, и роскошная кровать из красного дерева, семейное ложе Марты и Густава, развалилась. Следом косяком пошли болячки. Воспалилась вена на ноге, обострился колит, начало скакать давление, мучили головные боли. В довершение хулиганы подожгли почтовые ящики, и Амалия не получила свою любимую «Вечерку». А пожилая дама — большая охотница почитать перед сном в кровати газетки. К слову сказать, сейчас она покупает многое из того, что видит на лотках, в том числе и желтые газетенки. Но в те годы ее радовала лишь московская сплетница «Вечерка». Амалия взахлеб читала объявления о разводах, некрологи, скупые подробности из жизни артистов, писателей, художников. Для нее было настоящим горем не получать газеты. А гадкая почтальонша, увидав вместо ящиков обгорелые остовы, не мудрствуя лукаво, стала складывать почту в подъезде у батареи. Когда Амалия в восемь вечера спускалась вниз, выяснялось, что ее «Вечерка» либо порвана, либо испачкана, либо ее вообще нет.

У каждого из нас случаются тяжелые моменты, за светлой полосой наступает темная. Многие люди переносят неприятности, сцепив зубы, хорошо зная, что тьма сгущается перед рассветом, а после бури всегда выглядывает солнце. Но Амалия пала духом.

— Вот, — говорила она сама себе, — мамочка-то права была. Ушло яичко, и пришло горе.

Ничто не могло ее убедить, что яйцо тут ни при чем.

Шли годы, рана не заживала. Подошла старость, потом дряхлость, и больше всего Амалии хотелось подержать в руках яичко, пересчитать хорошо знакомые камушки на верхушке: одиннадцать изумрудиков и один сапфир.

Представьте себе ее волнение, когда, читая газету «Улет», Амалия увидела сообщение о том, что некая особа украла яйцо Фаберже у профессора Юрия Анатольевича Рыкова. Хотя госпоже Корф и исполнилось много лет, ум у нее светлый, поэтому она мигом сообразила, как поступить. Набрала номер редакции и спросила телефон Даши Васильевой, воровки...

— И вам запросто его сообщили? — пришла я в изумление.

— Нет, не совсем, — замялась старуха, — пришлось к ним съездить, там такой мальчик сидит, рыженький...

Она вздохнула, я тоже. Все понятно, «госпожа Резвая» — большой охотник до пиастров. Интересно, сколько он стребовал с Амалии Густавовны?

И вот теперь старуха смотрит на меня с детской надеждой и предлагает:

— Вам, наверное, деньги нужны, душенька. Отдайте яичко, возьмите кофейный сервиз. Тоже «Фаберже», к тому же в нем килограмма три серебра, выгодный обмен.

— У меня нет яйца, — покачала я головой.

— Ладно, — покладисто кивнула мне бабуся, — хорошо, вижу, сервизик не по душе. Тогда возьмите вон ту картину. Это Репин, подлинный, документ есть из Третьяковки, подтверждающий это. Снимайте и уносите, только яичко отдайте, милая, дорогая, пожалуйста. Русские художники сейчас очень в цене, я могу газеты показать. Так как?

— У меня его нет, — устало повторила я.

Внезапно глаза хозяйки, чуть выцветшие и какие-то по-детски беззащитные, налились слезами.

— Ангел мой, — прошептала она, — берите и сервиз, и картину, очень уж хочется перед смертью яичко в руках подержать.

Тут меня охватила огромная жалость. Я положила руку на ее сухонькую, морщинистую лапку и твердо заявила:

— Дорогая Амалия Густавовна, клянусь своим здоровьем, не брала ничего у Рыкова.

Крохотные блестящие капельки побежали по щекам Корф.

— Я вам верю, — прошептала она. — Какая жалость, с вами можно было бы договориться. Но кто же тогда унес яичко, а? Где мне его теперь искать?

— Амалия Густавовна, обещаю, что стану сама искать вашу реликвию. Обязательно обнаружу вора, отниму у него яйцо и принесу вам, — торжественно пообещала я.

— Дай, детка, поцелую тебя.

Я наклонилась. Старушка клюнула меня в щеку холодными губами. От нее исходил аромат лаванды и чего-то непонятного, но дико знакомого. Внезапно я догадалась: так пахло от вещей, которые моя бабушка хранила в чемоданах на антресолях. Раз в году их открывали, перетряхивали, перекладывали содержимое высушенными цветами лаванды и вновь задвигали под потолок. Я обняла Амалию Густавовну и почувствовала, что под одеждой практически нет тела. Госпожа Корф походила на больную канарейку.

Пару секунд мы постояли молча, потом хозяйка пробормотала:

— Ты уж поторопись, пожалуйста, не ровен час уйду в мир иной и не увижу яичко.

В «Пежо» я села преисполненная злостью. Ну Рыков, ну врун. Целый роман придумал про фрейлину, кошку и царскую милость. А портреты в гостиной! Он ведь с самым напыщенным выражением лица вещал, указывая на написанные маслом лица.

— Это мой отец, граф Анатолий Рыков. К сожалению, до недавнего времени мы скрывали свое происхождения. Рядом его жена и моя мать Зинаида, урожденная Вяземская. Слева — дед, ему принадлежало имение под Москвой...

И все с почтением выслушивали эти речи, Жорка Колесов даже вспотел и чуть не начал кланяться Рыкову в пояс. А теперь выясняется, что «графья» — самые обычные дворники, да еще и воры в придачу. Нет, поймите меня правильно, снобизма во мне нет, но, если ваш папенька сапожник, столяр или электрик, не следует прикидываться человеком дворянского происхождения. Вот у меня, например, родители работали на Ивановской мануфактуре ткачами, а прапрабабка и вовсе была крепостной у барина. И что, я стала от этого хуже? Происхождением начинают гордиться и чваниться, когда больше нечем похвастаться. По-настоящему благородный человек ни за что не станет ставить себя выше других...

Руки сами собой схватили телефон, пальцы начали набирать номер Рыкова. Часы, правда, показывают около полуночи, в такое время неприлично звонить порядочным людям. Но Юрий Анатольевич Рыков к числу порядочных не принадлежит, поэтому сейчас ему мало не покажется.

— Алло, — пробормотал сонный мужской голос.

Ну, погоди, Рыков! Я затолкала в рот носовой платок и прошепелявила:

— Юрий Анатольевич?

— Кто это в такой час?

— Ваша неприятность.

— Что за идиотские шутки! На часы смотрели?

— Это не шутка, думали, что люди ничего не узнают?

— О чем? — сбавил тон профессор.

— Обо всем.

— Что имеете в виду? — осторожно осведомился негодяй.

Я возликовала. Ага, зацепило. Небось у мерзавца, как у многих людей, полно мелких пакостных тайн. Внезапно перед глазами предстала плачущая Амалия Густавовна, и я окончательно озлобилась. Ну держись, Юрочка. Я из-за тебя потеряла сон, но и тебе сейчас не спать.

— Мне о вас все известно!

— Что именно?

— Все! Думали, спрятали концы в воду? Ан нет! Есть, есть люди, которые такое о вас рассказали!..

— Идиотка! — вскипел Рыков. — Прекратите шантаж!

— Про яйцо от Фаберже, например, и про Амалию Густавовну Корф. Помните такую? Она вас любила. Кстати, ваш папенька-дворник и маменька-поломойка ее попросту обокрали.

Из мембраны понеслось напряженное дыхание. Решив его доконать, я вдохновенно добавила:

— Но это ерундовый секретик, так, скорей штришок к портрету. Есть, есть у вас за душой еще кое-что!

— Кто вы? — прошептал Юрий Анатольевич. — Чего хотите? Денег? Сколько? Называйте цену.

Смотрите, как засуетился, похоже, случайно попала в больное место каблуком.

— Кто вы? — настаивал Рыков.

Отчего-то в памяти всплыло имя — Роза Андре-евна Шилова. Я подавила глупое желание назваться именем хорошо знакомой ему женщины и торжест-вующе сообщила:

— Я — ужас, летящий на крыльях ночи, твоя больная совесть, впрочем, у тебя ее нет, я — твой кошмар, твой страх, твоя предсмертная дрожь. Впро-чем, можешь просто называть меня любительницей омолаживающих кремов.

Отсоединившись, я шумно вздохнула. Абсолют-но уверена, что милейший Юрий Анатольевич сей-час несется к аптечке за валокордином. Впрочем, насчет кремов это я зря. Вспомнила не к добру про Шилову и брякнула бог знает что. А вообще здоро-во вышло, так ему и надо. Обязательно найду яйцо и вручу его Амалии Густавовне.

ГЛАВА 8

К дому я подкатила примерно в половине вто-рого ночи и едва сдержала возглас удивления. Во всех окнах горит свет, а около подъезда стоит белый микроавтобус, сильно напоминающий «Скорую по-мощь», только без красного креста. Сердце тревож-но сжалось. Что у нас случилось?

Первый, кого я увидела, был Дегтярев в мятых спортивных штанах и мятой майке. В руках он дер-жал окровавленную простыню.

— Господи, — прошептала я.

— Явилась, — вздохнул полковник, — и на том спасибо.

Я хотела было начать задавать вопросы, но тут из столовой раздался вопль Кеши:

— Дегтярев, где белье?

Александр Михайлович юркнул в коридор; ведущий в кухню. Оттуда мгновенно появилась Ирка с чайником.

— Что у нас происходит?

— Дурдом, — резюмировала домработница и скрылась в столовой.

Недоумевая, я пошла за ней, рванула дверь и остолбенела. Столовая, еще утром бывшая нормальной комнатой, превращена в операционную. Большой стол, за которым мы едим, накрыт простынями, его освещают торшеры, которые собрали из всех комнат, у стола орудуют фигуры в халатах. На полу таз с окровавленной ватой и марлевыми тампонами, резко пахнет лекарствами.

— Отойди, — пнули меня в спину, и мимо прошмыгнула Зайка с кастрюлей.

Бледный Аркадий жался у окна с каким-то баллоном, сильно смахивающим на газовый.

Я выпала в коридор, увидела Дегтярева с кипой простыней и рявкнула:

— Что это за полевой госпиталь?

— Сейчас, — пробормотал полковник, — погоди.

Он нырнул в столовую. Я прислонилась к стене. Похоже, там идет операция.

— Жуть кромешная, — сообщил, выходя, Аркадий, — меня тошнит. Какой ужас! Неужели с бедными женщинами так же поступают.

— Да что случилось?

— Ей пришлось делать кесарево, — вздохнул Кеша, — мрак, теперь месяц спать не смогу. Меня заставили помогать...

— Кому кесарево?

— Юне.

— Это кто? — оторопела я.

— Мать, — строго заявил Аркадий, — видишь, как плохо не бывать дома. Агата Кроуль оставила нам мопсиху...

— А-а-а, — вспомнила я, — точно, Юнону. Она еще все под стулом пряталась, толстенькая такая, есть отказывалась.

— Оказалось, что не жирненькая, а беременная, — вздохнул Кеша, — представляешь, как все перепугались, когда она застонала и дергаться начала.

Я слушала, разинув рот. Ольга и Кеша, увидав, что у собачки приключились судороги, кинулись звонить Дениске. Тот примчался и мигом понял, что это потуги. Везти Юню в клинику было уже невозможно, поэтому бригаду хирургов вызвали на дом. Слава богу, сейчас все позади, щенки живы, мать, похоже, тоже.

— Сколько их? — только и смогла спросить я.

— Девять, — трагическим шепотом сообщил Аркадий, — мал мала меньше, просто мышата, а не собачки.

Я почувствовала легкое головокружение. Пять детенышей у Черри и этих девять, всего пятнадцать. Нет, тринадцать. Опять неверно. Пять плюс девять, это сколько? Поняв, что не способна решить данную сложную задачу, я заорала:

— И что мы станем с ними делать?

Кеша попятился:

— Не знаю. Черриных раздадим по знакомым.

— А девять мопсиков?

— Видишь ли, мать, — хмыкнул Аркадий, — они не совсем мопсы.

— Как это?

— Погоди, — улыбнулся Кеша, — сейчас покажу.

Я опять осталась в коридоре подпирать стенку. Через пару минут Аркашка высунулся из комнаты и поманил меня пальцем. Я, стараясь не смотреть в сторону обеденного стола, добрела до подоконника и уставилась в таз. Глаз выхватил простынку, электрическую грелку, а на ней кучку ярко-рыжих кутят с длинными мордами. Я обомлела. Мопсы появляются на свет почти черными, потом они начинают «перецветать», светлеть, но рождаются темными, рыжими — никогда, и морды у них тупые, как у троллейбуса, а эти были несколько похожи на лисят.

— Кто это? — изумилась я.

— Дети Юноны, — пояснил Кеша, — небось в папочку пошли, «рыжие, рыжие, конопатые». Эх, любовь зла, похоже, Юня мужа себе на помойке нашла.

Угадайте, кто возился со щеночками до утра, капая им в рот детскую смесь производства фирмы «Роял Канин»? Правильно, я. Все остальные были измучены. Маня потому, что помогала ветеринарам, Зайка из-за Юноны, которую, еще не отошедшую от наркоза, поселили у нее в спальне, а Кеша и Александр Михайлович дружно заявили: что их тошнит от запаха крови и что они пережили жуткий стресс.

Подобное заявление из уст адвоката не удивляло, но полковник милиции, закатывающий глаза при виде оперируемой собачки, это каково?..

— Ну и что, — насупился Дегтярев, — на трупы спокойно смотрю, а на разрезанных мопсов не могу. И вообще, налейте мне поскорей сто грамм коньяка.

Ночь прошла кошмарно. Глаз я не сомкнула ни на минуту. «Лисята» жалобно пищали. Я покормила одного, взяла второго, потом третьего... Четвертый категорически отказывался от еды, отплевывался и вывинчивался из рук. Я пыталась насильно накормить его, но потерпела полнейшую неудачу. В чем дело? Первые трое показали просто отличный аппетит. Взгляд случайно упал на раздутый живот щенка. Минуточку, кажется, именно его я и кормила первым. Вот незадача. С Черриными детьми было легко — они все разные, эти же словно новень-кие монеты. Что делать? Слегка поразмыслив, я притащила из кабинета коробочку с фломастерами для «боди-арта». Новый год мы всей семьей отмечали в ресторане. Там был устроен костюмированный бал, поэтому и были куплены средства для раскраски тела. Теперь они очень пригодились. Значит, так, тех, которые поели, отмечу зеленой краской.

В семь утра я нечаянно заснула, в девять проснулась в полном ужасе, обнаружив, что щенки рыдают в голос от голода. У меня просто опустились руки. Их еще нужно обтирать тряпочкой. А я ведь собиралась искать яйцо Фаберже! Шатаясь от усталости, я спустилась в столовую. Комната вновь приобрела обычный вид.

— Р-р-р, — донеслось из угла.

Я посмотрела в ту сторону, откуда шел звук. Черри, встопорщив шерсть, загораживала собой пищащих щенят.

— Перестань, никому они не нужны.

Пуделиха, ухитрившаяся за одни сутки превратиться в ненормальную мамашу, принялась истово нализывать детей. И тут меня осенило...

Забыв про гудящую голову, я понеслась наверх, схватила коробок с «лисятами», притащила его в столовую и сунула одного щенка Черри. Та как ни в чем не бывало принялась облизывать подкидыша. Я обрадовалась и подложила ей всех рыжих щенят. Черри с легким недоумением оглядела увеличившееся семейство. Мне показалось, будто она хочет поинтересоваться:

— Эти-то откуда взялись?

Но инстинкт взял верх над разумом. Тяжело вздохнув, Черринька принялась сгребать деток в кучу. Я перевела дыхание. Отлично, жаль, что не догадалась сделать из нее приемную мать вчера вечером. Спала бы себе спокойно. К ужину Юнона придет в себя, и я разделю детей.

Когда проводишь ночь без сна, в голове рождаются гениальные мысли. Недрогнувшей рукой я набрала номер косметической клиники и попросила:

— Позовите Шилову.

— Минуту, — ответил вежливый девичий голос, и зазвучала музыка, вернее, одна фраза, повторяемая бессчетное количество раз.

Мне она надоела сразу. Ля-ля-ля. Ля-ля-ля.

— Слушаю, — прервал треньканье красивый сочный голос.

— Роза Андреевна?

— Да.

— Мне посоветовала обратиться к вам Ирэн Фабер, помните такую.

— А как же.

— Можно приехать?

— Сегодня в два устроит? Как ваша фамилия?

— Васильева, — без тени колебания ответила я.

Шилова совершенно не удивилась. Ивановы, Петровы, Васильевы — самые распространенные в России фамилии. К тому же она вряд ли помнит фамилию новой гостьи, появившейся на приеме в доме Рыкова.

Буквально влетев в кабинет Шиловой, я шлепнулась на стул, стоявший у стола, и сообщила:

— Звонила вам утром. Будем знакомы, Дарья Васильева от Ирэн Фабер.

Роза Андреевна достала из футляра очки, спокойно надела их и с глубоким изумлением воскликнула:

— Вы?

— Мы знакомы?

— Естественно.

— Да? — продолжала я кривляться.

Потом прищурилась, указательным пальцем подтянула кожу возле правого глаза:

— Простите, сильно близорука.

— Отчего очки не носите? — спросила косметолог.

— Они мне не идут.

— Тот, кто постоянно морщится, желая что-либо разглядеть, наносит большой вред своей коже.

— Так где мы виделись?

— В гостях у Юрия Рыкова.

— Какая гадость, — всплеснула я руками, — отвратительно.

— Что? — опешила Шилова. — Что вы имеете в виду?

— Этот, с позволения сказать, профессор, — прикидывалась я полнейшей идиоткой, — представьте себе, какая мерзость! У него из дома пропала дурацкая игрушка, а он обвинил в воровстве меня. Меня!!! Да зачем бы мне вдруг понадобилось тырить всякую дрянь, а?

— У Рыковых пропало пасхальное яйцо.

— Фу, — фыркнула я, — честно говоря, не слишком-то поняла, что у них сперли. Яйцо! Протухшая штука с крашеной скорлупой. Вот уж ценность, прямо-таки умопомрачительная! Оно что, золотое?

— Вы угадали, — пояснила Роза, — именно золотое, работы Фаберже, очень дорогая вещь, доставшаяся Юрию Анатольевичу от бабки-фрейлины.

— Ну и на фиг оно мне сдалось? — перешла я на подростковый сленг. — За каким таким шутом мне чужие пыльные воспоминания понадобились?

Шилова тяжело вздохнула. Очевидно, она решила, что видит перед собой клиническую идиотку. К тому же я натуральная блондинка с голубыми глазами, а такие дамы, как всем известно, — круглые дуры.

— Эта, как вы выразились, пыльная штучка — очень дорогая вещь, — принялась растолковывать Роза.

— Ха, — прервала ее я и выложила на стол платиновую кредитку, — видали такие карточки?

Шилова кивнула.

— Могу, сами понимаете, любую вещь себе приобрести.

— Я вас ни в чем не подозреваю. Юрий Анатольевич очень импульсивен, он действовал под влиянием минуты. Ляпнул первое, что пришло в голову.

— Интересное дело, — вскипела я, — почему именно на меня пало подозрение? Может быть, это вы яйцо сперли?!

— Я?!

— Вы!!!

Роза Андреевна вытащила из сумки сигареты и заявила:

— Вы с ума сошли. Я бываю у Рыковых регулярно, на меня и подумать невозможно. К тому же терпеть не могу чужие безделушки, у меня к ним какая-то брезгливость. Представлю, что их трогают сморщенными руками старухи, и меня просто передергивает.

— Ничего, ничего, передернулись себе и понесли в скупку. Сами говорите, что вещь дико дорогая. Может, у вас долги!..

— Вы на что намекаете? — покраснела Роза. — Какие такие долги? Уж извините, хвастаться не приучена, но смотрите.

И она тоже вытащила из кошелька «Мастеркард» только не платиновый, а золотой. Похоже, у тетки там лежит тугая копеечка.

— Ну и чего? — фыркнула я. — Деньги к деньгам. Увидели и сперли. Между прочим, выходили из гостиной, довольно надолго.

— Косметику поправляла, — занервничала Роза, — в ванной наносила макияж.

— А по дороге зарулили в кабинет и приделали яичку ноги.

— Юра хранит его в спальне, — взвилась Роза, — ничего-то вы не знаете.

— Вот и здорово, — мигом воспользовалась я ее промахом, — зато вам хорошо известно, где Рыковы держат фамильные раритеты. Ну и ладненько, сейчас двину в милицию, пусть там разбираются, кто прав, а кто виноват. Мне не очень хочется, чтобы народ кругом твердил: Дарья Васильева — воровка.

Роза Андреевна сильно изменилась в лице:

— Я ничего не брала!

— Я тоже.

Разговор зашел в тупик. Подождав пару секунд, я ласково пробормотала:

— Верю вам, такая милая, интеллигентная дама не способна на воровство.

— Вы тоже не похожи на домушницу, — не осталась в долгу Роза.

— Но понимаете, что мы замазаны? Люди долго будут говорить: неизвестно, кто из них украл, но яичко-то исчезло...

— Сама об этом думала, — вздохнула Шилова, — вчера как раз размышляла на эту тему.

— Может, кто из этих украл...

— Кого имеете в виду?

— Ну, мужчины...

Роза Андреевна улыбнулась.

— Невероятно. Они работают в НИИ тонких исследований. Владимир Сергеевич — директор, Леонид Георгиевич — его зам по научной части.

Оба доктора наук, известные люди. Такое просто невозможно.

— Там еще был некий Яков.

Роза поджала губы.

— Ах этот! Ничего о нем сказать не могу. Выглядит отвратительно. Хотя тоже в НИИ тонких исследований работает. Кстати, на вечере присутствовал также и ваш кавалер.

— Он ни разу не выходил из комнаты.

— Это верно, — пробормотала Роза, — я, честно говоря, подозревала вас и Якова. Хотя теперь понимаю: вы не из таких. Да что мы все об этом яйце, давайте о деле.

Я чуть было не спросила: «О каком?» — но вовремя вспомнила, что явилась сюда за второй молодостью. Пришлось старательно изображать из себя клиентку. Сначала Шилова зажгла яркую лампу и, нацепив себе на нос нечто очень похожее на бинокль, принялась изучать мое лицо. Наконец она вынесла вердикт:

— Катастрофы пока нет, думаю, обойдемся одним курсом. Сначала сдайте анализы. Эти натощак, а...

— Зачем? — изумилась я.

Роза глянула на меня.

— Ирэн не рассказывала, в чем суть?

— Нет.

— И про цену не говорила? — нахмурилась косметолог.

Я принялась выкручиваться:

— Вы же ее знаете, фик-фок на один бок, никакой серьезности. Прощебетала так небрежно: «Душечка, бегом несись к Розе Шиловой, она просто кудесница. Сбросишь двадцать лет, правда, дорого стоит, но зато какой результат!»

— Очень похоже на Ирэн, — вздохнула Роза. — Слушайте: курс омоложения состоит из нескольких процедур. Массаж, который я делаю сама, прямо тут, в кабинете, и уколы.

— Уколы! Гормоны! Ни за что!

— Смотрите, душенька, — ласково сказала Роза и вытащила альбом.

Я принялась перелистывать тяжелые страницы. Справа фотографии женщин с увядшей кожей, сеточкой морщин, подглазными мешками и россыпью пигментных пятен. На противоположной странице — снимки их дочерей. Гладкая, ровная, упругая на вид кожа, сияющие глаза; щеки, радующие глаз персиковым румянцем. Если тем, кто слева, смело можно было дать пятьдесят с хорошим хвостиком, то помещенные справа тянули на двадцать пять, от силы на тридцать.

— Вы хотите сказать, что это результат уколов?

— Всего комплекса мероприятий.

— Невероятно, что же вы вводите своим пациентам?

Шилова засмеялась:

— Дорогая, вы же понимаете, что я никогда не раскрою свою тайну. Это мой секрет, «ноу-хау», оригинальное изобретение. Данной методикой, смею уверить, владею только я. Удовольствие это дорогое, но оно того стоит.

— И сколько?

— Массаж и уколы — пятнадцать тысяч долларов.

— Один курс?

— Да, но в большинстве случаев его хватает на годы. Хотя гарантий, что не понадобится второй, дать не могу. Все очень индивидуально. Но потом вам придется покупать крем для лица и, если захотите, для рук. Вот он.

Жестом фокусника она выставила на стол простую пластмассовую баночку. «Маркус» — гласила наклейка. Надо же, точь-в-точь такие толпились в ванной у Сабины.

— Пятьсот долларов, — спокойно сообщила Шилова, — совсем недорого, учитывая сногсшибательный эффект.

— Можно подумать до завтра?

— Конечно, если примете решение, звоните и приезжайте сдавать анализы.

Я кивнула и пошла к двери.

— Еще деталька, — остановила меня врач, — я не рекламирую свои услуги, беру лишь тех, кто способен заплатить.

— Естественно, — согласилась я, — это ваш бизнес.

ГЛАВА 9

По дороге домой я обнаружила, что закончились сигареты, и, припарковавшись возле какого-то метро, пошла разглядывать ларьки. Сигарет «Голуаз» не было. В одной будке я увидела знакомую пачку, но красного цвета, а мне требовалась голубого. Густо натыканные палатки радовали глаз изобилием. Печенье, конфеты, разноцветные бутылки, орешки, чипсы. Хорошо теперь в Москве, можно купить все что угодно. Хотя и подделок полно. Вон красуется «Парфюмерная лавка». Не советую покупать там французские духи. Глаз заскользил по полочкам, и я увидела знакомые баночки «Маркус». Интересно, однако. Я наклонилась к окошку.

— Почем «Маркус»?

— Восемьдесят рублей, — последовал ответ, — берите.

— Сколько?

Толстая продавщица принялась нахваливать товар.

— Дороговато, конечно, можно подешевле отыскать, но крема хорошие, все довольны, попробуйте.

Я приобрела тюбик, на котором значилось «Бальзам для рук», вернулась в «Пежо» и принялась изучать содержимое.

Выглядела и пахла светло-желтая масса не слишком приятно, каким-то лекарством. Размазав ее по кисти, я поехала в Ложкино. Вот ведь как странно. Тот же «Маркус» в кабинете Шиловой стоит пятьсот долларов. Предположим, что она — вульгарная обманщица, встречаются такие нечестные доктора. Подсовывает клиенткам самую обычную мазь и уверяет, что дает им волшебное средство. Но неужели она и Сабину надувает? У той полочка просто ломилась от продукции фирмы «Маркус»: кремы, лосьоны, маски — словом, вся косметика была под этой маркой. И потом, я-то хорошо помню, как у меня мигом сошло пигментное пятно на одной руке. Значит, хитрая Роза случайно обнаружила качественную отечественную косметику и теперь впаривает ее наивным богачкам. И не боится, что поймают.

Я въехала в ворота. Опасаться ей некого. Дамы, которые готовы, не поморщившись, выложить пятнадцать тысяч долларов за гладкую морду, не ездят в метро и не разглядывают дешевую косметику в ларьках, так что шанс попасться почти равен нулю.

Вечером, лежа в кровати, я приняла решение. Все складывается просто великолепно. Похоже, что Роза и впрямь не брала яйца. Не знаю, откуда взялась во мне эта уверенность, но она присутствовала. Вот и хорошо. Завтра заявлюсь к Шиловой, покажу ей эту баночку, сообщу, что знаю правду, и за свое молчание потребую всю известную ей информацию о Владимире Сергеевиче, Леониде Георгиевиче и Якове.

Счастливо улыбаясь, я заснула крепким сном. Разбудил меня телефонный звонок. Прежде чем схватить трубку, я глянула на будильник: шесть утра. Небось ошиблись номером. Сколько раз убеждалась, что на ночь следует отключать мобильный. Частенько звонят пьяные, с тупым упорством требующие Лену, Галю, Аню...

— Алло, — буркнула я, собираясь сказать следующую фразу: «Вы не туда попали».

Но из наушника понесся высокий нервный голос моей подруги Риты Замощиной:

— Дашка, у тебя есть парча?

— Что? — не разобрала я спросонок. — Арча? Это что? Продукт или животное?

— Парча!!! — заорала Рита. — Материал такой блестящий, с золотой ниткой.

— Нет, — ответила я растерянно.

— Катастрофа! — завопила Рита. — Все пропало! Прямо-таки и нет? А шторы? Помнится, у вас в столовой висят бежевые портьеры с золотой вышивкой.

— Правильно, но это не парча, а шелк, Зайка привезла из Парижа, мы...

— Они блестят? — перебила меня Рита.

— Ну... немного, — ответила я, сдаваясь под этим натиском.

— Переливаются?

— Да.

— Еду.

— Куда?

— К тебе, — сообщила Рита, — снимай одну штору, она мне нужна.

Я села в кровати и уставилась на противно пищащую трубку. Мне почудилось, или Рита и впрямь уже катит сюда, чтобы снять нашу штору? Да что случилось-то, в конце концов?

Все выяснилось через сорок минут, когда ненакрашенная Ритуська влетела в мою спальню и заорала:

— Давай скорей, у меня времени только до девяти. В десять начало, а их еще скроить и сшить надо. Надеюсь, у тебя есть машинка?

— У Ирки имеется, — робко ответила я.

Ритуська весит почти сто килограммов, но и рост у нее гренадерский, чуть-чуть до метра девяносто не дотянула. В молодости она играла в баскетбол и даже добилась определенных успехов. Сами понимаете, попадаться ей под горячую руку не рекомендуется.

— Хорошо, — резюмировала Ритка, — тащи стремянку.

— Зачем?

— Штору снимем, с пола даже я не дотянусь. Ну торопись же, времени в обрез.

И она стала энергично выталкивать меня в коридор. С огромным изумлением я затем наблюдала, как Ритка отцепила одно полотнище и удовлетворенно пробормотала:

— Прекрасно, они чистые. Тащи ножницы и машинку.

— Зачем?

— Шторы шить.

Я разинула рот. Содрать с окон портьеры, чтобы сделать из них драпировки?! Нет уж, хоть и побаиваюсь гневливую, непредсказуемо вспыльчивую Ритуську, но ей придется сейчас объяснить мне свое поведение!

— Ничего не принесу, пока не пойму, что случилось.

— Мой Масик... — завела Ритуська, встряхивая штору, — едет сегодня на выставку.

Я слушала ее, удивляясь тому, насколько у человека может съехать крыша. Сама люблю животных, но Замощина своего Масика, на мой взгляд, не слишком симпатичного кота угольного окраса, просто боготворит.

Три года назад Рите подарил его один из ее ухажеров. Помнится, что тогда Замощина пришла в ужас, увидав, какой презент притащил любовник. В ее уютной, вылизанной до блеска квартирке одинокой женщины никогда не было животных. В гневе Ритулька разорвала все отношения с мужиком и собиралась выбросить котенка к мусорным бачкам. На дворе мел ледяной декабрь, стужа ломала асфальт. Ритуська недрогнувшей рукой посадила ненужного котика возле вонючего железного короба и пошла домой. Вдруг ее как будто бы кто-то толкнул в спину, и Замощина оглянулась. Крохотный комочек безропотно лежал на ледяной земле. Он не плакал, не пищал, не бросался за женщиной, просто молча распростерся возле помойки, покорившись судьбе. Котик явно приготовился к смерти. Внезапно Замощина, сама не понимая почему, вернулась, со вздохом взяла подаренное безобразие, принесла домой, устроила в коробке из-под обуви и принялась выхаживать. Сейчас Масик огромный котяра, ленивый и до невозможности избалованный. Ест он только мясо, причем парное, с рынка, от размороженного воротит нос, гречку и творог ему и предлагать не стоит. Масик любит спать, развалившись на обеденном столе, его, естественно, никто никогда не охаживал ни веником, ни тряпкой. Весь запас нерастраченной Ритуськой любви, который должен был бы достаться несуществующему мужу и детям, вся страсть и нежность — все это рухнуло на Масика. Если он, не дай бог, чихнет, Ритка созывает дома консилиум ведущих ветеринаров. Когда кот, обожравшись парной телятиной, заработал понос, Замощина в панике позвонила мне и велела достать лекарство для своего любимца в Париже, не больше и не меньше.

— Достань мне в Париже лекарство.

Никакие уверения, что сейчас в нашей столице можно добыть любое снадобье, не подействовали. Масику требовались капли именно из Франции.

Сейчас новая трагедия. Сегодня ровно в десять утра она должна демонстрировать Масика на кошачьей выставке. Ритуля подошла к проблеме серьезно. Кота вымыли, расчесали, намазали средством для блеска шерсти, нанесли на когти розовый лак. Надели на шею золотую цепочку, на лапку — браслетик. Приготовили и выставочную клетку: проволочный ящик с ярко-желтым матрасом и огненно-красной мисочкой для воды. Ритка подумала, что угольно-черный кот будет особенно эффектно смотреться на подстилке цвета летнего солнца рядом с миской, похожей на помидор. Одним словом, все было готово. Но вчера поздним вечером, ближе к полуночи, Ритке позвонила одна из устроительниц выставки и поинтересовалась, будет ли там завтра Масик. Мимоходом она спросила:

— Про занавесочки не забыли?

— Какие такие занавесочки? — обомлела Ритка.

Выяснилось, что на выставке проволочная клетка должна быть задрапирована. Во-первых, кошки тогда не видят друг друга и меньше волнуются. А во-вторых, на фоне красивых занавесок животное смотрится гораздо лучше. Если клетка не будет задрапирована парчой, судьи мигом наморщат носы и отдадут вожделенные награды тем котам и кошкам, чьи хозяева вовремя подсуетились.

Ритка заметалась по квартире, тщетно пытаясь решить возникшую проблему. Магазины уже закрыты, откроются к тому времени, когда Масик уже должен красоваться в клетке на глазах у восхищенно рукоплещущей толпы. Ритка схватила телефонную книжку и принялась обзванивать знакомых. Но никто не мог ей помочь. У Нели Роговой нашлась было парчовая накидка на кресло, но зеленая. Сами понимаете, что вкупе с желтым матрасом и красной мисочкой она смотрелась бы ужасно. Чуть не рыдая от горя, Ритулька вдруг вспомнила, что видела в нашем доме бежевато-золотистые шторы. И вот теперь, лихо кромсая их ножницами, она приговаривала:

— Самое оно, изумительный колер, Масику пойдет.

Я оставила ее в столовой и поднялась к себе в спальню. Минут через десять снизу раздались гневные голоса. Это Зайка обнаружила гостью, уродующую драпировку. Но Риту переорать невозможно. Через час во дворе хлопнула дверца автомобиля. Слава богу, Замощина уезжает. Но не тут-то было. Удача сегодня явно отвернулась от меня. «Хр, хр, хр...» — какое-то время доносилось с улицы. Затем Ритка влетела в мою спальню и заорала:

— Живей, собирайся!

— Куда?

— У меня мотор не заводится.

— Где он у тебя? — вздохнула я.

— Не умничай! — взвизгнула Рита.

Пришлось везти ее во Дворец ЦСКА. Едва мы прибыли на место, как Замощина, схватив перевозку с котом, приказала мне:

— Бери клетку.

Понимая, что меня несет бурный поток, я покорно взяла проволочный каркас, внутри которого моталась часть того, что ранним утром еще украшало нашу столовую.

— Живей, живей, — торопила Ритка, — опаздываем.

Сметая всех, кто попадался на пути, Замощина ворвалась в зал.

— Стой тут, — приказала она, — за номером побегу.

Ничего не понимая, я навалилась на стену и услышала нервное «мяу».

В большой клетке, украшенной ярко-зелеными занавесками, сидело нечто. Я уронила проволочное сооружение, которое держала в руках. Такого животного мне еще ни разу не приходилось видеть. Огромное тело опиралось на мощные лапы. Оно было покрыто клочкастой серой шерстью. Но не это самое удивительное. В конце концов, встречаются гигантские кошки. Совершенно изумляла голова животного — почти лысая сверху, под подбородком она была окаймлена бородой. Из-под выпуклого лобика глядели ярко-карие глаза. Я совсем растерялась. В семействе кошачьих вроде бы не встречается подобный окрас радужки. Это нечто меланхолично взирало на царившую вокруг суету. Я не выдержала и спросила у хозяина, парня лет тридцати:

— Простите, это кто?

— Наполеон Бель Диамант фон Грей, — спокойно ответил тот.

— Он, извините, из кошек?

Юноша внимательно посмотрел на меня и задал встречный вопрос:

— А вы предполагали увидеть здесь страуса?

— Нет, конечно, но она...

— Это кот.

— Простите, бога ради, он такой, как бы это выразиться поточней, оригинальный.

Хозяин вздернул брови:

— Наполеон уникален. Второго такого нет.

— А что за порода.

— Лысоголовый швётель, из Франции, — буркнул парень и отвернулся, всем своим видом демонстрируя, что не собирается продолжать беседу.

Я продолжала изумляться. Швётель! По-французски швё — это волосы, значит, если перевести название породы монстра на русский, получится нечто вроде Лысоголового волосатика.

— Девушка, — пробормотала незаметно появившаяся за моей спиной женщина лет шестидесяти.

— Вы мне?

Тетка шепнула:

— Давайте отойдем.

Мы отошли в сторонку.

— Не верьте этому с лысым котом, — прошептала тетка. — Из Франции, как же! Смех, и только. Он в Припять ездил.

— Кто? Кот? — совсем ошалела я.

— Нет, конечно. Хозяин. Привез оттуда котенка, за километр видно, что мутант, и давай брехать про иностранных эксклюзивных котят. А наши-то дураки, как услышат, что из-за границы, мигом разум теряют. Свидетельство небось сам на компьютере сделал. Теперь на всех выставках первые места берет. Новая порода лысоголовых кошек.

Я вздохнула. Очень похоже, что котик действительно прибыл из Чернобыля. Хотя, если вспомнить, что первых сфинксов хозяйка нашла на помойке... А теперь полистайте специализированные журналы: сфинксы — одни из самых дорогостоящих котят.

— Я сразу поняла, что вы любите животных, — бормотала тетка, — поэтому предлагаю только вам. «Бурмиль» возьмете? Дорого, зато с гарантией, что настоящий. У меня сертификат есть.

— Это что такое — «Бурмиль»?

— Вы не знаете? — свистящим шепотком выразила свое удивление тетка. — Чудо-лекарство. Шерсть, зубы, когти, все будет просто в идеальном состоянии, а у старых животных наступает омоложение.

— И почем такая штучка? — поинтересовалась я, думая о Черри.

Пуделихе не помешали бы хорошие зубы и крепкие когти. Баба расстегнула сумку и вынула белую упаковку.

— Десять ампул всего три тысячи долларов.

— Сколько? — опять уронила я на пол клетку. — Да за эти деньги «Жигули» купить можно.

— Дело хозяйское, — ответила коробейница и растворилась в толпе.

— Куда ты подевалась?! — заорала Ритуська, выныривая откуда-то из глубины зала. — Представляешь, мой номер тринадцатый! Вечно не везет. Ты зачем клетку на пол поставила? Масик может заразу подцепить. Ну ни о чем попросить нельзя, все шиворот-навыворот сделает!

— Извини, уронила случайно, от неожиданности. Тут подходила сумасшедшая и предлагала за три тысячи долларов лекарство для животных, вот я клетку и не удержала. «Мурмиль», «Пурвиль» не помню точно.

— «Бурмиль»! — подскочила Замощина. — Господи, и ты отказалась! Где она? Где? Как выглядит?

Я растерянно пожала плечами:

— Такая простая, в серой кофте, с сумкой.

— О боже, — стонала Ритка, — я этот «Бурмиль» целый год хочу купить!

— Ты с ума сошла, да? Такие деньги за ерунду?

— Здоровье Масика — это не ерунда, — окрысилась Ритуська.

— Да что в этом лекарстве такого особенного?

— Внимание, — донеслось из динамиков, — третью группу прошу на ринг. Опоздавших оценивать не будут!

— Ой, — подскочила Рита, — бегу. Пока, не забудь в восемь вечера за нами заехать!

Я пошла к машине. Да уж, бизнес, связанный с домашними животными, весьма выгодная штука. Всегда найдутся ненормальные вроде Замощиной, готовые ради своих питомцев на любые, даже самые идиотские поступки.

ГЛАВА 10

Возле кабинета Шиловой не было ни одного человека. Я постучалась и, не дождавшись ответа, всунула голову в кабинет.

— Можно?

Роза Андреевна сидела у стола, уронив голову на вытянутые перед собой руки. Странная поза настораживала. Я быстрым шагом вошла в комнату, наклонилась к косметологу и спросила:

— Роза, вам плохо?

Дама не повернула головы, я обошла стол и увидела ее лицо. Сразу стало понятно, что с Шиловой приключилась беда. Иссиня-белые щеки, такие же губы, потускневшие глаза.

— Что случилось? Сердце? — испугалась я. — Сейчас врача позову.

Внезапно женщина прохрипела:

— Всё, найди яйцо, он убил, взял я...

Раздался хрип. Перепуганная донельзя, я влетела в соседний кабинет и заорала:

— Шилова умирает.

Две женщины в белых халатах кинулись в коридор. Поднялась суматоха, потом приехала «Скорая помощь». Но все усилия врачей оказались безрезультатными. Спустя десять минут после прибытия кардиологов Роза Андреевна умерла. Я сидела у ее кабинета, тупо наблюдая, как медики сновали с перекошенными лицами по коридору. В этой косметологической лечебнице не привыкли к смертям, это не районная больница, где покойники — дело обычное, никого не пугающее. На Семипрудную же приезжают в основном здоровые люди. Наверное, поэтому врачи казались растерянными. Через какое-то время суматоха улеглась. Ко мне подлетела молоденькая медсестричка.

— Шилову ждете?

Я кивнула.

— Она не придет на прием. Хотите к доктору Геворкян? Великолепный специалист, пойдемте, я вас провожу.

— Что с Розой Андреевной?

Медсестра покраснела:

— От духоты в обморок упала, случается такое, вегетососудистая дистония...

— А я слышала, как врач со «Скорой» говорил, что она умерла.

Девушка стала пунцовой.

— Верно, только тут не хотят клиентов пугать, вы уж, пожалуйста, не говорите об этом. А вам за молчание сегодняшний прием у Геворкян будет бесплатным. Согласны?

— Отчего она скончалась?

Девчонка нахмурилась:

— Сердце, инфаркт, раз — и нету. Повезло.

— Хорошенькое везение.

Медичка со вздохом ответила:

— Вы и представить себе не можете, как люди мучаются. А тут раз, и все. Ну так мы идем к Геворкян?

— Спасибо, но я лучше домой пойду.

— Как хотите, — вздохнула девушка, — если потом надумаете, приезжайте.

В конце коридора появилась толпа врачей. На всякий случай я предпочла исчезнуть. Влезла в «Пежо», закурила и призадумалась. Инфаркт. Это, конечно, не исключено. Сердечно-сосудистое заболевание может настигнуть человека в любом возрасте. Роза Андреевна великолепно выглядела — лет на сорок, не больше. Но, думается, она была значительно старше. Небось сама пользовалась своими чудодейственными уколами. Что-то мешает мне принять версию о внезапно случившемся инфаркте. Перед смертью Шилова, собрав остатки сил, сумела пробормотать:

— Всё, найди яйцо, он убил, взял я...

Договорить фразу не успела, началась агония. Но умирающая узнала меня, она попыталась произнести имя убийцы, но не смогла. Однако Шилова сумела сообщить, что убийца — тот же человек, который украл яйцо. А поскольку мне точно известно, что безделушка, сработанная Фаберже, пропала во время вечеринки, то круг подозреваемых сужается до трех человек. Это Владимир Сергеевич Плешков, Леонид Георгиевич Рамин и некий Яков, о котором, кроме имени, мне ничего не известно. Посидев пару минут в прострации, я вытащила телефон и, набрав номер справочной, попросила:

— Дайте, пожалуйста, адрес и телефон НИИ тонких исследований.

Получив необходимую информацию, я вновь потыкала в кнопки и, услыхав «Алло!», сказанное приятным женским голосом, заныла:

— Девушка, вам сотрудники не нужны?

— Если хотите устроиться начальником сектора, — на полном серьезе ответила дама, — то можете подавать на конкурс. Вам понадобится диплом доктора наук...

— Нет, простите, очевидно, я не туда попала. У меня даже высшего образования нет. Просто мне сказали, что вам нужна уборщица.

— У нас имеется место лаборантки, — по-прежнему серьезно сообщила собеседница, — оклад пятьсот рублей плюс премия. Необходима трудовая книжка.

— А без нее?

— Это невозможно. Хотя, поговорите в отделе кадров.

Я уже собралась было мчаться на Новозаводскую улицу, где располагался институт, но вовремя сообразила. Бедная женщина, желающая получить место с окладом в пятьсот рублей, не может явиться к работодателю в супермодном брючном костюме от «Валентино», с сумочкой от «Гуччи» под мышкой, источая при этом аромат обалденно дорогих духов. Нет, надо переодеться, а заодно и подумать, где можно раздобыть трудовую книжку.

Проблему одежды я решила просто. На Ленинградском шоссе я увидела вывеску «Секонд-хенд из Америки» и завернула направо. Небольшой подвальчик оказался под завязку забитым шмотками. К своему глубокому удивлению, я обнаружила на вешалках довольно большое количество хороших новых вещей с незначительными дефектами. Цены радовали глаз. Отличный белый пиджак, украшенный ярлычком от «Диора», стоил всего четыреста рублей. Правда, на нем не было ни единой пуговицы, но это ведь такая ерунда... Смею вас уверить, что подобная вещичка на Тверской тоже потянет на четыреста, но только не рубликов, а долларов.

Я пошевелила вешалки и поинтересовалась у продавщицы:

— А где вещи попроще и подешевле?

— В мешках, — движением головы указала та в угол, — восемьдесят рублей за килограмм.

Я порылась в указанном месте, вытащила жуткое бордовое платье и решила, что это как раз то, что мне нужно. Остался нерешенным вопрос с трудовой книжкой. Внезапно меня осенило, и я рванула в Ложкино.

Дома царило спокойствие. Черри мирно спала в коробе, вокруг нее кучковались разноцветные щенята: черные, белые, рыжие.

— Юнона еще не пришла в себя? — спросила я у Ирки.

— Давно проснулась, — ответила домработница.

— Чего же вы тогда кутят ей не отдали?

— А она не хочет, — пояснила Ирка, — кукушка, а не мать. Сами попробуйте. Вон она в кресле дрыхнет.

Я наклонилась над ящиком, выбрала самого маленького «лисенка» и подсунула под живот Юне. Мопсиха вскочила и заворчала.

— Вот видите, — вздохнула Ирка, — мы уже пытались ее в ящичке устроить. Одеяльце положили, деток туда поместили. Только эта сучка убегает от них. Так что придется Черри матерью им быть.

Я со вздохом вернула «лисенка» на место. Значит, и среди собак попадаются негодяйки.

— Ира, у тебя есть трудовая книжка?

— А вам зачем?

Я замялась.

— Моя подруга хочет устроиться на второе место работы. Там книжку потребовали. Думала, может, ты дашь...

— Пусть лучше на рынке купит.

— Где? — удивилась я.

— На любом рынке, да хоть на нашем, у дороги, ходят люди с картонкой на груди, где написано: «Дипломы, трудовые книжки».

— Да ну?

— Поезжайте, посмотрите.

Я вскочила в «Пежо» и понеслась на МКАД. При выезде на окружную магистраль расположен огромный рынок. Чего там только нет: стройматериалы, бытовая химия, товары для сада и огорода. Помотавшись между торговцами, я поинтересовалась у мужика, предлагавшего паркет:

— Не видели тут парня с трудовыми книжками?

— Вон у будки сидит.

Я подбежала к серенькому строению и спросила сидевшего там парня:

— Трудовые книжки есть?

— А то! — И он протянул мне серую книжонку.

— Так она незаполненная!

— Ясное дело, — развеселился молодой мужичонка, — сама напишешь, чего надо.

— А печать?

Он указал пальцем на будку.

— К ним ступай, скажи, Михалыч прислал.

Через час я вернулась в Ложкино с документом. Улыбчивый мальчишка оформил мне книжку. Из сделанной в ней записи следовало, что я всю жизнь проработала лаборанткой в каком-то загадочном НИИ редких проблем.

— А мне не дадут завтра по шапке в отделе кадров. Вдруг позвонят в это учреждение?

Паренек рассмеялся:

— Если бы вы в солидную организацию на приличное место устраивались, то ни в жисть не посоветовал бы такую липу туда нести. А лаборанткой... Не бойтесь, проверять не станут, им главное, чтобы вы были без вредных привычек. Только по вас сразу видно: женщина положительная.

Без пятнадцати восемь я вспомнила про Ритку и, проклиная свою забывчивость, понеслась во Дворец ЦСКА.

Замощина не ругалась. Масик получил две награды, и Ритка пребывала в благостном настроении. Ее огорчало только то, что не удалось купить вожделенный «Бурмиль». Всю дорогу до Ложкина она зудела:

— Искала, искала эту тетку, но она словно в воду канула. А все ты!

Я молчала, да и что тут скажешь? Правда, когда Ритуська завела ту же самую песню в десятый раз, не утерпела и спросила:

— Где бы ты, интересно мне, взяла такую прорву денег?

— Для здоровья Масика, — взвилась Ритка, — мне ничего не жаль, поняла?

На мой взгляд, кот выглядел патологически здоровым, но Ритулька продолжала убиваться из-за отсутствия «Бурмиля». Она мне так надоела, что я сказала:

— Ладно, если тебе некуда девать деньги, попытаюсь достать эти ампулы.

Замощина заткнулась. Когда мы въехали во двор, она спросила:

— Надеюсь, Аркадий починил мою машину?

Я возмутилась до глубины души:

— С какой стати он будет копаться в моторе чужой машины?

— Он же любую тачку оживить может!

— Да, но Кеша работает.

— Мог бы и дома остаться на один денек, — парировала Ритка. — Мне теперь придется у тебя ночевать.

— Без проблем. Устроим тебя с Масиком в комнате для гостей.

— Завтра отвезешь меня на выставку.

— Опять? Тебе не надо на работу?

— У Масика шесть показов подряд, я взяла неделю отгулов.

Да уж, повезло мне. Надо и впрямь вызвать завтра мастера, а то Замощина поселится у нас навсегда и заставит меня каждое утро кланяться Масику.

НИИ тонких исследований стоял в большом парке. Я прошла от ворот по довольно узкой аллейке и наткнулась на серое четырехэтажное здание, на двери которого висела вывеска — «Роддом № 242 имени Олеко Дундича». Глупее и не придумать. Насколько помню из школьного курса истории, этот молодой хорват был бойцом 1-й Конной армии и погиб в начале двадцатых годов в бою. Но, может быть, он очень любил женщин, и поэтому его именем назвали роддом? Впрочем, я сама появилась на свет в заведении имени Надежды Крупской. Вот уж загадка так загадка. При чем тут бедная Надежда Константиновна, у которой никогда не было собственных детей?

Что-то меня занесло не туда. Где же НИИ тонких исследований? Пришлось зайти в роддом и обратиться в справочную.

— Обойдите здание с торца, — пояснила приветливая, похожая на печеное яблочко старушка. —

Мы с ними всю жизнь соседи, в одном доме помещаемся.

Я глубоко вздохнула и села на скамейку. Надо собраться с мыслями, чтобы не навалять глупостей.

На соседней лавочке сидела обнявшись молодая пара.

— Ну не плачь, Юленька, — тихо бормотал мужчина, — не надо, успокойся.

— Тебе хорошо говорить, — всхлипывала Юля, — ребенок-то мой.

— И мой тоже, — возмутился муж.

— Но я его шесть месяцев носила, а теперь убить?!

— Так ведь краснухой ты заболела. Слышала, что доктор говорил? Стопроцентно идиот может получиться, бревно без разума, под себя ходить станет и мычать. Плод погиб, это точно.

— Нет, — горько рыдала Юля, — все равно любить буду. Он внутри меня живет, толкается, поворачивается, и убить? Он жив!

— У нас еще дети будут, — пытался вразумить муж жену. — А этот умер.

— Но его же убьют! — нелогично возразила Юля, рыдая. — Ой, не могу, господи, за что? Почему именно со мной такое?

В глубине холла открылась небольшая дверка и выглянул мужчина в зеленой хирургической шапочке.

— Ну готова? Пошли.

— Ой, — в голос завопила женщина, — не пойду, нет, и точка.

Врач подошел к паре и ласково сказал:

— Не дури. Ты перенесла краснуху, плод погиб.

— Но он шевелится.

— Тебе кажется, это перистальтика.

— Но...

— Молодой человек, — повернулся доктор к мужу, — ваша жена находится в шоковом состоянии, у нее стресс, но вы-то вполне нормальны? Вы-то понимаете, что ей грозит смерть?

Муж начал подталкивать слабо сопротивляющуюся Юлечку к входу в роддом. Женщина сначала упиралась, но потом неожиданно пошла. В дверях она обернулась и сказала:

— Никогда тебе этого не прощу.

Доктор и Юля исчезли. Муж достал носовой платок, промокнул потный лоб, глянул на меня и растерянно сказал:

— Видали? Краснухой заболела, а теперь меня ненавидит за то, что искусственные роды вызывать приходится.

Я с пониманием вздохнула. У нас на кафедре когда-то работала Женя Неуёмова. Будучи беременной вторым ребенком, она подхватила от семилетней дочери краснуху, и ей пришлось идти на аборт. Я помню, как Женька плакала, а мы все утешали ее. Но краснуха — это серьезно. На девяносто процентов вы получаете ребенка с пораженным головным мозгом.

— Она потом придет в себя, — сказала я, — и поймет, что ошибалась, не обращайте внимания.

— Дай-то бог, — вздохнул муж, — а то прямо жуть берет. Была жена как жена, вдруг, бац — и фурия.

— Это пройдет, вы только потерпите.

Мужчина хмыкнул и ушел. Я поднялась и двинулась обходить здание с торца. На душе было гадко. Бедная женщина, представляю, каково ей сейчас!

В отделе кадров пожилая женщина со старомодной «халой» на голове не выразила никакого удивления, поглядев на липовую трудовую книжку.

— Звонила вам, — быстро сказала я, — разрешили приехать, сказали, место есть.

— Отчего уволились? — равнодушно спросила она.

Я была готова к подобному вопросу.

— Наш НИИ приказал долго жить. Сотрудников отправили в бессрочный отпуск.

— Да уж, — вздохнула кадровичка, — загубили науку. У нас тоже три калеки остались, кто помоложе, те давно слиняли. Стыдно сказать, докторам наук, заведующим отделами и лабораториями по три тысячи платят. Это же сто долларов!

Я сочувственно закивала головой, но в глубине души изумилась. Интересно, однако, получается. Роза Андреевна говорила, что Владимир Сергеевич Плешков, директорствующий в данном забытом богом месте, и его заместитель Леонид Георгиевич Рамин отлично зарабатывают. Я видела мужиков всего один раз. На них были надеты великолепные смокинги, и уезжали они на больших сверкающих иномарках. Вряд ли все это было куплено на оклад. Хотя, ничего удивительного — сейчас народ зарабатывает где и как может.

— Пойдете в лабораторию к Туманову Оресту Львовичу, — принялась объяснять кадровичка, — второй этаж, комната 29...

Она не успела закончить фразу. В комнату влетела с неподобающей для ее солидного возраста прытью женщина.

— Анна Константиновна, — заорала она так, что у меня заложило уши, — горе-то, горе-то какое! Господи, несчастье!

— Что случилось, Елена Глебовна? — испугалась кадровичка.

— Вы не знаете?

— Нет.

— Владимир Сергеевич погиб!

Из рук Анны Константиновны выпала ручка.

— Не городите чушь! Что за бред?

— Господи, — заломила руки Елена Глебовна, — только что Верочке сообщили! Вот горе, вот горе.

— Подождите в коридоре, — велела мне Анна Константиновна.

Я послушно села на обшарпанный стул и стала наблюдать за происходящим. Из всех комнат начали выходить люди. Понеслись охи, вздохи, некоторые женщины держали в руках носовые платки. Наконец вернулась Анна Константиновна, хмурая, с плотно сжатыми губами.

— Заходите, — обронила она.

Я проскользнула в дверь и тихо спросила:

— Может, мне лучше завтра прийти?

— Почему? — ответила вопросом на вопрос Анна Константиновна.

— У вас горе...

— Директор умер, — сухо ответила кадровичка.

— Очень жаль, — вежливо сказала я, — но он, наверное, был совсем пожилым.

— Отнюдь нет, — кратко отреагировала кадровичка, заполняя какие-то бумаги. — Только что пятидесятилетие справил.

— Надо же, — покачала я головой, — что же случилось?

Анна Константиновна хмуро посмотрела на меня, вытащила пачку сигарет и сообщила:

— Инфаркт. Восхождение на вершину Олимпа часто отнимает у мужчин здоровье. Ступайте, вас ждут в лаборатории, вот направление.

Я взяла бумажку, пошла к выходу и, закрывая дверь, оглянулась. Анна Константиновна, очевидно, не ожидала, что новая лаборантка обернется.

На ее лице играла счастливая улыбка, а в глазах плескалось глубокое удовлетворение. Казалось, дама только что узнала не о смерти директора института, а о чем-то необычайно приятном, например, рождении внука или о повышении зарплаты. С таким лицом Зайка смотрит на весы, когда те показывают на два кило меньше, чем обычно. Поймав на себе мой взгляд, Анна Константиновна нахмурилась, но глаза ее продолжали сиять.

ГЛАВА 11

Я медленно пошла вверх по оббитым ступенькам. Интерьер института совсем не радовал глаз. Очевидно, данное исследовательское учреждение находится в этом месте с незапамятных времен. Здание казалось старым, если не сказать ветхим. В принципе, оно было когда-то красивым и удобным. Огромные окна, потолки высотой не менее четырех метров, дубовый паркет в коридоре, мраморные ступени на лестнице, а в нише лестничной клетки между первым и вторым этажом стояла белая статуя, стилизованная под античную. Очевидно, она имела какое-то отношение к науке. Но если вглядеться в окружающий пейзаж внимательно, сразу становится понятно, что большие стекла очень грязные, рамы и подоконники облупленные, с потолка сыплется побелка, из пола выпадают паркетины, ступени разбиты, а на статуе кое-где заметны сколы. Да и огромная деревянная дверь, которую я с трудом распахнула, была исцарапана. В институте много лет не делали ремонта.

Моему взору открылась небольшая комната, забитая столами, на которых толпились штативы с пробирками. Световолосая девушка подняла глаза от каких-то бумаг и довольно сурово поинтересовалась:

— Вам кого?

— Я ваша новая лаборантка.

— Первый раз слышу, что нам нужна лаборантка.

— Прислали из отдела кадров. Анна Константиновна сказала, что следует обратиться к Оресту Львовичу.

— Коли сама Анна Константиновна сообщила, — усмехнулась девица, — тогда конечно. Орест явится в четыре часа.

— Что же мне делать?

— Погуляйте до 16.00, потом приходите, — пожала плечами неприветливая девица.

Я вышла во двор. Хоть на улице и апрель, но тепла особого нет, а часы между тем показывают полдень. Ладно, поеду в Ложкино, а к четырем вернусь сюда. Не шататься же мне по улицам в ожидании начальства. Какая, однако, неприятная девушка, просто выставила меня вон.

Я медленно пошла вдоль здания. Надо же, директора института Владимира Сергеевича Плешкова разбил инфаркт. Надеюсь, что это не он украл яйцо Фаберже. А если он, то найти семейную реликвию будет уже практически невозможно. Вспомнив плачущую Амалию Густавовну, я вздохнула. Бедная старушка. Впрочем, какое странное совпадение: вчера умерла Роза Андреевна, сегодня — Владимир Сергеевич. Ни косметолог, ни директор института не выглядели больными. Роза Андреевна была просто цветущей женщиной. У смертельно больного человека не может быть такой нежно-розовой кожи, блестящих глаз и задорного смеха. А Шилова, сидя за столом в гостях у Рыкова, все время хохотала. Владимир Сергеевич рассказывал анекдоты, на мой взгляд, довольно примитивные и плоские, а Роза Андреевна просто покатывалась и восклицала:

— Ой, не могу, перестань, уже желудок болит.

Кстати, и Владимир Сергеевич вел себя как абсолютно здоровый человек. Он съел много закусок, среди которых были салаты с майонезом и копченая колбаса, потом преспокойно отведал довольно жирной свинины с картошкой, а в самом конце с видимым удовольствием выпил кофе с мороженым. Причем, учтите, что в течение обеда Владимир Сергеевич принял на грудь грамм триста коньяка. Согласитесь, что больной человек не станет позволять себе такое...

Я не успела до конца продумать ситуацию, потому что глаза наткнулись на необычную картину.

Как раз возле того места, где я стояла, распахнулось нешироко окно, замазанное белой краской, и показалась фигура, одетая в тонкую ночную сорочку. Не успела я удивиться, как женщина с растрепанными волосами перекинула через подоконник ноги, обутые в коричневые тапки из кожзаменителя, и оказалась во дворе. В ее взгляде сквозило безумие.

— Эй, эй, — попятилась я, — ты что? Лезь назад — холодно, простудишься.

Беглянка кинулась ко мне:

— Помогите!

В ту же секунду я узнала Юлечку, беременную женщину, только что рыдавшую возле роддома.

— Помогите!

— Что случилось?

— Они хотят убить моего ребенка. Умоляю, отведите меня к маме, скорей, пожалуйста! Я попросилась в туалет.

Глаза ее лихорадочно метались по моему лицу, на лбу блестели капли пота.

— Лучше идите назад и позвоните мужу, — посоветовала я.

Юля разрыдалась.

— Он с ними заодно: очень рад, что решили вызвать искусственные роды.

Понимая, что бедняжка находится в истерическом состоянии и что никакие доводы рассудка на нее не подействуют, я взяла ее за руку.

— Хорошо, давай скорей, у ворот стоит машина, отвезу тебя, куда скажешь.

Юлечка всхлипнула и побежала со мной. В «Пежо» я спросила:

— Адрес давай.

— Чей? — пробормотала Юля.

Все понятно, у несчастной совсем помутился рассудок. Случается такое с беременными дамами.

— Твоей мамы.

— Астрахань, улица Октябрьская, — пробормотала Юля.

Я отпустила руль.

— Где?

— Астрахань, — безнадежно повторила Юля, — я не москвичка.

— Надеюсь, ты понимаешь, что нам туда за полчаса в автомобиле, даже в таком хорошем, как «Пежо», не доехать?

— Да, — прошептала Юля, — конечно. Отвезите меня на вокзал, сяду в поезд.

— В ночной рубашке и тапках?

Девушка разрыдалась.

— Господи, что делать? Что?

— Накинь на плечи плед, — попросила я, — и постарайся спокойно объяснить, что случилось.

Внезапно Юля сказала:

— Хорошо, только давайте отъедем от роддома. Вдруг меня искать начнут?

Однако она совсем не сумасшедшая. Я перегнала «Пежо» на другую улицу и велела ей:

— Рассказывай!

Юлечка принялась выплескивать накопившееся. Она вышла замуж за Колю семь лет тому назад, совсем молоденькой, едва восемнадцать исполнилось. Приехала в Москву из Астрахани, поступила в институт и сразу познакомилась с Николашей. Тот москвич, вполне обеспеченный, имеет квартиру, машину — одним словом, далеко не всем девочкам из провинции везет так, как Юле. Сыграли свадьбу, началась семейная жизнь. Юлечка девочка неизбалованная, кроме нее, у мамы было еще две дочери. С ранних лет она умело управлялась с домашним хозяйством, поэтому тягот семейной жизни не ощутила. Готовка, стирка, уборка — все это она делала быстро и весело. Николай оказался хорошим супругом — заботливым, внимательным, ласковым. Он не забывал покупать жене цветы и шоколадки. Было только одно «но». Коля не хотел детей. Впрочем, вначале он лукавил, говорил:

— Мы еще слишком молоды, тебе надо получить образование.

Юлечка соглашалась с мужем. Но когда они оба получили по диплому, Коля завел иную песню:

— У ребенка должно быть все. Зачем плодить нищету? Подкопим деньжат, тогда и родим.

Но Юле очень хотелось ребеночка. Она стала давить на мужа, и тот наконец поведал ей истинную причину своего активного нежелания иметь потомство.

— Когда мне исполнилось тринадцать лет, — объяснял он жене, — моя мать второй раз вышла замуж и родила Петю. Все ее внимание, любовь и нежность теперь доставались младшему сыну. Меня отодвинули в сторонку. Более того, мне все время говорили: ты уже взрослый. Поэтому, я уверен, что, как только у нас появится ребенок, ты переключишься на него, а меня забросишь.

Юлечка только улыбалась. Бедный Николаша! Но она-то точно знает, что, став матерью, будет заботиться о супруге в два раза больше, чем прежде. Тайком от мужа Юля перестала пить противозачаточные таблетки.

Когда Коля узнал о беременности, он только вздохнул:

— Что ж поделать, рожай.

Юлечка ликовала. Ничего, все обойдется. Многих мужчин перспектива отцовства вначале страшит, зато потом они самозабвенно возятся с малышами. Юля встала на учет в женскую консультацию, но Николай сообщил, что нашел более хорошего врача. Можно прикрепиться к роддому при НИИ тонких исследований.

— Дорого небось, — вздохнула Юля.

— Нет, — покачал головой Коля, — совсем бесплатно, просто этот роддом считается учебной базой какого-то мединститута. Все врачи в институте кандидаты и доктора наук, но там проходят практику студенты, а далеко не всем женщинам хочется, чтобы на них учились.

Юлечка обрадовалась и оказалась в роддоме имени Олеко Дундича. Ее отправили к хорошему, очень внимательному доктору Олегу Игоревичу. Если в районной консультации гинекологи в основном пожилые тетки, грубили беременным и практически не осматривали их, то Олег Игоревич был сама любезность.

Он без конца отправлял Юлю на какие-то анализы и обследования. А один раз дал пластмассовый флакончик с розовыми пилюлями.

— Принимайте три раза в сутки. Тут на неделю, — пояснил заботливый доктор, — удивительное средство для укрепления иммунитета ребенка. Нам из Америки прислали для отделения патологии, вот я вам и отсыпал.

Страшно благодарная Юля выпила снадобье, а к вечеру внезапно покрылась мелкой красной сыпью. К тому же у нее начался насморк и резко подскочила температура. Олег Игоревич, услыхав о болезни, приехал на дом, взяв за визит всего триста рублей.

— Краснуха, — с озабоченным лицом сообщил он, — вот уж беда так беда!

Еще через неделю встал вопрос о прерывании беременности. Муж уговаривал женщину:

— Пойми, плод погиб, он разлагается внутри тебя, может начаться заражение крови.

Но Юлечка ощущала шевеление ребенка и категорически отказывалась от искусственно вызванных родов.

— Это перистальтика, — терпеливо объяснял Олег Игоревич, — деятельность кишечника, газы...

В конце концов несчастная женщина позволила убедить себя и оказалась в палате. Но в самый последний момент она почувствовала, как ее мальчик толкается ножками. Тогда она попросилась в туалет и вылезла на улицу.

— Они сговорились убить моего ребенка, — шептала Юлечка пересохшими губами.

— Не пори чушь, — строго сказала я, — зачем бы им это делать?

— Не знаю, — бормотала женщина, — только чувствую, что он жив.

Я подумала пару минут и сказала:

— Вот что, отвезу тебя сейчас к доктору. Она тебе понравится, потолкуешь с ней спокойно. Если

Оксана скажет, что угрозы для твоей жизни нет, отправим тебя к маме в Астрахань. Надеюсь, что ты понимаешь, чем рискуешь. Ты действительно можешь родить слабоумного ребенка.

— Все равно буду любить его, — бормотала Юлечка с лихорадочным блеском в глазах.

Я вздохнула и завела мотор. Дитя, почти лишенное разума, — суровое испытание для родителей. Не зря медики в таком случае рекомендуют прервать беременность. Надеюсь, Оксана сумеет убедить несчастную. Жаль Юлечку, но она молода, и дети у нее еще будут.

Оксана выслушала меня и сказала:

— Мы пойдем наверх, а ты тут подожди.

Похоже, сегодня весь мой день пройдет в холлах и коридорах разных больниц. Ждать пришлось довольно долго. Наконец появилась Ксюта.

— Значит, так, — сообщила она, — я устроила Юлю в гинекологию. Знаешь, что странно?

— Нет.

— Она говорит, что ей не делали пункцию.

— Что? — не поняла я.

— В таких случаях, — разъяснила подруга, — берут на анализ околоплодную жидкость.

— И что?

— Почти со стопроцентной гарантией по результату этого анализа можно определить, какой получится ребенок, а Юле такого анализа не сделали.

— Вряд ли, — засомневалась я, — она говорила, что доктор был сверхвнимательным. Небось забыла...

— Вот это маловероятно, — вздохнула Оксана, — уж поверь мне, процедура неприятная, часто доставляющая беременным, несмотря на местное обезболивание, болезненные ощущения. Нет, забыть про пункцию невозможно, ее определенно не делали, и это вторая странность.

— А первая какая?

— Ей сейчас сделали УЗИ и обнаружили вполне жизнеспособного ребеночка с хорошим сердцебиением и без видимых на первый взгляд патологий.

Я так и села:

— Значит, она была права, когда уверяла, что ее ребенок жив?

Ксюта кивнула:

— Знаешь, беременные ощущают совершенно особую связь с ребенком. Я бы на месте врачей прислушалась к ее словам. И потом, сегодня в роддоме ее никто не удосужился направить на УЗИ. Конечно, можно списать все на халатность врачей, но, знаешь, вырисовывается странная картина. Пункцию не провели, про ультразвук забыли и решили, что плод погиб вследствие перенесенной матерью краснухи. Взяли и засунули молодую женщину на искусственное прерывание беременности. Но ведь так не делают! Чем больше думаю об этой истории, тем меньше она мне нравится.

— Мне тоже, — пробормотала я. — Похоже, что ее муженек уговорил доктора искусственно вызвать преждевременные роды.

Оксана фыркнула.

— Ведь не в домашних условиях ей решили прерывать беременность! Нет, в роддоме в этот процесс вовлечено довольно большое количество людей: врачи, медсестры, няньки, в конце концов. Думаю, что дело в вопиющей халатности. Ладно, пусть она полежит у нас недельку, а там поглядим. Но в роддом, откуда Юля сбежала, я ничего сообщать не стану, пусть подергаются, Гиппократы чертовы. А ты предупреди ее мужа.

Сказав последнюю фразу, Ксюта повернулась и побежала к лифту. Я побрела к «Пежо». Как правило, прислушиваюсь к советам Оксаны, но сегодня поступлю по-своему, не стану разыскивать этого Николая и сообщать ему, где находится Юля. Похоже, мужик не зря пристроил любимую жену в роддом имени Олеко Дундича. Нет уж, посмотрим, какой результат даст пункция. Эх, жаль, нет времени, чтобы разобраться в этом непонятном происшествии. Мне надо искать яйцо, чтобы восстановить свою репутацию и утешить Амалию Густавовну.

ГЛАВА 12

Десять минут пятого я всунулась в лабораторию и увидела в комнате только одного человека: взлохмаченного мужика, на вид лет сорока, одетого в свитер.

— Простите, вы Орест Львович? — спросила я.

Дядька вздрогнул и разлил содержимое пробирки, которую держал в руках.

— Ну и напугали, — резко сказал он, — подкрались и заорали. Разве можно так?

— Я не кричала, просто поинтересовалась, кстати, довольно тихо. Вы Орест Львович?

— С утра был им.

Да уж, есть такая категория людей, которая считает себя умнее всех прочих и от этого изъясняется совершенно идиотским образом. Ответил бы просто: я. Но нет, ему хочется выпендриться по полной программе.

— Я ваша новая лаборантка. Меня зовут Даша.

— Не может быть! — подскочил Орест Львович.

— Почему? — изумилась я. — Вам не нужна лаборантка?

— Господи, да просто позарез, но мне говорили, что никто не хочет идти на эти деньги.

— Оклад как оклад, — пожала я плечами, — в науке сейчас везде такие.

— Ага, ну да, — кивнул мужик и принялся объяснять мне мои обязанности.

Через пять минут я поняла, что должность лаборантки — это просто красивое название должности уборщицы. Я была обязана драить в большом эмалированном рукомойнике пробирки, банки и еще какие-то изогнутые штучки, вытирать столы, собирать грязь с пола. А еще Орест Львович велел мне вымыть окно. Но тут уж я вскипела:

— Вот это нет! Извините, боюсь высоты.

— Нет так нет, — мигом согласился Орест, — можете начинать.

В этот момент появилась санитарка с неким круглым предметом и сообщила:

— Из второй патологии.

Орест Львович встал, откинул крышку, и я поняла, что это то ли контейнер, то ли термос, внутри которого стоят стаканчики вроде пробирок, только закрытые крышечками.

— Что это? — полюбопытствовала я, глядя, как заведующий аккуратно переставляет принесенное из контейнера в холодильник.

— Наш институт, — размеренным голосом человека, привыкшего выступать перед аудиторией, забитой студентами, завел Орест Львович, — занимается самыми разными проблемами. Видели, что с другой стороны расположен роддом?

Я кивнула.

— Так вот, одно из направлений исследований — это различные патологии, встречающиеся у беременных. Сейчас нам принесли анализы крови, ну да вам это не интересно. Запомните, если доставят такой контейнер, а нас с Региной в лаборатории не будет, следует немедленно открыть его и поместить пробирки в холодильник. Будьте очень внимательны. Посмотрите сюда. Какого цвета эта крышка?

Он, наверное, считает, что плохо одетая тетка, с радостью моющая за копейки грязную лабораторную посуду, — полная идиотка. Что ж, мне это только на руку.

— Красная, — пробубнила я, — красная крышечка, яркая такая, прямо пожар.

— Молодец, — похвалил Орест, — теперь запоминай. Если верх красный, мигом открываешь и переносишь содержимое в холодильник. Делать это надо быстро, чтобы материал не испортился. Мы с Региной можем отойти на час-другой, твое дело проследить, ясно?

Я кивнула. Куда ясней. Сами смоются по каким-то левым делам, а несчастная лаборантка должна сидеть в душном помещении и мыть всякие склянки.

— А теперь особое внимание, — зудел Орест, подняв вверх указательный палец, покрытый желтыми пятнами, — полнейшее внимание к тому, что я сейчас сообщу.

Я постаралась придать лицу приличествующее выражение, но получилось плохо. Из горла рвался смех.

— Очень прошу внимания, — вещал Орест.

Господи, вот несчастье быть замужем за таким занудой.

— Часто, — сообщил начальник, — сюда приносят контейнер с синей крышкой. Его категорически запрещается трогать даже пальцем. Поняла? Вскрыть термос с синей верхушкой имею право только я. В нем находится крайне ядовитое летучее и страшно дорогое вещество, уникальное! Уникальное! Уникальное!

Ну заладил, как испорченная пластинка. Давно уловила суть. Красная и синяя крышки, это и дураку ясно, ничего сложного.

Но остановить начальника было невозможно. Подобное случается иногда с преподавателями. Кое-кто из моих коллег — преподавателей иностранных языков мог бесконечно повторять одно и то же. Издержки профессии. Психиатрам кажется, будто все вокруг ненормальные, врачам повсюду мерещатся больные, милиционерам — преступники, а учителя считают, что их окружают тупоголовые двоечники. Сейчас Орест скажет: «Повтори».

— А теперь повторите, — не разочаровал меня начальник.

В очередной раз проглотив смешок, я покорно сообщила:

— С красной крышкой — открыть, с синей — не трогать.

— Вот-вот. Имей в виду, мало того, что отравишься и попадешь в больницу, можешь даже ослепнуть, настолько ядовито их содержание. Да еще потом могут заставить оплатить стоимость испорченного вещества. С твоей зарплатой всю оставшуюся жизнь в долгах будешь. Усвоила?

Я кивнула и отправилась мыть пробирки. Надеюсь, скоро сюда явится эта Регина и мне удастся разговорить девушку. Пусть посплетничает немного о своем начальстве. Заодно узнаю, чем занимается таинственный Яков.

Но время шло, девушка не появлялась. Более того, около пяти Орест встал и сообщил:

— Вернусь в полседьмого.

В дверях он обернулся и погрозил мне желтым пальцем.

— Помни, если синяя крышка, ни-ни!

Мне захотелось стукнуть зануду, но я кивнула:

— Не волнуйтесь, ближе чем на километр не подойду.

Благосклонно улыбнувшись, начальство убежало. Я села на белую табуретку, вытащила сигареты и пригорюнилась: «Как же мне теперь действовать? Думала попасть в большой коллектив, где полным-полно дам раннепенсионного возраста. Как известно, целый день работать скучно, вот они и перемывают косточки друг другу. Проведя пару дней в такой компании, можно узнать все и обо всех. А что получилось? Сижу одна-одинешенька возле раковины, заваленной всякой дрянью. Ничего не узнала. Наверное, нужно проситься в другой отдел!»

Не успела я принять решение, как дверь распахнулась и появилась крохотная медсестричка. Она протянула мне контейнер и сказала:

— Для Ореста Львовича.

Я кивнула.

— Хорошо.

«Крошечка Хаврошечка» развернулась и убежала. Так, крышка на контейнере ярко-синяя, следовательно, нужно поместить содержимое в холодильник. Недрогнувшей рукой я открыла защелки, откинула крышку и увидела, что внутри стоит одна широкая емкость. Вытащив ее наружу, поставила на лабораторный стол. Внутри, в прозрачной жидкости плавало нечто непонятное. Я пригляделась и заорала от ужаса. Боже, это младенец, вернее, эмбрион. Сам маленький, но с большой головой, со сложенными крохотными ручками и поджатыми ножками. Из живота нерожденного ребенка торчала какая-то нитка, довольно длинная и толстая. Чувствуя, что сейчас потеряю сознание, я рухнула на табурет. О боже! Чем они тут занимаются, в этой лаборатории?

В ту же секунду лязгнула дверь и появился Орест.

— Так, — возмущенно воскликнул он, — я же строго-настрого приказал не трогать контейнер с синей крышкой!

— Извините, — прошептала я сухими губами, — перепутала. Простите, бога ради, какая жуть!

— Еще хорошо, — забубнил Орест, — что в нем оказалось не то ядовитое вещество, о котором я предупреждал, а эмбрион собаки.

— Собаки? — подскочила я. — Как это собаки?

Орест Львович пожал плечами:

— Мы же научно-исследовательское учреждение, ставим опыты. Одна из научных тем лаборатории звучит так — «Влияние отравляющих веществ на зародыш собаки».

Я только хлопала глазами.

— Да что с вами? — недоумевал начальник. — Так испугались? Во-первых, сами виноваты, не следовало открывать контейнер, а во-вторых, данный материал совершенно безопасен. Да успокойтесь, наконец, право слово, вы слишком уж нервная.

— Мне показалось, что там человек!

— Где, в банке?

Я кивнула. Орест улыбнулся.

— Нет, конечно.

— Но у него голова!

Начальник с жалостью посмотрел на меня.

— А вы встречали в своей жизни безголовых животных?

Действительно, он прав.

— Но у него руки!

— Это лапки. Передние более мелкие, чем задние. Согласен, первый раз можно и перепутать. Мне так сразу понятно, что я вижу в контейнере. Видите хвостик?

Орест коснулся пальцем банки.

— Крохотный такой, только намек.

Я вздрогнула, ничего не вижу и видеть не желаю. Хорошо, что это собака, хотя тоже ужасно. Я вспомнила щенков Черри и Юноны. Нет, ученые все-таки слишком жестоки.

— Ну все? Успокоились?

Но меня подташнивало.

— Простите, где у вас дамский туалет?

— В конце коридора, у окна, последняя дверь.

На подкашивающихся ногах я добралась до довольно просторного туалета, зашла в кабинку. Только бы не упасть в обморок. Нет, я совершенно не приспособлена для роли исследователя.

Раздался звук шагов, плеск воды, потом характерная музыка: у кого-то из женщин, зашедших после меня в санузел, зазвенел мобильный.

— Да, — проговорил странно знакомый голос, — слушаю.

Воцарилось молчание, затем женщина со знакомым голосом произнесла:

— Он сдох. Я в себя не могу прийти от счастья. Господи, столько мечтать о его смерти и наконец дождаться. Это ему, вору и негодяю, за Ирочку, за тебя, Жаннуся, за нас всех. И ведь придется идти на похороны, делать скорбный вид. Как же, директор института... Меня совсем некстати сделали председателем комиссии по похоронам.

Вновь возникла тишина.

— Инфаркт, — внезапно сообщила женщина, — но, думаю, даже уверена, что его убили. Ты знаешь, что Розка Шилова тоже на тот свет отъехала. Ну и как тебе такое совпаденьице? Ни о чем не говорит?

Дама замолкла, потом воскликнула с жаром:

— Нет, Жаннуся, ты не права. Он убил Ирочку, он вор, вор, вор. Вор и убийца.

Вновь послышался плеск воды, затем скрип двери. Быстрее кошки я метнулась к выходу и, приоткрыв створку, выглянула в щелочку.

По длинному обшарпанному коридору медленно шла заведующая отделом кадров Анна Константиновна.

Я подождала, пока дама совсем удалится, потом в глубокой задумчивости встала у окна. Кадровичка явно знает о директоре нечто весьма негативное. Хорошо бы поговорить с ней по душам. Я вздохнула, вспомнив сжатые в нитку губы Анны Константиновны. Да уж, с такой каши не сваришь. Что это за Жанночка, с которой она разговаривала. Вот бы побеседовать с ней, может, эта женщина не столь сурова, как кадровичка? И как поступить? Войти в отдел найма служащих и спросить:

— Ну-ка, быстренько сообщите мне фамилию и телефон Жанны.

Да уж, гениальная мысль, лучше не придумать! Внезапно в голову пришла идея. Слабая надежда, но вдруг!

Я вернулась в туалет, вытащила из кармана идиотского платья выключенный мобильный, привела его в готовность, потыкав в кнопочки, набрала городской номер отдела кадров и сказала низким голосом:

— Анна Константиновна, вас ждут у Леонида Георгиевича. Это по поводу похорон.

— Что у тебя с голосом, Лена?

— Простыла.

— Иду, скажи Леониду Георгиевичу, что через десять минут подойду. Надеюсь, начальство не ждет, что я в моем возрасте взлечу на четвертый этаж за пару секунд?

В ухо понеслись гудки. Я немного подождала, потом дошла до отдела кадров и постучалась. В ответ тишина. Я подергала дверь, та подалась. Войдя в кабинет, увидела на столе возле допотопного перекидного календаря мобильный телефон. Меня наполнила гордость. Нет, какая я умная, просто жуть! Как верно все рассчитала, хотя на такую удачу все же не надеялась. Честно говоря, не думала, что Анна Константиновна убежит, не заперев двери. Хотя в крохотном помещении нет ни сейфа, ни шкафов с папками, ни компьютера. Небось личные дела сотрудников и документы хранятся в другом месте, а здесь она только ведет прием. Нет, какой я молодец! Совершенно верно предположила, что к начальству дама сотовый не возьмет. Только бы он не был выключен.

Но удача сегодня просто сыпалась на меня. И дверь открыта, и включенный телефон на столе. В окошечке виднелись черненькие буковки «Bee line». Особенно меня порадовало то, что трубка у нее оказалась точь-в-точь такая же, как у меня, — простенький «Сименс С-25». Аркашка упорно уговаривает меня сменить модель.

— Ну что ты таскаешь с собой это чудовище, — возмущается наш адвокат. — Здоровенная дура без игрушек и возможности выхода в Интернет. Вот, посмотри, какой купил — самый маленький в мире.

И подсовывает мне под нос крохотную штучку, размером со спичечный коробок, только у́же.

— Гляди, тут и тетрис, и бродилка, память на триста номеров.

— Зачем мне телефон с тетрисом?

— В пробках играть, — оживился Кеша, — опять же в очереди, в тюрьме развлекаться можно, к тому же имеется выход в Интернет. И потом, смотри, какой он крошечный!

Но я совершенно не собираюсь менять свой слегка устаревший «С-25». Головоломки не люблю. Интернетом не пользуюсь, в тюрьме в ожидании подзащитного не сижу. Меня вполне устраивают размеры моего «Сименса», я сразу нахожу его в сумке, а миниатюрную пищащую крохотульку буду часами разыскивать в недрах своего баула.

Я подлетела к столу, схватила телефон. Так, это исходящие звонки, ага, а вот входящие. Взяв ручку, я за неимением бумаги записала номер на ладони и понеслась в лабораторию к Оресту.

ГЛАВА 13

Учитывая, что мне пришлось пережить за сегодняшний день, сами понимаете, в каком состоянии я заехала за Риткой. Замощина была раздражена до крайности. Злость исходила от нее волнами. Масику не досталось ни одной награды. Более того, одна из судей весьма ехидно сообщила:

— Шерстистость вашего кота оставляет желать лучшего. Густоты и блеска нет, усы слабые. Добавьте витаминов в пищу.

— Дрянь слепая, — кипела Ритка, наглаживая Масика, — прикинь, эта дура сама почти лысая, три волосины на голове, а туда же, шерстистость ей, видите ли, не по вкусу. Да вчера все хором отметили, что такой шубки, как у Масика, ни у кого нет! Не блестит! Вот сволочь! Он весь играет и переливается, а все Галька Казанкина! Небось сунула этой стерве барашка в бумажке, чтобы Масика засудили.

— Зачем ей это делать? — удивилась я.

— Святая простота! — фыркнула Ритка. — Мой Масик — лучший производитель в Москве. Знаешь, какие от него котята? Львы! А у Казанкиной чахлое уродство, от него недомерки получаются, вот она и захотела, чтобы Масика опустили. Солнышко мое!

И она стала нацеловывать кошачью морду. Пару минут мы ехали молча, потом Замощина воскликнула:

— А все ты!

От неожиданности я проскочила перекресток на желтый свет.

— Что я сделала плохого?

Ритка возмутилась:

— Поставь вопрос по-иному: что ты сделала хорошего! Упустила тетку с «Бурмилем». Если бы Масику сделали вчера укол, сегодня никакие идиотки не посмели бы про шерстистость вякать! Между прочим, ты обещала достать лекарство!

— Хорошо, — сквозь зубы прошипела я, — обязательно достану. Только приедем, сразу позвоню одному знакомому, он ветеринар.

— Дениске, что ли? — фыркнула Ритка. — Недоучка! Студентишка паршивый.

— Он-то тебе чем не угодил?

— Месяц тому назад вызвала его сделать прививку. Так он сообщил, что у Масика неправильно поставлены уши! Нет, ты только подумай!

Оставшуюся дорогу до Ложкина она стреляла из всех орудий по Дениске, периодически швыряя ядра злобы и в мой адрес.

Домой я вошла усталая до бесконечности и сразу попала в руки к Марусе, которая, подпрыгивая от переполнявших ее эмоций, желала вывалить мне на голову все новости:

— Муся, угадай, кто...

— Подожди, детка, дай разденусь.

— Ну мусенька, послушай, у нас...

— Дай руки помою.

— Мулечка...

— Маня, — сердито сказала я, — отцепись. Сейчас приведу себя в порядок и все выслушаю.

Девочка умчалась. Ритка выпустила из перевозки Масика и, простонав: «Умираю, как хочется есть», — скрылась в столовой.

За ней, подняв трубой пушистый хвост, прошествовал Масик. Я поглядела на животное. На мой взгляд, он достаточно пушист, но, с другой стороны, я не вхожу в жюри кошачьих выставок.

— А-а-а, — донеслось из столовой.

Потом раздался звон, визг и нечеловеческий вопль:

— Ма-а-асик!

В полном ужасе я влетела в комнату и остолбенела. В середине обеденного стола, расталкивая в разные стороны посуду, крутился огромный многоцветный меховой клубок. Нечто бело-рыже-черное угрожающе шипело и плевалось. Со скатерти падали куски хлеба, летели ошметки чего-то зеленокрасного, очевидно салата, приготовленного Катериной к ужину, падали тарелки и чашки. У стола в ужасе стояли Дегтярев и Ритка.

— А-а-а, — вопила Замощина, — Масика сейчас убьют, сделай что-нибудь, живей!

— Что, что? — бестолково топтался полковник.

— Скорей же, скорей, — орала Ритка, — стреляй в нее! Кто из нас мент?

— У меня нет с собой табельного, — растерянно сообщил Александр Михайлович.

В этот миг шар докатился до края стола и рухнул на ковер. Тут только я сообразила, что вижу двух остервенело дерущихся котов — Масика и еще одного, незнакомого.

— Разними их, — стонала Ритка.

Полковник попытался было выхватить одного из участников битвы, но тут же с криком отдернул руку. Белый рукав рубашки мигом окрасился кровью.

— Вот зараза, царапается!

— А-а-а, — исходила криком Рита, — убьют, спасите! Дашка, дура, что стоишь, растаскивай их.

Я с сомнением поглядела на животных, катающихся по полу. Влезать в кошачью драку? Ну уж нет, живо когтями исполосуют! Надо бы их растащить, но как?

В голову, как назло, не лезло ничего путного. Кстати, наши собаки, мигом смекнув, что сейчас может достаться и им, забились в укромные места. Хучик заполз в гору подушек на диване и лежал там тише мышки, если, конечно, уместно сравнение десятикилограммового, довольно тучного мопса с мелким грызуном. Наши храбрые питбуль и ротвейлер забились под стол. Черри распласталась в ящике, подпихнув под себя всех щенят — черных, белых, рыжих. Пуделиха явно была в ужасе и готовилась защищать потомство до последней капли крови. Внезапно по моим ступням что-то потекло. Я опустила глаза вниз и увидела трясущуюся крупной дрожью Юню. Толстым задом мопсиха уселась на мои тапочки. Очевидно, ее испуг был так велик, что собачка описалась.

— Что за шум, а драки нет? — раздался веселый голос, и в столовую вошел Кеша.

В одной руке он держал мобильный, в другой большой черный кожаный портфель. Мигом оценив ситуацию, сын бросил вещи на пол, схватил со стола двухлитровую бутылку с минеральной водой и вылил ее на воющий комок. Тот тут же распался на составляющие. Справа оказался вздыбленный Масик, слева — взъерошенный бело-рыжий, совершенно незнакомый мне кот.

— Сыночек, — зарыдала Ритка и ринулась к Масику, но тот выгнул спину дугой и юркнул под буфет.

Бело-рыжий кот зашипел, словно раскаленная сковородка, на которую по недомыслию вылили пару ложек воды.

— Заткнись, гадость, — топнула ногой Замощина.

Незнакомец коротко фыркнул и в мгновение ока взлетел по оставшейся в одиночестве драпировке на карниз. Он уселся там и принялся умываться.

— Что здесь произошло? — грозно поинтересовался Кеша. — Драка из-за чего получилась? Кто инициатор?

— Да вот этот черный, — показал Дегтярев пальцем на буфет, — только вошел, как набросился на несчастную киску. Типичный разбой, за такое срок дают.

— Ну ты, ментяра, — обозлилась Замощина, — кота и того готов в тюрьму упрятать.

— Откуда он взялся? — спросила я.

— С Ритой пришел, — сообщил полковник.

— Нет, другой — рыжий.

— Не знаю, приехал домой, а он сидит в столовой на стуле. А жирный какой, просто кабан, — кряхтел Дегтярев.

— Маня!!! — заорали мы с Кешей.

— Чего кричите? — спросила девочка, входя в столовую.

— Откуда кот?

— Это кошка.

— Без разницы. Откуда она взялась?

— Хотела сразу тебе объяснить, а ты не пожелала слушать, — надулась дочь.

— Давай рассказывай, — велел Кеша.

— Олеся Ковальчук оставила на десять дней.

Она в Египет уехала! Сегодня вечером привезла. Тихое такое, милое и спокойное животное.

Я только вздохнула, оглядывая разгром, учиненный в нашей некогда уютной столовой. Лишившись одной занавески, комната потеряла нарядный вид. Теперь же, после этой драки, общий пейзаж просто удручал. Повсюду клочки шерсти, фрагменты еды и разбитая посуда.

Все наши друзья и знакомые в курсе того, сколько собак и кошек имеет наша семья. И поэтому считают, что одним питомцем больше, одним меньше — нам уже без разницы. А то, что мы обитаем в просторном доме за Кольцевой дорогой, снимает последние колебания относительно того, куда деть хвостатого любимца, собираясь в отпуск. Всем ясно куда — подбросить Даше Васильевой! Значит, теперь к нашему ковчегу прибило...

— Как ее зовут?

— Флора, — вздохнула Маша, — богиня цветов и весны.

— Ага, — пробормотал Кеша, — понятно, это цветочки, ягодки, значит, будут впереди. Где мой телефон?

И он начал осматривать пол. Ритке наконец удалось вытащить Масика из-под буфета. Теперь она душила «сыночка» в объятиях. Дегтярев отправился в ванную, наклеивать на царапины пластырь. Собаки оживились и вылезли из укрытий. Ирка принесла пылесос и заворчала:

— Не дом, а Театр зверей имени Дурова! Сколько хорошей посуды переколотили! И ужин весь пропал, такой салат был вкусный, из тунца.

Ага, теперь понятно, откуда несет рыбой.

— Где мой телефон? — недоумевал Кеша. — Вроде уронил на пол возле портфеля, и нет!

— А ты позвони на него, — предложила сообразительная Маня.

— Верно, — согласился Аркадий и взял трубку стационарного телефона.

— Масинька, — причитала Ритка, — заинька...

— Мы будем ужинать? — поинтересовался полковник.

— Сейчас накрою, — бубнила Ирка, — не дом, а жуть.

— Дзынь, дзынь, — понеслось с пола.

— А, где-то тут валяется, — обрадовался Кеша и начал шарить руками по ковру.

— Чего потеряли? — полюбопытствовала Ирка.

— Да телефон.

— Его тут нет.

— Как нет? Слышишь, звенит?

— Нет, — уперлась Ирка, — только что весь пол пропылесосила.

— Не заметила небось, он крохотный.

— Ну да, — обиделась Ирка, — я кретинка убогая, трубку не увижу!

— Но ведь звенит.

— А на полу нет!

Чуть не столкнувшись лбами, Кеша и Ирка начали ощупывать пол и ковер. Юня, до сих пор сидевшая тихо-тихо на моих ногах, встала и вспрыгнула на диван.

— Слышите, Аркадий Константинович, — насторожилась домработница, — с дивана тренькает, небось в подушки завалился.

— Похоже на то, — пробормотал Кеша, — странно как-то, только что на полу звенел.

Он двинулся к софе, но тут Ритуська издала вопль раненого вепря.

— Умирает!

— Кто? — заорала я и уставилась на Масика.

Кот выглядел вполне бодрым. Он сидел у Замощиной на коленях и энергично вылизывал хвост.

Ритуська указала пальцем на окно. Я посмотрела в указанном направлении и взвизгнула:

— Ой, мамочки!

Кошка Флора распласталась в странной позе на карнизе. Они у нас широкие, массивные, и места ей для этого вполне хватило. Выглядела Флора ужасно. Даже снизу было видно, как она тяжело и нервно дышит. Бока животного ходили ходуном. Но не это было самым страшным. По единственной оставшейся у нас занавеске сползала струйка темно-красной крови.

— Масик, наверное, перекусил ей вену, — дергалась Ритка, — сейчас эта Флора окочурится у вас под потолком.

Поднялась суматоха. Кеша встал на стул и сообщил:

— Дело плохо, из нее кишки лезут.

— Ой, горе, — запричитала Замощина, — Масик не хотел никого насмерть загрызть!

— Дай, дай, дай погляжу, — суетилась Машка.

— Стойте, — разозлилась я, — звоните Денису.

Но юноши, как назло, не оказалось дома. Я решительно схватила телефон, набрала номер ветеринарной лечебницы на улице Пасынкова и уже собиралась вызывать врача, как Манюня, влезшая-таки на стул, заорала:

— Ну и дурак ты, Кешка! Это не кишки, она котенка рожает.

Трубка чуть не выпала у меня из рук. Нет, только не это.

— Ветлечебница, говорите!

— У нас кошка рожает, что делать?

— Не стоит беспокоиться, — завел приятный

женский голос, — как правило, у этих животных процесс проходит без осложнений.

— Простите, — перебила я тетку, — но нам нужен ветеринар, видите ли, Флора оказалась в очень неудобном месте, она забилась...

— Ничего, ничего, — успокаивала регистраторша, — это в порядке вещей. Кошки лезут под кровати, прячутся в шкафах...

— Наша лежит на карнизе.

Повисло молчание, потом ветеринар переспросила:

— Где, простите?

— Под потолком, на такой штуке по которой ездят кольца с занавесками. Снять ее мы не можем.

— Первый раз подобное слышу!

— Нам от этого не легче, — рассердилась я, — могут ваши сотрудники что-нибудь сделать?

— Попытаемся, — ответила женщина, — только не бесплатно.

— Пишите адрес, да поторопитесь! — устало попросила я.

Надо же, какой тяжелый день выдался, сплошные нервы.

Врач прибыл через сорок минут. Все это время Кеша стоял на стуле, зорко следя, чтобы новорожденный котенок не шлепнулся вниз. Очевидно, сыну было страшно, потому что он без конца тяжело вздыхал, а один раз робко спросил:

— Если родится, мне ЭТО руками брать?

— Ну не ногами же, — заявила Ритуська. — Дурдом, ей-богу.

Тут зазвенел телефон.

— Это мой, — оживился Кеша, — мать, ответь.

Звук явно шел с дивана. Я подошла к нему и решила прогнать с него собаку.

— Ну-ка, Юня, уходи.

Мопсиха спрыгнула на пол и пошла в кресло.

— Дзынь, дзынь, — незамедлительно донеслось оттуда.

Я обомлела. Интересное дело.

— Эй, Юня, подойди ко мне.

Послушная собачка явилась на зов. Телефон перестал звенеть, наверное, нетерпеливый человек на том конце провода, не дождавшись ответа, повесил трубку. Я поглядела на Юню. Нет, такого просто не может быть, мне, должно быть, показалось.

— Дзынь, дзынь.

— Мать, — возмутился Кеша, — сколько можно тебя просить! Ответь же!

Я подняла мопсиху на руки и прижалась ухом к ее животу.

— Дзынь, дзынь, — донеслось оттуда.

— Мать, — начал злиться Аркадий, — стою тут, как идиот, караулю котят, неужели нельзя спросить, кто меня добивается с таким упорством?

— Нет, — ошалело ответила я.

— Почему это, интересно?

— Его Юня проглотила.

— Что? — закричал Кеша.

Но тут в столовую вошли двое мужчин с чем-то похожим на сундучок.

— Добрый вечер, — весело сказал один.

— Что тут? — спросил второй.

— У нас кошка на карнизе рожает! — заорала Маня.

Врачи задрали головы вверх.

— Оригинально, да? Видел когда-нибудь такое, Леня?

— Не-а, — ответил Леня.

— Еще у нас собачка мобильный проглотила, — сообщила я.

— Да ну? Не может быть, — сказал Леня.

Я набрала номер Кеши.

— Дзынь, дзынь, — раздалось из нутра Юни.

— У вас прямо черт-те что, — развел руками Леонид. — Что за аппарат-то?

— «Сони», — вздохнул Кешка, — последняя модификация, с тетрисом и выходом в Интернет.

— Вот, Павлуха, — резюмировал Леня, — видишь, что умные люди покупают! Даже в собачьем желудке бесперебойно работает. А твоя «Нокия» — просто ерунда.

— Я его подержанным покупал.

— Вот говно и получил.

— Вы пришли спорить о телефонах? — ехидно поинтересовалась Замощина.

— С кого начинать? — вздохнул Леня.

— С кошки, — сказал Кеша.

Удивительное дело, но шипевшая на нас Флора спокойно пошла в руки к Павлу. Родильницу устроили на диване и занялись Юней. С ней ветеринары поступили просто. Узнав, что мобильный совсем крохотный, они велели принести таз и промыли мопсихе желудок. Несчастная Юня, совершенно не понимающая, отчего гадкие люди льют в нее воду, отбивалась, кашляла, чихала, и, о радость, на дне таза оказался многострадальный «Сони».

— Каюк аппарату, — подвел итог Леня.

— Вместе с тетрисом и выходом в Интернет, — довольно злорадно заметил Павел, — мой «Нокия» хоть и простой как валенок, зато его схарчить невозможно.

Тут, словно опровергая его слова, из таза донеслось:

— Дзынь, дзынь.

— Мать, — велел Аркадий, — ответь.

— Но это твой телефон!

— Он грязный.

— Тогда пусть звонит.

— Вот качество, — восторгался Леня, — работает!

— Мне надо знать, кто это, — настаивал сын. — Мать, бери аппарат.

Отчего-то все самые неаппетитные обязанности достаются именно мне. Но делать нечего. Двумя пальцами я вытащила телефончик, обтерла его салфеткой и откинула крышечку.

— Да.

— Это кто? — раздался возмущенный голосок Зайки. — С какой стати у вас телефон моего мужа?

— Ты меня не узнала, Заюшка?

— Где Аркадий? — злилась Ольга. — И вообще, зачем ему мобильный? Звоню, звоню, и все без толку!

— У нас тут такое!

— Что же? Пожар? Наводнение...

— Ну, ты не поверишь!

— Выкладывай!

— Сначала кошка начала рожать на карнизе, а потом Юня проглотила Кешкин мобильный. Мы слышали, как ты звонила, но ответить не могли, потому что трубка была у мопсихи в желудке.

— Все ясно, — резюмировала Зайка, — опять по-дурацки веселишься. Ей-богу противно. Пора уже и серьезней стать. Ну погоди, сейчас приеду и побеседую с тобой.

Я тяжело вздохнула. Вот, пожалуйста, опять оказалась первой в очереди за оплеухами.

Понимаю, что в это трудно поверить, но Флора отказалась от котят. Не успел из нее выползти третий и последний комочек, как противная кошка мигом взлетела по занавеске на карниз. Я с тоской оглядела столовую. Вторую драпировку можно выбрасывать: нежно-бежевый шелк весь в жутких кровавых пятнах.

Кеша, Маня, Александр Михайлович и Ритуська с Масиком расползлись по своим комнатам. Котят следовало покормить. Недолго думая, я взяла одного и сунула в ящик к Черри. Пуделиха мигом принялась облизывать приемыша. Я обрадовалась и запихала в короб остальных. Очевидно, бедняга Черри решила, что такова участь всех собак, производящих потомство. Рожаешь несколько штук, а потом невесть откуда сыплются все новые и новые, причем такие разные. Хорошо, что Черри чадолюбива. Вон котятки уже вовсю сосут собачку.

— Любуешься? — грозно спросила Ритка, входя в столовую. — Ну-ну, а что с моим «Бурмилем»? Никто за язык тебя не тянул, сама пообещала!

Выпалив последнюю фразу, Замощина ушла. Я плюхнулась в кресло и, забыв о том, что мне строго-настрого запрещено курить в доме, задымила сигаретой. Господи, ну и ситуация! Куча щенков, малая толика котят, Юня, Флора, к тому же еще Ритка с Масиком. Машина Замощиной стоит неисправная. Подруга теперь с меня не слезет из-за этого «Бурмиля». К тому же большая часть знакомых считает меня наглой воровкой, а я не продвинулась в своих расследованиях ни на шаг.

— Отчего у нас так дымом пахнет? — долетел до меня из холла звонкий голосок Ольги.

Я мигом выбросила в форточку окурок и приняла самый невинный вид.

— Ты курила, — гневно заявила Зайка, всовывая в комнату безукоризненно причесанную голову.

Ее лицо было слишком ярко накрашено. Очевидно, невестка поленилась разгримироваться после эфира. Я сделала мину идиотки.

— Кто? Кто курил?

— Ты.

— Никогда! Такое невозможно.

— Отчего же так сильно сигаретами пахнет?

— Это Кеша.

— Кто? — подпрыгнула Ольга. — Аркадий закурил?

— Сама удивилась, — кривлялась я. — Пришел, вынул пачку «Голуаз» и давай смолить.

— Какое безобразие, — заорала Зайка, — совсем с ума сошел! С его аллергией на пыльцу брать в рот курево! Да он клялся, что никогда...

Голова исчезла, послышался бодрый цокот каблучков. Я подождала пару секунд и, опасливо озираясь, забилась в свою комнату. В нашем большом двухэтажном доме совершенно негде спрятаться. Сейчас Зайка выяснит, что я над ней пошутила, и явится убивать несчастную Дашутку.

ГЛАВА 14

Утро я начала с того, что набрала телефон неведомой Жанны, которой Анна Константиновна изливала душу. Но трубку никто не брал. Впрочем, часы показывали восемь, а большинство людей к этому часу уже спешат на службу. Следовало поторопиться и мне, в лаборатории нужно быть в десять.

Оставив для конспирации «Пежо» на площадке у роддома, я быстрым шагом пересекла двор, вошла в здание и налетела на Анну Константиновну.

— Зайдите ко мне в кабинет, — велела она мне весьма сурово.

Я перепугалась. Неужели тетка каким-то непостижимым образом догадалась, что вчера чужие глаза изучали ее телефон. Еле сдерживая сердце-

биение, я вошла в знакомую комнату. Неожиданно
кадровичка улыбнулась:

— Хочешь кофе?

Сказать, что я онемела, значит, не сказать ничего.

— Ну, в общем, да, только опоздаю на работу,
Орест Львович рассердится.

— Ничего, — продолжала лучиться Анна Константиновна.

Потом она сняла трубку и рявкнула:

— Орест? Круглова беспокоит. Я тут твою лаборантку задержу на полчасика, анкету она вчера неправильно заполнила.

Я напряглась:

— А что не так?

— Да не волнуйся, — отмахнулась Анна Константиновна, — все в полном порядке. Это я придумала, чтобы повод найти. Пей спокойно, кофе вкусный. Сливочек желаешь? Бери кексик.

Совершенно растерявшись, я глотнула отвратительный растворимый напиток и откусила кусочек
от похожего по вкусу на вату польского кекса. Что
случилось со строгой, почти неприступной Анной
Константиновной?

— Дети у тебя есть?

— Двое — мальчик и девочка.

— А мужа, значит, нет...

Я покачала головой.

— Трудно тебе приходится, — с неподдельной
заботой в голосе заявила тетка, — что ж на такую
малооплачиваемую работу пошла? Ребят-то одеть
надо, накормить, выучить...

— Образования нет, а торговать боюсь, еще случится что-нибудь, потом не расплачусь.

— Это ты верно рассудила, — одобрила Анна
Константиновна.

Окинув взглядом мое жуткое бордовое платье и разбитые туфли, в которых наша Ирка ходит полоть единственную грядку с укропом, она добавила:

— Наверное, нуждаешься?

Я кивнула:

— Каждую копейку считаю.

— Заработать хочешь?

— Еще бы!

Анна Константиновна спокойно вынула из сумочки элегантный кожаный кошелек весьма необычного цвета — морской волны, достала оттуда две купюры и протянула мне.

— Бери, здесь тысяча рублей.

— За что?!

— Не стесняйся, — ободрила кадровичка, — мы хорошим людям всегда приплачиваем, а тебя мне жаль. Сама когда-то в одиночку ребенка поднимала, понимаю, каково матери-одиночке приходится.

— Но ведь не просто так вы мне такие деньжищи отваливаете, — изобразила я испуг.

— Абсолютно без всякого повода, — сообщила кадровичка, — из чистого сострадания. Если будешь хорошо работать, каждый месяц будешь столько дополнительно получать.

— Вот счастье-то! — воскликнула я, не понимая, куда она гнет.

— Конечно, счастье, — подтвердила Анна Константиновна, — кругом безработица, НИИ словно мух прихлопывают. Денег нет, вот и гробят науку. Знаешь, сколько народа на улицу выкинули? И каких специалистов: докторов наук, профессуру! А ты устроилась в такое замечательное место, да еще с постоянным окладом. Разве не удача?

— Просто необыкновенная! — с жаром воскликнула я.

— Вот и молодец, что понимаешь это, — вздохнула Анна Константиновна. — Между прочим, принимала тебя на работу я, могу и уволить, коли лениться начнешь.

— Никогда в жизни!

— Да уж, — побарабанила пальцами Анна Константиновна по какой-то папке с бумагами, — вижу, ты человек положительный, но не все у нас так рассуждают. Например, начальник твой, Орест Львович. Обязанностями своими пренебрегает, когда хочет, с работы уходит, да еще лабораторный материал губит. Вечно у него все гниет и пропадает. А поймать его не могу! Знаю ведь, что лентяй. Скажи, он вчера уходил?

— Ага, — с видом кретинки кивнула я.

— Когда?

— Ну, не помню точно, где-то в районе пяти.

— Вернулся во сколько?

— Перед самым концом рабочего дня.

— Контейнеры в лабораторию приносили?

— Да.

— С чем?

— Анализы какие-то, пробирки.

— Все!

— Не-а.

— А что еще? Вспоминай, голубушка!

— Зародыш собаки был, в банке.

Анна Константиновна уставилась в окно, видно было, что она пытается справиться с волнением. Наконец ей это удалось.

— Вот что, Дашенька, — сладко улыбнулась она, — ты мне помоги, а уж я в долгу не останусь.

— Ради вас на все готова, — с жаром воскликнула я, — вы мне такие громадные деньги заплатили! По снегу босая побегу!

Лицо кадровички расслабилось, из него ушли последние остатки настороженности.

— Значит, так, — принялась она разъяснять мою задачу, — следи в оба за Орестом Львовичем. Записывай, куда пошел, во сколько удалился, когда вернулся. Кто входил в лабораторию, кому он звонил. И еще: будут вносить контейнеры, обязательно полюбопытствуй, что в них.

— Мне запретили открывать те, которые с синей крышкой.

— Слушайся только меня, отвори да загляни.

— Ага, там ядовитое вещество...

— Нет, душенька, не бойся. Коли выполнять хорошо будешь, еще деньжат прибавлю. А теперь ступай, заболтались мы.

Я послушно потрусила к двери.

— Да, вот еще, — притормозила меня Анна Константиновна, — во время рабочего дня ко мне не бегай. У нас в коридорах людей, как правило, нет, все по своим комнатам сидят, но отчего-то мигом становится известно, кто к кому и зачем ходил.

— Как же тогда?

— Я тут почти всегда позже всех засиживаюсь. Народ в семь часов толпой убежит, а ты в начале восьмого беги ко мне с отчетом, — велела кадровичка.

Я поднялась в лабораторию, получила очередную порцию каких-то эмалированных лотков, стеклянных штучек и стаканчиков, натянула принесенные из дома резиновые перчатки да принялась за работу.

Дело плохо. Анна Константиновна решила собрать компромат на Ореста Львовича. Отказаться от роли стукачки не представлялось возможным. Кадровичка мигом уволит меня и возьмет на это место другую, более понятливую и сговорчивую. Я же хотела попроситься на работу в другую лабораторию, но теперь сделать это невозможно. Анна Константиновна ждет, что лаборантка в благодарность за полученные деньги начнет самозабвенно стучать. Но я-то устраивалась сюда в надежде узнать побольше о руководстве института и неком Якове, а получается, что стою почти в одиночестве у мойки. Ну нельзя же считать удачей присутствие Ореста Львовича. За два часа мужик не сказал мне ни слова, кроме коротких приказов, типа:

— Вымой это!

Окончательно приуныв, я случайно разбила пробирку.

— Эй, поосторожней, — обозлился Орест, — у нас итак проблема с инвентарем.

— Извините, — пробормотала я и стала собирать осколки.

Может, переколотить тут все то, что сделано из стекла? Начальству надоест косорукая сотрудница, и оно постарается перевести меня в другое место.

— Дарья, поди сюда, — неожиданно велел Орест.

Я кинулась на зов.

— Ступай в роддом, — приказал начальник, — да по улице не бегай, тут проход есть, через первый этаж. Найдешь двенадцатый кабинет, в нем Олег Игоревич работает. Он тебе кое-что передаст. Принесешь сюда, ясно?

Я кивнула и пошла к двери.

— Эй, постой!

Я покорно притормозила.

— На, держи.

Старательно изображая улыбку, заведующий протягивал мне пятьсот рублей.

— Мне? За что?

Орест Львович начал кашлять, потом достал носовой платок, шумно высморкался и заявил:

— Даже не представляешь, как тебе повезло. Попала в самую лучшую лабораторию. У нас тут все ваньку валяют, получают гроши, а мы с Региной одновременно с научными исследованиями ведем и практические. Ты станешь нам помогать и за это будешь получать дополнительно пятьсот рублей.

— В месяц? — глупо улыбаясь, спросила я.

Орест окинул взглядом мой жуткий бордовый прикид, добытый в секонд-хенде, чересчур ярко накрашенное лицо и волосы, из которых я утром, сидя у роддома в «Пежо», при помощи геля старательно сделала сальные пряди.

— Дурочка, в неделю.

— Не может быть, — охнула я, хватая бумажку, — за что же такие деньжищи?

— Ерунда, — махнул рукой Орест, — справишься. Тут до тебя одна работала, так без проблем у нее все получалось. Жаль бабу — спилась. Деньги, они, знаешь ли, портят человека. Но ты не похожа на алкоголичку. Или ошибаюсь?

— Как можно, — испуганно замахала я руками, — мне дитёв на ноги ставить, мальчика и девочку, а мужик помер. Каждую копеечку считаю. Да я вам за доброту всю комнату языком вымою.

— Это слишком, — усмехнулся Орест, — достаточно тряпки. А язык ты, милочка, лучше держи за зубами. Никому о том, что у нас происходит, не рассказывай.

— Тут дело такое, деликатное, — замялась я, — прямо не знаю, с чего начать.

— Говори.

— Мне утром Анна Константиновна велела за вами следить и ей докладывать обо всем. А главное, заглядывать во все контейнеры, которые сюда приносят.

— Так, — протянул Орест, — ясненько. Она меня отсюда выпереть хочет, к трудовой дисциплине придраться желает. Соберет компромат и доложит начальству.

— Она мне денег дала, целых тысячу рублей, сказала, что каждый месяц платить станет. Может, мне их вернуть, — прикинулась я окончательной кретинкой, — честно говоря, ябедничать-то неохота, лучше уж у вас подзаработаю.

— Ни в коем случае, — подскочил Орест, — даже и не заикайся ей о том, что мне рассказала. Сделаем так: ты каждый вечер станешь к ней ходить, а говорить будешь то, что я велю, лады?

— Хорошо, — прогундосила я.

— Ай умница, — обрадовался Орест и вытащил еще пятьсот рублей, — на, держи.

— Это чего? Вы мне уже дали, — идиотничала я изо всех сил.

— Очень уж ты хороший работник, — сообщил начальник, — вот я и решил увеличить твой оклад. Станешь получать тысячу в неделю за честность.

Я принялась кланяться и благодарить.

— Ладно, ладно, — усмехнулся Орест, выпихивая придурковатую лаборантку за дверь. — Ступай живо в двенадцатый кабинет к Олегу Игоревичу.

Оказавшись около нужной двери, я постучала, но ответа не последовало. Сидевшая возле входа тетка с нездоровым, каким-то отечно-синим лицом буркнула:

— Тут, между прочим, очередь.

— Мне на секундочку.

— Мне тоже, — не сдавала позиций бабища.

— Но я являюсь сотрудницей, прислали из лаборатории за анализами.

— Плевать мне, кем ты являешься, — неожиданно вызверилась тетка, — торчу тут черт знает сколько времени! Подождешь, не английская королева.

— Ладно, ладно, — забубнила я, — успокойтесь, пропущу вас вперед.

— Ах ты сучара! — неожиданно завопила бабища. — Она меня пропустит! Видали фрю?!

Я вздохнула, но промолчала. А моя собеседница уже вошла в раж и не могла остановиться.

— Ишь ты, жопа рогатая! — продолжала она извергать оскорбления.

Я постаралась вжаться в стул. У меня слишком богатое воображение, поэтому мигом представила себе филейную часть с рогами. К горлу начал подбираться смех. Очевидно, сидеть с таким сооружением неудобно, правда, во всем плохом есть и кое-что хорошее. На рога можно вешать сумку, еще удобно предложить зацепиться за них детям. В свое время, несясь домой с работы с набитыми кошелками, я мечтала о хвосте. Просто замечательно иметь придаток, каким обладают многие животные. Им было бы можно держаться в транспорте за поручни...

— Она еще смеется, западловка, — вошла в штопор бабища.

Дверь соседнего с двенадцатым кабинетом распахнулась, вышла молоденькая медсестра, пухленькая, розовощекая и страшно серьезная.

— Ракитина, — строго произнесла она, — чего вы опять хулиганите, а?

— Вот она без очереди прет, — сбавила тон грубиянка.

Медсестра взглянула на меня.

— Разрешите представиться, — быстро сказала я и встала, — Даша, новая лаборантка Ореста Львовича из НИИ тонких исследований. Меня начальство к Олегу Игоревичу за материалами послало.

Девчонка расплылась в улыбке.

— Анюта, очень приятно.

Мы не успели продолжить разговор, потому что

из двенадцатого кабинета выскользнула заплаканная женщина. Грубиянка метнулась вперед и, толкнув меня плечом, вскочила в комнату. Я покачнулась и чуть не упала.

— Вот безобразница, — с чувством произнесла Анюта, — откровенно противная бабища. Представляешь, она сюда как на работу является.

— Больная женщина, — пожала я плечами, — неполадки по дамской части сильно влияют на характер.

— Ха, — фыркнула Анюта, — кабы недужная какая, еще можно понять! Эта же здоровенная, словно конь. Чтоб у тебя такие неполадки были, как у нее. Поверь мне, у этой стервы внутренности из железа.

— Чего же по врачам таскается? — удивилась я.

Анюта поджала хорошенькие пухлые губки.

— Аборты делает! Я тут уже два года работаю — сразу после училища пришла, — так эта Люба Ракитина бесперебойно ходит. Я один раз ее спросила: «Чего же ты не предохраняешься?» Люба немедленно ответила: «А зачем? Беременность омолаживает».

— По-моему, она сумасшедшая, — вздохнула я.

— Похоже на то, — согласилась Анюта, — опять за направлением на чистку явилась, дрянь. Другие вон лежат, мучаются, чтобы хоть одного сохранить, а эта плодющая как крольчиха.

Тут дверь распахнулась, вышла Люба с бумажкой в руке. Я втиснулась в кабинет, получила из рук врача небольшой переносной холодильничек и пошла назад.

— Осторожно, пожалуйста, — напутствовал меня приветливо улыбающийся доктор, — не уроните.

В переходе между роддомом и НИИ я попыталась откинуть крышку рефрижератора, но потерпела неудачу: он был заперт на крохотный ярко-желтый замочек.

Орест Львович сдержанно похвалил меня за ловкое выполнение задания и распорядился:

— Так, теперь поработаешь на раскладке.

— Где? — не поняла я.

Орест Львович улыбнулся, достал из холодильника довольно большую стеклянную банку с притертой пробкой и велел:

— Бери шпатель.

— Что?

— Ты же раньше в лаборатории вроде трудилась, — посуровел Орест.

— Не в медицинской, — быстро нашлась я, — в механической, при институте автомобильной промышленности, там станки всяческие стояли.

Лицо Туманова разгладилось.

— А, понятно. Шпатель — это такая лопаточка. Будешь зачерпывать ею крем и раскладывать вот в эти баночки.

Не успела я задать вопрос, как Орест распахнул шкафчик и вынул несколько пластмассовых «бочоночков». На каждом была наклеена этикетка: «Маркус. Ночной питательный крем с липосомами».

— Ой, — невольно вырвалось у меня.

— Что теперь? — удивился начальник.

— Нет, просто у меня дома такой же, у метро покупаю, дорогой очень, целых восемьдесят рублей. Значит, это вы его делаете?

Орест Львович вздохнул. Глупость новой лаборантки явно стала его раздражать.

— Посуди сама, — резко сказал он, — разве мы с Региной способны сделать тонну крема? Если он, как ты утверждаешь, продается у метро, значит, дело поставлено на промышленную основу.

— Но вот баночки... Написано же — «Маркус».

— Даша, — со вздохом пустился в объяснение Орест, — сама знаешь, какие копейки сейчас платят людям науки, вот и выживаем, как можем. В лаборатории Нелли Артюхиной приспособились изготовлять краску для волос, Андрей Шерстнев с коллегами какие-то штуки для врачей мастерят. Точно не знаю, что именно. А мы с Региной крем варим. Естественно, никто этого нам не разрешал, но и не запрещал. Наш директор, царство ему небесное, умный человек был и понимал, что жить-то людям надо. Как на оклад в тысячу триста кормить семью, а? Между прочим, я — доктор наук, ясно? Бери шпатель и начинай. А банки эти Регина приносит, у нее муж на косметической фабрике работает, вот она для нас упаковку там и берет. Имей в виду, крем наш очень дорогой, но всем не подходит, только определенным людям. Даже не думай украсть хоть малую толику. Он не для обычного пользования.

— А для чего?

— Лечебный, продаем косметологам. Действуй, да соскреби со стен банки все, усекла?

Я старательно принялась раскладывать беложелтую, пахнущую лекарством массу по баночкам. Кое-что прояснилось. Орест Львович делает крем, значит, жена Рыкова Сабина покупает его тут. Интересно, так ли он хорош, как говорят?

Улучив момент, когда начальство на секунду отлучилось, я быстро намазала шею. Маслянистая субстанция мигом впиталась в кожу, и через пару минут я почувствовала легкое жжение и пощипывание. Надеюсь, что не получу аллергической реакции.

Без десяти семь Орест велел мне:

— Отнесешь мой портфель в машину и ступай к Анне Константиновне.

— Говорить-то чего? — поинтересовалась я, сгибаясь под тяжестью кейса.

Чего он туда натолкал? Совершенно неподъемный баул.

— Скажешь, Орест Львович сидел весь день над пробирками, — усмехнулся Туманов, — контейнер приносили два раза. Чего там, ты не поняла. Какие-то колбочки, пробирочки... В общем, ничего особенного. Стой, вот моя машина.

Он щелкнул брелком сигнализации. Вызывающе роскошный серебристый «глазастый» «Мерседес» коротко гуднул и мигнул фарами. Орест Львович запихал пакеты, которые нес сам, в багажник, сунул портфель на заднее сиденье и резко стартовал. Я поглядела ему вслед, вспоминая недавно оброненную начальником фразу: «Трудно на тысячу триста рублей кормить семью».

Ох, похоже, что милейший Орест Львович лукавит. Судя по автомобилю, он тратит тысячу триста на бензин, причем в неделю. Жена и детки Туманова, должно быть, успешно побираются у метро.

ГЛАВА 15

Кое-как, нога за ногу, я побрела назад в институт. День прошел абсолютно бездарно. Ничего не узнала. Нет, все-таки получила информацию, причем крайне разностороннюю. Значит, так! Анна Константиновна за что-то настолько ненавидит Ореста Львовича, что готова приплачивать из своего кармана лаборантке, чтобы получать компромат на мужика. Орест Львович, в свою очередь, терпеть не может кадровичку и хочет подложить ей свинью. Еще Анна Константиновна радовалась до неприли-

чия, узнав о смерти директора. Впрочем, это я выяснила еще вчера. Сегодня-то что еще узнала?

Я со вздохом вошла в холл. Орест Львович варит в рабочее время крем и торгует им. Это все. Нет,
еще стало известно, что некая баба, Люба Ракитина, без конца делает аборты. Пожалуй, это самое
удивительное. Вот уж не предполагала, что бывают
такие особы. Неужели ей не жаль себя? Ну и что?
Каким образом все это приближает к разгадке пропажи яйца? Абсолютно зря потраченный день! Внезапно мной овладела мрачная решимость. Нет, так
просто не сдамся. Сейчас зайду к Анне Константиновне и расскажу ей про крем. Представляю, как
обрадуется тетка. Я же воспользуюсь ее хорошим
настроением и узнаю, кто такой Яков и где он тут
служит, еще расспрошу про Владимира Сергеевича,
которого она, судя по всему, тоже терпеть не могла.
А вечером дозвонюсь до этой Жанны.

Полная планов, я поскреблась в дверь. Нет ответа. Пришлось без разрешения заглянуть внутрь.
Кабинет был пуст. Неужели ушла? Вот странно: часы показывают десять минут восьмого, кадровичка
должна быть здесь. Нет, она явно на работе, потому
что рядом с перекидным календарем лежит мобильный телефон и стоит добротная, хотя и устаревшей
модели, кожаная сумка. Я перевела глаза вниз и
увидела... лакированный ботиночек, торчавший из-
за боковой стенки стола. Сердце нехорошо сжалось.
Чувствуя легкое головокружение, я обошла стол и
увидела Анну Константиновну. Женщина лежала
скрючившись, она напоминала увиденный мною
вчера эмбрион собаки, только во много раз крупнее
и одетый. Один рукав блузки был высоко закатан,
рядом валялся резиновый жгут и шприц, похоже,
пустой.

Боясь упасть в обморок, я уставилась на стол.

Около телефона лежал листок желтоватой бумаги с отпечатанным на нем машинописным текстом:

«Уважаемый Леонид Георгиевич! Понимаю всю неправильность моего поступка, но после смерти Ирочки мне было очень тяжело, а после кончины брата жизнь и вовсе потеряла всякий смысл. Извините, что решилась на подобный шаг в стенах института. Положите меня в могилу к брату. В моей смерти прошу никого не винить». Внизу виднелась факсимильная подпись: Анна Круглова. Я выглянула из кабинета, убедилась, что в коридоре никого нет, и порысила к «Пежо». Там вытащила из «бардачка» телефон, набрала номер и, услыхав тихое «слушаю», грозно спросила:

— Жанна?

— Да, кто это?

— Частный детектив Дарья Васильева.

— Кто? — переспросила женщина.

В ее голосе слышалось неподдельное изумление.

— Вы знакомы с Анной Константиновной Кругловой?

— Конечно. Это моя родственница.

— Скажите, она была левша?

— Нет, — ответила Жанна.

Потом до нее дошла вся моя фраза.

— Что случилось? — занервничала женщина. — Почему говорите об Анечке в прошедшем времени.

— Давайте ваш адрес, приеду и все объясню.

Выезжая на проспект, я ощутила, как в голове медленно начинает ворочаться боль. Все понятно. Я не обедала, не полдничала, даже чайку не выпила, я вообще ничего не ела с восьми утра, и давление у меня упало, наверное, до нуля. Нужно бы зарулить в какую-нибудь харчевню и перехватить хотя бы салатик, но, к сожалению, времени нет. Мне надо успеть переговорить с Жанной. Где-то минут через десять-пятнадцать по НИИ пойдет уборщица и обнаружит труп убитой кадровички.

Да, да, я не оговорилась, именно убитой. И никакие предсмертные письма не убедят меня в том, что Анна Константиновна совершила самоубийство. Отчего я пришла к такому выводу? Да очень просто. У трупа был закатан правый рукав. Смертельную инъекцию Анна Константиновна сделала себе левой рукой. Что было бы вполне естественно для левши. А так...

Жанна оказалась полненькой брюнеточкой лет сорока.

— Это вы мне только что звонили? — нервно спросила она, открывая дверь.

Я кивнула.

— Скажите, что с Аней, умоляю, — нервно попросила Жанна, — почему ее телефоны не отвечают, ни личный мобильный, ни рабочий... Звоню, звоню...

Я молча вылезла из ботиночек. Боже, как хорошо, что переоделась в «Пежо» в привычные джинсы и свитер. Отвратительный бордовый наряд надоел до зубовного скрежета.

— Почему вы молчите, — возмущалась Жанна, — и что в конце концов происходит?

— Мы будем разговаривать в прихожей? — вздохнула я, оттягивая момент, когда придется сказать ей о смерти Кругловой.

— Нет, конечно, проходите в кухню. Говорите, — вновь попросила Жанна, усадив меня на полукруглый диванчик.

— Вы сказали, что Анна Константиновна ваша родственница?

— Да, и еще она моя лучшая подруга, — сообщила Жанна. — Ближе Ани у меня никого нет. Кто вы? Больше не отвечу ни на один ваш вопрос, пока не узнаю, в чем дело.

— Хорошо, — кивнула я и начала самозабвенно врать.

Работаю в детективном агентстве. Мне поручили вести дело о пропаже яйца работы Фаберже. Вещицу украли во время шумного застолья. Следы привели в НИИ тонких технологий, в частности, к Анне Константиновне Кругловой.

— Вы с ума сошли, — подскочила на стуле Жанна, — Анечка честнейший — слышите? — честнейший человек. Ей и в голову не придет не то что взять, даже посмотреть на чужое.

— Вы не дали мне договорить. Подозрения пали на ныне покойного директора института Владимира Сергеевича. Вчера я стала случайной свидетельницей вашего разговора с Кругловой. Вы звонили ей на мобильный. Скажите, отчего Анна Константиновна так радовалась его смерти и отчего называла его вором. Он что, был нечист на руку?

Жанна молчала, лицо ее казалось спокойным, только на шее быстро-быстро билась нежно-голубая вена.

— Вы его знали? — настаивала я.

Жанна упорно не разжимала рта. Я уже собиралась начать намекать на некое нехорошее событие, произошедшее с Анной Константиновной, как раздался резкий, какой-то требовательный звонок телефона. Жанна не пошевелилась.

— Снимите трубку, — посоветовала я.

Хозяйка вздохнула, словно вынырнула из глубины океана, и протянула руку к аппарату.

— Слушаю, — сказала она ровным, спокойным голосом. — Добрый день, Леня. Да, да, да... НЕТ!!!

Крик вырвался из ее горла так резко и с такой неистовой силой, что я перепугалась. Лоб Жанны стал пунцовым, потом красная волна омыла щеки, подбородок и шею. Женщина отпустила трубку, та закачалась на витом проводе.

— Вы знали, — прошептала Жанна, — вы знали, поэтому и говорили об Анечке в прошедшем времени.

— У вас есть валокордин? — быстро спросила я.

Хозяйка уронила голову на стол.

— Жанна, — тихо позвала я, — вам плохо? Может, врача вызвать?

— Нет, — глухим голосом ответила Жанна, — чем он мне поможет? Господи, Анечка. Леня сказал, что она покончила с собой, ввела в вену сильнодействующее сердечное лекарство. НЕТ!!! Неправда!!! Ее убили!

— Там на столе лежала предсмертная записка, — тихо сказала я, — адресованная Леониду Георгиевичу.

— Ты прочла? — прошептала Жанна, поднимая голову.

— Да.

— Можешь пересказать?

Я напряглась.

— Сейчас попробую, постараюсь. Значит, так. Уважаемый Леонид Георгиевич...

Жанна жадно ловила мои слова. Когда я дошла до фразы «положите меня в могилу к брату», хозяйка подскочила.

— НЕТ!!!

— Но именно так было написано в записке: «Положите меня в могилу к брату», — ответила я.

— Этого не может быть. Теперь абсолютно уверена, что письмо писала не Анечка. Она никогда не попросила бы похоронить ее вместе с Владимиром. Никогда!!!

— Почему? — удивилась было я.

Но Жанна неожиданно схватила меня за плечо:

— Послушай, ты детектив, да?

— Да, — осторожно ответила я и добавила: — Частный. Не состою на работе в милиции.

— Это хорошо, — лихорадочно забормотала Жанна, — отлично просто. Значит, работаешь за деньги? Да? Ну отвечай же?

От ее апатии и растерянности не осталось и следа. Карие глаза стали совсем черными и лихорадочно блестели, лицо и шея горели. Похоже, у Жанны поднялась температура.

Я кивнула.

— Да, естественно, беру за свои услуги плату и ничего дурного в этом не вижу. Сейчас все пытаются заработать, чтобы выжить.

— Хорошо, хорошо, — закивала Жанна. — Нанимаю тебя расследовать убийство Анечки. Деньги сейчас платить? Сколько? Не сомневайся, у меня хватит, в крайнем случае машину продам. Приступай, не медля! Знаю, знаю, кто ее убил. Не своими руками, конечно. Доказать только не смогу. Но это уже твоя забота будет!

— Послушай, — осторожно сказала я, — честно говоря, я мало что понимаю в этом деле. Меня привели в институт совсем другие дела. Про Анну Константиновну мне ничего не известно. Кто такая Ирочка? Что с ней случилось? Почему Круглова ненавидела директора института? И вообще, отчего ты решила, что ее убили? Кто тебе сейчас звонил с известием о смерти Кругловой?

— Леня, — ответила Жанна, — Леонид Георгиевич Рамин, замдиректора НИИ тонких технологий.

— Он сказал, что Анну Константиновну убили?

— Нет, сообщил, что Анечка якобы решила покончить с собой и сделала себе внутривенную инъекцию.

— Вот видишь, при чем тут убийство!

— Они хотят, чтобы кончина Ани не вызвала ни у кого подозрений, — неожиданно спокойно пояснила Жанна. — У них все куплены: сотрудники, милиция, прокуратура. Дождались удобного момента и убрали Анну. Знаю, давно хотели от нее избавиться...

— По-моему, ты слишком подозрительна!

— Аня никогда бы не стала писать предсмертного письма Лене, — медленно протянула Жанна, — никогда. Она его ненавидела. Нет, внешне, для посторонних, все выглядело очень пристойно. Аня умела держать себя в руках, но я знала правду! Только я! И уж ей никогда бы не пришло в голову просить захоронить ее вместе с Владимиром.

— Почему? — вполне искренне удивилась я. — Вполне естественное желание. Многие люди предпочитают и после кончины быть вместе.

— Но не Аня, — отрезала Жанна.

— Знаешь что, — почти рассердилась я, — нанимаешь меня детективом, хочешь, чтобы нашла убийцу, и разговариваешь загадками.

Жанна повертела в руках невесть откуда взявшуюся на кухонном столе расческу, помолчала немного, потом пробормотала:

— Анечка старательно охраняла свои тайны, боялась позора. Бесполезно было ее убеждать в том, что никто не станет ее осуждать. Нет! Комплексовала ужасно. Правду знали только мать Анечки и я. Но теперь, после ее смерти, необходимость таиться отпала. Наверное, следует все тебе рассказать... Но только скажи, ты, то есть вы...

— Мы уже вроде давно отбросили церемонии, — улыбнулась я, — перешли на «ты».

— Хорошо, — кивнула Жанна, — ответь определенно. Ты берешься за дело?

Я помолчала и ответила:

— Извини, нет. Мне, безусловно, небезразлично, кто убил Анну Константиновну. Кстати, я тоже считаю, что ее уход из жизни не был добровольным. Но обязана закончить другое дело. Может, потом, когда узнаю, кто украл яйцо Фаберже.

— Заплачу сполна, — тихо сообщила Жанна, — не сомневайся, деньги есть.

— Тебе может показаться странным, но радужные бумажки тут не играют решающей роли. Речь идет о восстановлении чести и достоинства. Почему бы тебе не обратиться в милицию?

— Там не помогут, взяточники все! Если уж на то пошло, знаю, кому была выгодна ее смерть. Только эти люди от органов откупятся!

Внезапно мне стало нехорошо. Сильно закружилась голова, и неожиданно часто заколотилось сердце. Пару раз глубоко вздохнув, я ответила:

— Можно обратиться в частные агентства.

— Вот тебе и предлагаю.

— Но я работаю в одиночку, с двумя делами мне не справиться. Найми кого-нибудь другого.

— Никому не верю! — воскликнула Жанна. — А ты не похожа на подлого человека: глаза у тебя хорошие, берись, не прогадаешь. Заплачу любую сумму.

— Нет, прости, связана другими обязательствами.

— Для тебя так важно отыскать это яйцо?

— Да, чрезвычайно!

— И как, получается?

— Честно говоря, не очень, — призналась я, — хотя стараюсь изо всех сил!

— Тогда предлагаю сделку, — резко сказала Жанна, — выгодную для нас обеих. Ты сейчас бросаешь все и занимаешься поиском убийцы Анечки.

— В чем же тут выгода для меня? — удивилась я.

— Как только назовешь мне его имя, — размеренно протянула Жанна, — лишь только получу доказательства, неопровержимые! Лишь только станет ясно, что я не ошиблась в своих подозрениях...

— Вдруг не он? — перебила я.

— Хорошо, пусть другой, — не дрогнула Жанна, — но лишь только узнаю, кто и...

— Что — и?

— Сразу скажу, у кого находится яйцо.

Я чуть не упала со стула.

— Ты знаешь?

Жанна кивнула.

— А не врешь?

Женщина покачала головой и сказала:

— Знаю все: кто взял, где и почему. Ну так как, идет? Кстати, самой тебе без моей помощи ни за что не разобраться в этом хитром деле. Ты кого-нибудь подозреваешь?

— Гостей, которые сидели тогда за столом. Кое-кто уже вне подозрений. Некий Жора Колесов, пришедшая с ним дама и Роза Шилова, косметолог. Остались директор НИИ тонких технологий Владимир Сергеевич Плешков, его заместитель Леонид Георгиевич Рамин и некий Яков, о котором мне пока вообще ничего не известно. Даже отчества и фамилии не знаю, а только то, что он тоже работает в этом НИИ. Кстати, не его ли ты подозреваешь в убийстве?

Жанна спокойно ответила:

— Яков Федорович Селиверстов. Он в НИИ является кем-то вроде торгового агента. Там все в лабораториях ударились в бизнес, про науку давно забыли. А Яков их «изобретениями» торгует. Просто позор: доктора наук мыло варят. У Яшки в руках все рычаги, он денежными каналами владеет. Захочет, откроет шлюз, а обозлится на кого-нибудь —

перекроет поток. С ним все носятся как с писаной торбой. Одна Аня его в лицо вором называла, он ее до белых глаз ненавидел, но потребовать, чтобы директор ее уволил, не мог.

— Почему?

— Сначала ответь, согласна ли ты на мои условия?

— Да.

— Тогда слушай, — оживилась Жанна. — Надеюсь, тебя не следует предупреждать, что не стоит никому рассказывать о том, что ты сейчас услышишь. Анечке не понравилось бы, если бы ее тайну стали обшептывать в коридорах любопытные.

— Можешь не волноваться, умение держать язык за зубами — это одно из моих профессиональных качеств.

— Хорошо, только начать придется издалека, — сообщила Жанна.

ГЛАВА 16

Детство Анечки Кругловой пришлось на 40-е годы. Когда грянула война, ей было всего шесть лет. На время, о котором многие люди вспоминают, как о лучшем в своей жизни, Аня оглядывалась с горечью. Ничего-то у нее тогда не было: ни игрушек, ни вкусной еды, ни одежды. Какие там бананы с апельсинами, есть хлеб — и ладно. Серо-синие макароны, толстые, клейкие, считались «воскресной» едой, а если к ним добавляли тушенку из больших, покрытых липким оранжево-желтым машинным маслом банок, то это уже Новый год. Питались в основном «супом». Анина мама ухитрялась варить его из всего, что давали на карточки: пшено, американское сухое молоко, твердокаменный горох и продел. Однажды вместо сахара талоны отчего-то отоварили изюмом. Анечка ела сморщенные, необыкновенно вкусные коричневые ягодки и мечтала. Вот кончится война, отменят карточки, мама купит ей целый мешок этого изюма. О шоколадных конфетах Аня даже не думала. Она просто-напросто забыла, что это такое.

Но, несмотря на тяготы, было в нищем детстве девочки и хорошее. В нем начисто отсутствовала зависть. Все в классе были одеты так же, как сама Аня: в старые, перешитые мамины платья. На большой перемене все получали по стакану светло-желтого морковного чая, куску хлеба и крохотному осколочку рафинада. Учебники у всех были затрепанные, а писали они на всяческих бумажных обрывках. Однажды директриса раздобыла где-то старые обои, и дети стали писать на тетрадях, сшитых из обоев. Но все чаще в небо взлетали ракеты в честь побед на фронте, все громче звучал из черной «тарелки» ликующий голос Левитана:

— Сегодня нашими доблестными войсками освобожден от немецко-фашистских захватчиков...

Потом война закончилась. В душе расцветала надежда на лучшую, мирную жизнь. В 1945-м Анечке исполнилось десять лет, но, как многие дети военной поры, она была не по годам взрослой. В ее голове жили разумные недетские мысли. Она видела, как тяжело приходилось маме — Нина Ивановна, работающая на заводе токарем, одна тянула дочку. Отец Ани погиб на фронте. Значит, нужно прежде всего окончить школу, и не восемь классов, а десять, потом поступить в институт, чтобы в дальнейшем получить хорошее место работы и помогать маме. Нина Ивановна полностью одобряла планы Ани:

— Учись, доча, становись на ноги, а я уж помогу тебе, чем сумею.

Но все радужные надежды рухнули 9 Мая 1948 года, в День Победы, который Аня Круглова считала самым светлым, самым радостным праздником. После обеда она с подругами, такими же тринадцатилетними девочками, отправилась гулять в Центральный парк культуры и отдыха. Несмотря на полуголодное детство, Анечка выросла крупной девочкой. В 1948 году она, уже вполне сформировавшаяся, походила на взрослую девушку. Сначала девочки бродили стайкой по аллеям, они даже позволили себе купить мороженое, продававшееся в то время только в общественных местах. Затем Аня случайно оторвалась от подруг, забрела на какие-то малолюдные дорожки и уперлась в забор. Уже темнело, нужно было срочно искать выход. Анечка испугалась, как бы ее не заперли в парке на ночь, но тут откуда-то из кустов вынырнул мужчина в гимнастерке, на которой сверкали ордена и медали. Бывшим фронтовикам Аня доверяла безгранично. Ей и в голову не могло прийти, что человек, побывав под пулями, может сделать ей что-то плохое. Она вообще ни о чем таком не думала. Только обрадовалась, увидав дядьку, и сказала:

— Вот пошла с девчонками гулять и потерялась. Не подскажете, где тут выход?

— Значит, заплутала, — улыбнулся прохожий.

Аня запомнила его карие, глубоко посаженные глаза, ярко блестевшие из-под угольно-черных бровей, и улыбнулась в ответ:

— Да уж, глупо получилось.

— Ты здесь одна?

— Ага.

— Не бойся, иди сюда, — поманил мужчина девочку, — сейчас выберемся обходной дорогой, я этот парк как свои пять пальцев знаю.

Аня послушно шагнула в кусты и увидела тоненькую тропку. Провожатый быстрым шагом пошел вперед, девочка рванулась за ним. Минут через пять Анечка спросила:

— Далеко еще?

Мужик обернулся, блеснул яркими карими глазами, усмехнулся углом рта и ответил:

— Уже пришли.

Дальнейшее Аня помнила смутно. Вроде она кричала, отбивалась, но все равно оказалась на земле с задранной на голову юбкой. Потом мужчина сказал:

— Ступай вперед, там забор, пролезешь в дыру и иди домой. Но имей в виду: расскажешь кому, найду и убью. Я тебя запомнил.

Рыдающая Анечка кинулась опрометью вперед и оказалась на незнакомой улице. Домой она пошла пешком. Сесть в автобус или троллейбус не было никаких сил. Девочке казалось, что все пассажиры мигом поймут, что с ней случилось, начнут тыкать пальцами, смеяться...

В квартиру, где в безумной тревоге металась Нина Ивановна, она попала только к утру, и, естественно, мама сразу сообразила, какая беда приключилась с дочерью.

Нина Ивановна очень любила Анечку и в отличие от многих женщин старого воспитания не произнесла сакраментальной фразы:

— Ты сама виновата!

Нет, мама постаралась как можно более ласково обойтись с дочерью. Ни психологических консультаций, ни телефонов доверия, ни кризисных центров для переживших насилие в Москве тогда и в помине не было. Нина Ивановна и Аня остались со своей бедой без чьей-либо помощи. Кое-как они справились с проблемой, к концу мая Аня повеселела и даже начала улыбаться, но не успела Нина Ивановна перевести дух, как грянула новая напасть. В июне стало понятно, что Аня беременна.

Это сейчас подобная ситуация никого не вышибет из седла. Произойди эта история сегодня, Нина Ивановна, не пожалев денег на аборт, мигом побежала бы с дочкой в одну из многочисленных коммерческих клиник. Врачи сделали бы все, что требовалось, даже без предъявления документов.

Но на дворе стоял 1948 год. Аборты были запрещены, их проводили только тогда, когда возникала угроза жизни матери. Впрочем, в случае изнасилования тоже можно было обратиться в женскую консультацию. Но Анечка являлась несовершеннолетней и, естественно, незамужней. В таких обстоятельствах гинеколог был обязан оповестить милицию и органы опеки, существовавшие при районных отделах народного образования. Тут же явились бы комиссии в школу и на дом. Все вокруг узнали бы о позоре. В те времена тринадцатилетняя беременная школьница была такой же невидалью, как африканский страус в очереди за хлебом.

Поразмыслив немного, Нина Ивановна приняла мудрое решение. Осенью Анечка как ни в чем не бывало пошла в школу. Девочка она была крупненькая, полненькая, и никаких подозрений у окружающих не возникло.

В конце декабря Нина Ивановна написала подробное письмо своей свекрови, жившей на Украине, в маленькой деревеньке под Луганском, и отправила туда Анечку, якобы на Новый год и каникулы.

В далекой глубинке все намного проще, чем в Москве. В январе, десятого числа, по странному совпадению в свой день рождения, Анечка родила мальчика. Нина Ивановна сбегала в школу и сказала классной руководительнице, что дочь приболела и не вернулась вовремя от бабушки. Еще через две недели мать и вовсе забрала документы, сказав, что они с Аней переезжают.

Нине Ивановне и впрямь пришлось менять квартиру. Жили они на Автозаводской, а перебрались от греха подальше в небольшой домишко на Юго-Западе, потеряв в площади и удобствах. Но цель была достигнута. В середине февраля она привезла в Москву Аню и новорожденного мальчика. В графе «мать» значилось — Нина Ивановна Круглова, в качестве «отца» фигурировал Сергей Дмитриевич Плешков. Свекровь записала внука на своего мужа.

Началась новая жизнь, и женщинам пришлось нелегко. Но никаких подозрений они ни у кого не вызвали. Соседи, правда, неодобрительно косились на Нину Ивановну, решившуюся завести на старости лет сынишку, да еще вне брака.

Но потом пошла светлая полоса. Юго-Запад начал активно застраиваться, семья получила отличную трехкомнатную квартиру. Жена погибшего на фронте лейтенанта, мать двух разнополых детей, имела на нее все права. Анечка поступила в техникум, после окончания учебы ее распределили в великолепное место. Девушка оказалась в отделе кадров НИИ тонких исследований, отличного учреждения, где тогда платили хорошую зарплату.

Володя рос беспроблемным мальчиком. Отлично учился, не грубил родным, занимался спортом, но он был тихим, малоразговорчивым ребенком, хранил все в себе, и Нина Ивановна с Аней никогда не знали, что у парня на душе. Внешне все выглядело более чем пристойно. Правды о своем рождении он, естественно, не знал.

Когда мальчику исполнилось десять лет, двадцатичетырехлетней Анечке улыбнулось счастье. Не выходя из своего НИИ, она нашла жениха — солидного, положительного Федора Касьянова.

Сыграли свадьбу, Федя переехал к жене. Он был домовитым, рукастым, непьющим. Нина Ивановна не могла нарадоваться на зятя. В доме перестали скрипеть петли, ножи были всегда наточены, под подоконником на кухне появился шкафчик, а к Новому году Федор переклеил обои, побелил потолки и отциклевал полы. С Ниной Ивановной он был почтителен, Володю любил брать с собой на рыбалку. Словом, не зять, а кусок халвы в шоколаде. Такие встречаются лишь в сказках.

Родилась Ирочка, Анечка впервые почувствовала себя матерью. Как ни старалась она в свое время полюбить Володю, ничего не вышло. Мешали глаза мальчика, карие, жгучие, выглядывавшие из-под угольно-черных бровей. Встретившись с сыном взглядом, Аня каждый раз вспоминала тот злополучный день 9 Мая, и сердце ее сжималось. Нет, она ни разу не ударила «брата», не накричала на него, никак не выказала своей неприязни, но не любила. Володя, должно быть, чувствовал ее отношение к себе, потому что слегка сторонился Ани, но они никогда не ругались, между ними существовали ровные, приятельские отношения.

Ирочка получилась другой. Светловолосая, голубоглазая, хохотушка и ужасная болтушка. Говорить она начала еще до года, и остановить девочку было просто невозможно. Нина Ивановна обожала внучку, она ушла на пенсию и целиком посвятила себя Ире. Когда Ирочке исполнилось пять месяцев, случилась неприятная история. Нина Ивановна унеслась в магазин, оставив внучку с тринадцатилетним Володей. Она задержалась в очереди, а когда прибежала, в доме стоял несмолкаемый крик, мальчик тряс коляску. Вечером, сняв с девочки ползунки, бабка пришла в ужас и вызвала неотложку. Вся попка и ножки девочки были в кроваво-черных пятнах. Приехавший доктор мигом отмел все подозрения на инфекцию и сурово сказал:

— Так и в милицию угодить можно! Виданое ли дело, ребенка чуть до смерти не защипали.

— Да вы что! — возмутилась Нина Ивановна. — Мы в ней души не чаем. И дома никого из посторонних — только я и Володенька.

— Ну-ну, — буркнул врач, — ревнует, значит, паренек, вы ему пригрозите.

Как только с работы вернулись Аня с Федором, Володе был устроен допрос с пристрастием. Мальчик сопротивлялся недолго. Да, Ирочка начала плакать, а он ее наказал.

— Как ты мог! — налетели на него Аня с Федей. — Она же крошка совсем, несмышленыш!

Володя гневно сверкнул карими глазами и неожиданно произнес:

— Ага, хотели мне велосипед купить, а вместо этого пришлось кроватку и вещи для этой хныксы приобретать. Между прочим, сами говорили, что деньги мне на велик собираете. И чего? Все теперь этой, а мне кукиш?

Федор схватился за ремень, и первый раз в жизни Володя был выдран. Анечка целиком и полностью поддержала мужа. Робкий голос Нины Ивановны, просившей, чтобы мальчика не ругали, а, наоборот, сказали ему, что и его они тоже любят, не был услышан. Кстати, правды о рождении Володи Федор не знал. Он считал парнишку братом Ани. Вечером Нина Ивановна подсунула мальчику шоколадку.

— Не хочу, — буркнул тот.

— Возьми, — настаивала бабка, — я тебя люблю.

— Знаю, — вздохнул Володя, — только ей никогда не прощу, никогда!

— Ну не сердись на Анечку, — попыталась сгладить ситуацию Нина Ивановна.

— Я на нее не злюсь, — твердо ответил Володя, — они с Федором совсем с ума сошли, я Ирке никогда не прощу. Родилась, и про меня все забыли, и ты, мама, все с ней сюсюкаешься.

Стойкую нелюбовь к Ире Володя сохранил на всю жизнь. В его душе жила ненависть к девочке, которую он считал своей племянницей. Парень словно вел счет. У Иры есть много кукол, а ему пожалели купить железную дорогу, девчонке вручили кожаный портфель, а у паренька была старая сумка.

Аня понимала, что происходит, и очень переживала. Потом ситуация выровнялась. Володя поступил в медицинский институт, отлично учился, попал в аспирантуру, стал кандидатом наук. Он пошел по исследовательской части, делал какие-то открытия, взбирался по карьерной лестнице. Нина Ивановна умерла. Через год после ее смерти неожиданно скончался Федор. Аня осталась с Володей и Ирочкой.

Бежали годы, Володя женился... на Жанне.

— Как, — заорала я, — как?!

Жанна грустно улыбнулась:

— Я — бывшая жена Владимира Сергеевича Плешкова.

— Ну ничего себе, — растерянно сказала я.

Жанна кивнула.

— Понимаю ваше удивление, но дайте мне закончить мой рассказ.

Ира успешно окончила институт и тоже пошла в науку. Анна Константиновна расстаралась и пристроила дочь в НИИ тонких исследований. Ирочка всегда доставляла только радость. Умная, веселая, она готовилась стать кандидатом наук, только все откладывала написание диссертации, копила исследовательский материал, вела бесконечные записи. Даже дома она постоянно что-то писала, и Анна Константиновна очень переживала. Дочка была излишне скрупулезна. Другие особо не мучаются — тяп, ляп, и готова работа. А Ирочка все перепроверяет, добавляет новый материал. На личную жизнь времени у нее не хватает.

Но эти проблемы казались ерундой на фоне того, что случалось у других людей. А Анна Константиновна на работе доросла до начальника отдела кадров и знала про всех всю подноготную. Их семья казалась благополучной, даже невестка попалась замечательная. Жанна мигом подружилась с «сестрой» мужа. Одна беда: у них с Володей никак не получались дети, но Анна Константиновна втайне была этому рада. Опасалась, что может родиться мальчик с карими глазами...

Трагедия разыгралась три года назад. Ее ничто не предвещало. Наоборот, Ирочка наконец-то завершила исследования и стала писать кандидатскую. А Володя выпустил книгу и защитил докторскую. Ира, естественно, поинтересовалась готовым трудом «дяди», тем более что они работали в одной области. Она полистала его труд и обомлела. Это были ее материалы, ее таблицы, ее выводы, наконец. Ира потребовала от Володи объяснений. Разыгрался жуткий скандал.

— Ты — вор! — кричала женщина. — Вор! Украл мои бумаги, которые я открыто хранила в своей комнате, негодяй!

Володя слабо отбивался:

— Что за чушь пришла тебе в голову! Мы удим рыбу в одной реке, вот и сделали одинаковые открытия, да я понятия не имел, чем ты занимаешься.

— Где твои рабочие бумаги, покажи! — требовала Ира.

— В лаборатории, — отвечал Володя.

— Покажи.

— Не могу.

— Почему?

— На них стоит гриф «Секретно»!

— Я завтра же поеду в ВАК со всеми документами, — крикнула Ира, — твою докторскую аннулируют, жизнь положу, а выведу тебя на чистую воду!

— Ходи куда угодно, — пожал плечами Володя, — моя работа выполнена и защищена, а твоя в чернильнице. А ну как я, в свою очередь, заявлю, что ты у меня все результаты сперла и за свои выдаешь!

Ирочка растерянно замолчала. Анна Константиновна и Жанна были на ее стороне. Словом, такого скандала в их семье не случалось еще никогда.

На следующий день Ирочку нашли на рельсах электрички возле Киевского вокзала. Никакой предсмертной записки ни в кармане, ни в сумочке не было, милиция посчитала дело несчастным случаем и спустила все на тормозах. Но Анна Константиновна была уверена: Ирочка покончила с собой, а толкнул ее на этот ужасный поступок Володя, следовательно, он — убийца. Анна Константиновна даже не удивилась мысли, пришедшей ей в голову. Отец — насильник, сын — убийца. С генетикой не поспоришь. О том, что она считает его негодяем, Анна Константиновна сообщила Володе в лицо. Тот озверел окончательно и заорал:

— Ненавижу, ненавижу вас всех. Слава богу, что Ирка умерла, а то вся любовь ей!

Анна Константиновна отшатнулась от нелюбимого сына. Она не могла поверить, что детские обиды могут быть такими крепкими.

— Чтоб вы сдохли! — вопил всегда сдержанный Володька. — Ты, Анька, старшая сестрица, называется: ненавижу! А ты, Жанка, хороша жена! Против мужа пошла. Я от вас ухожу. Если хочешь знать, у меня давно другая женщина есть, не чета тебе! Все, развод!

Он побросал в чемодан вещи и был таков. Анна Константиновна и Жанна проплакали всю ночь, вот тогда-то свекровь и рассказала невестке всю правду о рождении Володи.

Естественно, развод оформили официально. Анна Константиновна не знала, да и знать не хотела, где проживает Володя. Представьте ее ужас, когда в НИИ тонких исследований назначили нового директора, и им оказался... Владимир Сергеевич Плешков.

ГЛАВА 17

От неожиданности я уронила на пол чашку.

— Погоди, погоди... Ты хочешь сказать, что покойный директор института был сыном Анны Константиновны?

Жанна кивнула:

— Да, и ты сейчас сидишь в ее квартире. Мы с ней жили вместе с тех самых пор, как Володя ушел.

— Но как же они общались на службе?

Жанна тяжело вздохнула:

— В первый же свой рабочий день Володя вызвал к себе Анечку.

Мужчина прямо, без всяких экивоков, сказал:

— Кто старое помянет, тому глаз вон. Пообижались друг на друга, и будет. Ты ведь понимаешь, что я в смерти Ирочки не виноват. Мне ее не меньше твоего жаль. Никто не знает, как я тогда переживал. И с Жанкой зря расплевался. Теперь вот снова развелся.

Анна Константиновна упорно молчала.

— Конечно, — спокойно продолжал Володя, — ты можешь уволиться, возраст позволяет тебе выйти на пенсию, причем давно, и стажа хватает. Но подумай сама. Здесь у тебя стабильный оклад, кое-какая премия и просто отличное положение. Да ты второй человек после директора, а в некоторых вопросах даже первый. Ну будешь продолжать дуться, выдержишь характер, уйдешь, и чего? Выгода тебе какая? Станешь на лавке у подъезда с бабками сплетничать? Или в сериалы уткнешься? Я же знаю, что такие занятия не для тебя. Назло кондуктору пойдешь пешком?

Анна Константиновна молчала. В словах нелюбимого сына был резон.

— Очень прошу, — проникновенно произнес Володя, — останься. Мне нужен человек, которому я могу доверять. Тем более что хочу многое поменять в этом богом забытом заведении. Обещаю тебе неплохие деньги.

— Штатное расписание забито, — пожала плечами Анна Константиновна, — и у нас нет средств даже на канцелярские принадлежности. Ты мне что, из своего кармана приплачивать собрался?

— Мы начнем заниматься коммерческой деятельностью, — пояснил мужчина, — сейчас все НИИ выживают, как могут, средства появятся.

И Анна Константиновна согласилась. С Володей они держались более чем официально. Называли друг друга на «вы» и только по имени-отчеству. Но по институту невесть откуда разнесся слух, что заведующая отделом кадров приходится старшей сестрой директору, и рейтинг Кругловой взлетел на невероятную высоту.

— Странно, однако, — пробормотала я.

— Что тебя удивило?

— Ну она же ненавидела Владимира, считала его виновником смерти любимой дочери и стала его помощницей?

Жанна тяжело вздохнула:

— Именно поэтому и стала. У Анечки родилась однажды безумная идея.

В тот день она пришла домой и торжествующе сказала Жанне:

— Все. Теперь отомщу за Ирочку и за тебя, Жаннуся. Моя несчастная доченька покончила с собой, а этому выродку ничего не было, ушел от ответственности. Но он должен сидеть в тюрьме, и я его посажу. Коммерческой деятельностью решил заняться, ну-ну. Повадился кувшин по воду ходить, там ему и голову сломить!

— Она стала следить за Володей, — вздыхала Жанна, — завела дневник наблюдений. Куда поехал, кого вызвал в кабинет, кому какие выгодные предложения сделал. Владимир Сергеевич, как всякий новый начальник, мигом сменил руководящий состав института, сместил кое-кого из старых сотрудников. Анна Константиновна отстояла пару человек из прежних кадров и сделала их своими шпионами.

— Но ничего крамольного она не узнала, — объясняла Жанна. — Володя занимался абсолютно легальной деятельностью. Безобразие, конечно, что людям науки приходится тратить мозги и время на идиотскую чепуху, но, в конце концов, не Плешков виноват в том, что в стране полный развал.

Кстати, большинство сотрудников НИИ тонких технологий, жившие буквально в нищете, радостно приветствовали инициативу нового начальства и кинулись варить мыло или делать краску для волос. Налоги в НИИ платили исправно, и Анна Константиновна пала духом.

Придраться было не к чему.

Но с месяц назад Круглова примчалась домой взбудораженная. Ее всегда аккуратно уложенная на голове «хала» висела прядями.

— Что случилось? — испугалась Жанна.

Такой Аню она не видела никогда.

— Жаннуля, — прошептала Анна Константиновна, — Жаннусечка, дорогая, все. Теперь точно все! Господи, ты не представляешь, что сегодня удалось узнать.

— Что? — полюбопытствовала Жанна.

— Предполагала, что он преступник, но чтобы такое! — металась по кухне Анна Константиновна. — Нет, пока ничего не расскажу! Сначала все уточню, выясню! О-о-о, они все сядут! Владимир, заместитель его, Леонид этот двуличный, и Яков. Вся команда по уши в грязи. Но нужно узнать, кто еще там руки греет. Негодяи, убийцы, воры!..

— Она так и не объяснила, в чем дело? — поинтересовалась я.

— Нет, — покачала головой Жанна, — я много раз спрашивала, а Анечка твердила, что в такое даже поверить трудно, что, если она не добудет доказательств, все, включая меня, сочтут ее сумасшедшей. Единственно, что она обронила, так это информацию о лаборатории Ореста Львовича. Вроде бы именно там с благословения начальства творились совершенно невероятные дела.

Анечка развернула бешеную активность, она пристроила на работу в лабораторию шпионку, некую Лену Мартынову. Но та оказалась алкоголичкой. На третий день своей служебной карьеры она сперла в лаборатории какой-то технический спирт и выпила его.

По счастливой для Ореста Львовича случайности, пьянчужка не засосала свою добычу на работе. Она притащила домой бутылку с «огненной водой», чтобы насладиться ею с полным удовольствием. Опрокинула в себя пол-литра и заснула вечным сном. Оресту Львовичу не смогли вменить даже халатность и наказать его за несоблюдение правил хранения реактивов. Заведующий лабораторией отвергал все нападки, пожимал плечами и спокойно отвечал:

— У нас все на месте, мало ли где эта мадам бутылку раздобыла. Пила дома, какой с меня спрос?

Анна Константиновна только зубами скрипела от злости.

— Вчера, — продолжала Жанна, — она сказала мне, что взяла на работу к Оресту в лабораторию вполне положительную женщину, страшно нуждающуюся в деньгах.

— Стану ей немного приплачивать, и тетка с радостью будет стучать, — потирала руки Анна Константиновна.

— Но ведь Володя уже умер, зачем ей понадобилось вести расследование дальше? — недоуменно воскликнула я.

— Тут клубок причин, — вздохнула Жанна. — Анечка была патриоткой института, она проработала там всю свою жизнь, стала заведовать отделом кадров. Ей очень не нравилось, что цитадель науки превратилась в торговый павильон и что под вывеской НИИ тонких технологий творятся грязные делишки. Но больше всего ей было не по душе то, что многие сотрудники говорили об умершем директоре, как чуть ли ни о святом. Вот Анна Константиновна и хотела вытащить из темного угла мешок грязи и вытряхнуть перед всеми его содержимое. Она желала наказать своего сына даже после смерти. Анечка так ненавидела Володю, что мне делалось страшно.

Но окружающие, естественно, были не в курсе семейной трагедии и считали, что брат с сестрой великолепно ладили. Поэтому после кончины Владимира Сергеевича многие сотрудники кинулись выражать соболезнование Анне Константиновне, а та принимала их с соответствующей миной на лице, скрывая радость.

— Они ее убили, — прошептала Жанна, — Леонид Георгиевич, Яков и Орест Львович. Моя бедная Анечка слишком глубоко копнула, влезла в их тайные делишки. Это письмо — просто нонсенс.

— Вот и скажи об этом в милиции, — обрадовалась я. — Пусть делом займутся профессионалы.

— Нет, — железным тоном отчеканила Жанна. — Хочешь знать, где яйцо, ищи убийцу. Да тебе и работы осталось с гулькин нос: почти все я тебе рассказала. Дело за малым, понять, что творится в лаборатории у Ореста. Только разберешься, в чем дело, сразу найдешь того, кто сделал Анечке смертельную инъекцию.

Я тяжело вздохнула: легко сказать, но очень трудно сделать!

Домой я вернулась в таком состоянии, словно пару раз слетала без отдыха по маршруту Москва — Вашингтон — Москва. Ломило спину, шея горела огнем, глаза казались раскаленными каплями свинца, ворочающимися под веками, в носу свербило, а язык был как наждак.

Выпив залпом три стакана воды, я рухнула в кровать, и тут же над моей головой раздался злобный голос Ритки:

— Ну ты хороша штучка!

— В чем дело? — прошептала я, пытаясь открыть глаза.

— Она еще спрашивает! — заорала Замощина. — Нам с Масиком что, ночевать на выставке предлагаешь? Между прочим, таксист, которого я в конце концов поймала, как услышал, что ехать нужно в коттеджный поселок Ложкино, мигом заломил за дорогу пятьсот рублей и ни копейки не уступил, дрянь. А я — это не ты, деньги не расшвыриваю на что попало. Сама пригласила нас в гости, обещала возить и бросила.

Я села на кровати и поежилась. По спине ходил озноб. Вот уж некстати было бы сейчас заболеть. Хотя, скажите, болезнь когда-нибудь бывает к месту? Я имею в виду настоящую хворобу, а не демонстративное прижимание ладони к левой стороне груди. Совершенно не хотела звать к нам Ритку с Масиком. Они оказались у нас только потому, что у Замощиной сломалась машина. Кстати, автомобиль так и стоит во дворе. Я забыла вызвать мастера, забыла о том, что Ритка со своим Масиком ждет меня в семь часов вечера после очередного кошачьего показа. Масику, должно быть, опять ничего не досталось, вот Замощина и злобится. Хотя определенная доля истины в ее словах есть. Я и впрямь стала в последнее время забывчивой. Не иначе как от перенапряга...

— И вообще ты все забываешь, — не унималась Ритка, она просто плевалась огнем. — Стареешь, склероз открылся. Пей ноотропил, говорят, помогает.

— Это от усталости, — попыталась я отбиться.

— Скажите пожалуйста, — окончательно пришла в негодование Ритулька, — отчего это ты устала, а? Не работаешь, хозяйством не занимаешься, валяешься целый день на диване пузом кверху! Ты мне обещала достать «Бурмиль»! И где он?

Я со вздохом села. Ритка не отстанет, она из тех людей, которые привыкли вцепляться в человека, как терьер в крысу.

— Так что с «Бурмилем»? — злилась Ритуся.

— Совсем не уверена, что он там есть.

— Незачем было обещания давать.

Это верно. Я потянулась к телефону.

— Вот, вот, — припечатала Замощина, — пока тебя с дивана не спихнешь, ты даже не пошевелишься.

Я подавила острое желание швырнуть в нее трубку.

— И машина моя без движения стоит, — фыркнула Рита, уходя. — Когда мастер придет, а? Надоело уже Масику по комнатам на цыпочках ходить, на него твои придурочные животные бросаются!

Она выскочила в коридор, со всего размаха стукнув дверью о косяк. Оставшись одна, я стала размышлять, почему никогда не могу сказать нахалу, что он нахал? Отчего позволила Ритке сесть себе на голову? Другой быстро поставил бы ее на место, заявив:

— Твоя машина и твой кот меня совершенно не волнуют. Автомобиль сломался не по моей вине, вызывай эвакуатор и увози его. Он мешает моим детям подъезжать к дому.

Вместо этого я вызвала механика, а следующий звонок сделала Дениске.

— Алло, — проорал Денька, — у аппарата великий ветеринар.

— Не боишься клиентов распугать? — усмехнулась я.

— Мои без меня никуда, — гордо заявил студент.

Это верно. Заниматься по-настоящему практикой он, как человек, не завершивший обучения в вузе, не имеет права. Но в клинике при Ветакадемии ему доверяют проделывать кое-какие процедуры. Например, подержать крючки во время операции или сделать шов. А многие наши знакомые приглашают его подстричь когти их животным, прочистить анальные железы и измерить температуру. И еще Дениска на удивление точно ставит диагноз. Пару раз его вердикт расходился с мнением дипломированных специалистов, но более детальные исследования подтверждали правоту юноши.

— Чего у тебя стряслось? — поинтересовался Деня. — Опять телефон съели? Ну прикол! Когда Манька рассказала, не поверил. Что же это за аппарат такой, чтобы мопс смог его целиком сглотнуть?

— Приедешь, увидишь, — пообещала я, — Аркадий его больше не берет, новый покупать собрался, а этот лежит без дела: он у меня очень брезгливый.

— А я нет, — радостно сообщил Деня, — телефончик-то работает?

— Просто прекрасно, несмотря на пребывание в собачьем желудке.

— Если Кешке телефон не нужен, может, он его мне подарит?

— Бери.

— Супер, класс, ни у кого такого не будет!

— Ты слышал что-нибудь о лекарстве под названием «Бурмиль»?

Денисыч замолчал, потом осторожно поинтересовался:

— А тебе зачем?

— Надо. А он и впрямь такой хороший? Говорят, шерсть какая-то необыкновенная получается, собаки и кошки молодеют. Так это или нет?

— Слышал, — кратко ответил Деня, — но не советую тебе им пользоваться.

— Почему?

Деня вздохнул:

— Долго объяснять.

— Давай, давай, я никуда не тороплюсь.

— Ты не поймешь.

Я вздохнула, вот уже и Денисыч, которого я возила в колясочке и сажала на горшок, уверен в моей глупости.

— Сделай милость, попробуй объяснить.

— Ну, во-первых, он запрещен к производству. Насколько знаю, делают его подпольно и продают тайком.

— Вот почему он столько стоит!

— Во-вторых, лекарство не апробировано.

— Это что такое?

— Не были проведены должные испытания. Никто не знает, что случится с животным через пару лет после курса инъекций. Не советую тебе поддаваться массовому психозу и кидаться со шприцем к своим собакам и кошкам. Эмбриональные клетки — дело мало изученное.

— Какие клетки?

— О боже, ты хоть знаешь, что такое этот «Бурмиль» и отчего он запрещен к производству?

— Нет.

Дениска тяжело вздохнул:

— Слушай.

Через полчаса я повесила трубку и уставилась в окно. Вот оно что! Если я правильно поняла Дениску, дело обстоит следующим образом.

Каждый эмбрион соединен с матерью пуповиной. В том месте, где эта «ниточка жизни» прикрепляется к будущему детенышу, находятся эмбриональные клетки, из них же состоит и сам эмбрион. Если их выделить и ввести взрослому, даже старому животному, у него начинается вторая молодость. Отрастает шерсть, пропадает артрит, появляется бодрость и игривость. Казалось бы, что плохого? Но клетки эти можно получить только у живого зародыша. Если плод погиб, ничего не выйдет. Воздействие на живой организм эмбриональных клеток было открыто довольно давно, то ли французами, то ли американцами. И как только в прессу просочились сведения об этом чудо-лекарстве, мигом забили тревогу представители организаций защиты животных.

— Как же это получается? — возмущались они. — Значит, будут удалять у беременных собак и кошек плод и использовать его для инъекций тем четвероногим, чьи хозяева, не поморщившись, могут выложить за курс уколов кругленькую сумму?

Поднялся жуткий скандал, и производство «Бурмиля» запретили. Но не все соблюдают закон, кое-кто, чтобы заработать, с легкостью нарушает правила. «Бурмиль» все же попадал к тем, кто любой ценой желал омолодить своих питомцев.

— Дикие люди, — удивлялся Дениска, — ведь пока не ясно, что может произойти через пару лет с собакой, которую обкололи «Бурмилем».

Но многие хозяева просто не способны мыслить здраво, если речь идет об их обожаемом «сыночке» или «дочурке». Люди, подобные Рите Замощиной, ничего знать не хотят, подавай им «шерстистость», и все тут, а о возможных последствиях и жертвах такого «лечения» они не задумываются. Запретный плод сладок, и цена на «Бурмиль» взлетела до небывалых высот.

— У нас его делают? — поинтересовалась я.

Денька хмыкнул:

— У нас теперь все делают. О какой пакости ни

спроси, обязательно найдешь. Слышал разговоры, что в Россию «Бурмиль» поступает из Франции, но на днях Лешка Морозов заявил, что на выставке кошек ему предложили купить наш, отечественный, десять ампул за три тысячи «зеленых». Значит, кто-то греет руки, выпуская препарат незаконным образом.

Ночь я провела без сна. В контейнере с синей крышкой, который мне строго-настрого было запрещено открывать, лежал эмбрион собаки, ужасающе похожий на человеческий. Что, если в лаборатории Ореста Львовича делают «Бурмиль»? В России теперь много богатых людей, есть среди них и любители домашних животных.

Я встала с кровати, открыла окно и закурила, старательно выгоняя дым на не по-апрельски холодную улицу. Как бы поступила я, если бы вдруг поняла, что могу вернуть моей старой собаке вторую молодость?

Полная луна ярко освещала сад. Деревья стоят еще голые, но скоро их раскидистые ветки покроются свежими зелеными листиками, вылезет травка, появятся первые цветы, защебечут птицы, и в душе воцарится радость. Весна — чудесное время года, такое же прекрасное, как молодость. Сколько бы ни говорили люди о том, что лучший период — это зрелость, я не верю. Когда молодость позади, разве кого-то могут утешить такие рассуждения.

— Подумаешь, нет у меня больше белоснежных зубов, густых волос и неутомимых ног, зато имеется бесценный жизненный опыт и финансовое благополучие.

Сколько людей отдали бы все, что имеют, лишь бы вновь стать двадцатилетними?

Так купила бы я своей собаке радость жизни, зная, что для приготовления средства омоложения уничтожили других животных? Что во мне сильней — эгоизм, слепое обожание или благородство, любовь ко всему живому?

Не найдя ответа на этот вопрос, я легла в кровать и натянула на голову одеяло. «Завтра, я подумаю об этом завтра», — так говорила Скарлетт О'Хара, героиня нежно любимой мной книги Маргарет Митчелл «Унесенные ветром».

ГЛАВА 18

Утром за завтраком Рита поинтересовалась:

— Нашла «Бурмиль»?

— Нет, зато вечером будет готова машина.

— И на том спасибо, — буркнула Замощина, забыв спросить, сколько будет стоить «реанимация» автомобиля. Но я была рада заплатить любую сумму, лишь бы избавиться от Риты и Масика. Удивительное дело, я люблю животных, но кот Замощиной мне решительно не нравится.

На дворе сегодня неожиданно установилась теплая солнечная погода, настоящее лето, и от радости, что в Москве наконец-то закончилась зима, я распахнула шкаф и уставилась на полки. Что, если надеть вон ту розовую футболочку и клетчатые джинсы? Естественно, переоденусь в «Пежо», натяну жуткое бордовое уродство, но из Ложкина хочу уехать в приличном виде. Одна беда — у розовой привлекательной футболочки глубокий вырез. Помнится, я купила ее в августе прошлого года, польстившись на цвет. Мне идет теплая гамма. Блондинкам подходят все оттенки розового, даже ядовитые. Но эту симпатичную кофточку так ни разу и не надела. Вернее, натянула дома перед зеркалом и со вздохом сняла. В душе-то мне восемнадцать лет, но шея сразу выдает подлинный возраст. Как ни старайся, изменения налицо, то бишь на шее. Если можно так выразиться, то шея — ахиллесова пята женского тела. Мне бы уже следовало носить нечто вроде водолазки или повязывать на шею платочек, как делает моя подруга Лена Козлова. Очень модно, стильно, красиво... Ленка вообще умеет одеваться, и только я знаю, что под симпатичным кусочком шелка она прячет морщины и увядшую кожу. Но Лена ведь старше меня на десять лет...

Я нацепила футболочку и, раздернув пошире занавесочки, уставилась в зеркало. Старое правило хитрых женщин: хочешь быть накрашена в меру, делай это только при естественном освещении, поставь зеркало на подоконник. Но ежели желаешь выглядеть моложе, принимая гостей, задерни в комнате драпировки и включи электрический свет. Только не будь дурой. Шесть лампочек по сто свечей произведут совсем не тот эффект, на который рассчитываешь. Одно небольшое бра над диваном, и кавалер даст тебе на десять лет меньше. Одна беда — встречаться с ним придется только вечером, что будет затруднительно выполнить, если парень предложит руку и сердце.

Впрочем, может, я слишком сурова к себе? Вдруг ситуация не так уж плоха?

Яркий свет залил всю комнату. Интересное дело, что у меня случилось с шеей? Верхняя половина значительно белей нижней, и на ней непостижимым образом пропала россыпь папилом. В глубоком недоумении я дотронулась до шеи рукой. Да она и на ощупь разная: верхняя часть нежная, шелковистая, нижняя такая, как всегда, ничего особенного. Пару минут я оглядывала себя в глубоком изумлении. Вечером мне было плохо, шея горела огнем, в носу начинался насморк... Сегодня все симптомы недомогания пропали. Простуда ушла, не начавшись, омолодив ровно половину моей шеи. С ее стороны это мило, но, ей-богу, было бы лучше, кабы она исправила эту часть тела целиком. Впрочем, мне бы не помешали новые зубы, густые волосы, да и «гусиные лапки» у глаз совсем ни к чему.

Внезапно мозг озарила догадка. Я вытряхнула из пакета жутковатое бордовое одеяние и быстренько влезла в него. У платья имелся воротничок-стойка, он прикрыл нижнюю, «старую», часть шеи. Все понятно, вчера я, раскладывая в банки крем, сваренный Орестом Львовичем, из любопытства помазала им шею, вернее, ее часть, видневшуюся над воротником. Однако какой сногшибательный эффект! Я покупаю дорогие средства по уходу за лицом, и ни одно из них не дало такого потрясающего результата!

Решено, сейчас еду в институт и, если мне опять велят раскладывать крем, улучу момент и намажу всю шею.

Сегодня Орест Львович был приветлив, почти любезен. При выезде со МКАД я попала в ужасающую пробку и опоздала на работу.

Пришлось лепетать, входя бочком в лабораторию:

— Припозднилась случайно, больше не повторится, извините.

— На первый раз прощается, — вполне дружелюбно ответило начальство.

Девушка, сидевшая у стола, подняла глаза от работы и сухо велела:

— Возьми тряпку да протри стены. Жуть смотреть.

— Нет, Регина, — велел Орест Львович, — пусть сперва к Олегу за контейнером сбегает. Ступай, помнишь, куда идти?

Я кивнула, спустилась на первый этаж, прошла по длинному пустому подвалу в роддом и услышала, как в кармане звонит мобильный. Ругая себя на все корки, я вытащила трубку. Забыла отключить свой «Сименс». Еще хорошо, что он ожил тут, в помещении, где, кроме меня, никого нет, а если бы затрезвонил минут на пять раньше, в лаборатории? Орест Львович мигом бы насторожился. Ну откуда у нищей тетки, считающей копейки, мобильник? Сейчас сотовый из предмета роскоши превратился в обычное средство связи, его таскают с собой студенты, служащие, торговцы... Но все же эта игрушечка недоступна тем, кто зарабатывает пятьсот рублей в месяц.

— Ты где? — спросила Оксана.

— Да вот по делам поехала, — осторожно ответила я.

— У твоей Юли все в полном порядке, — радостно сообщила подруга.

— У кого? — не поняла я.

— Дарья, — сердито сказала Оксана, — ты приводила ко мне беременную девушку, переболевшую краснухой?

— А-а, — вспомнила я, — и чего?

— Анализ показал, что у нее родится вполне здоровый ребенок.

— Надо же, как хорошо, — обрадовалась я, — значит, она не зря убежала от этого халатного доктора.

— Не удосужиться сделать элементарное исследование! — возмущалась Оксана. — Доставить беременной женщине такие страдания, заставить ее пережить сильнейший стресс! Хочется позвонить этому Олегу Игоревичу и сказать ему все, что я о нем думаю!

— Кому? — удивленно переспросила я.

— Юля состоит на учете в женской консультации при роддоме имени Олеко Дундича, ее лечащего врача зовут Олег Игоревич, — напомнила Ксюта, — это он непосредственный виновник того, что с ней случилось. Вообще-то Юля должна бы написать на него жалобу, но она не хочет.

— Почему?

— Уверяет, что «автор» идеи ее муж Николай. Ей кажется, будто супруг подговорил нечестного врача на такой гадкий поступок, потому что очень не хотел иметь детей. Встречаются же подобные экземпляры! Просто сволочи! И муж, и врач. Ладно, вечером побеседуем.

И она отсоединилась. Я выключила телефон и направилась к Олегу. Можно прожить много лет рядом с человеком и не узнать его до конца. Чужая душа потемки. Бедной Юлечке ужасно не повезло с супругом. Скорей всего, она подаст на развод. Во всяком случае, я бы не смогла жить с таким человеком.

У Олега Игоревича перед кабинетом скопилась толпа женщин. Вспомнив о безобразном скандале, который устроила мне в прошлый раз грубая тетка, я постучалась в соседнюю дверь. Выглянула толстенькая медсестричка.

— Добрый день, Анюта, — вежливо сказала я, — меня опять к Олегу Игоревичу прислали, но боюсь этих баб, вдруг снова начнут меня ругать.

— Да нет, — улыбнулась Анюта, — это только Любка Ракитина концерты закатывает. Припадочная, ее тут все знают, от регистратуры до нянечек. Везде буянит, все не по ней. Я еще удивляюсь терпению Олега Игоревича, кто другой так давно бы нашел повод от нее избавиться, но он у нас просто святой. А в кабинет к нему попасть элементарно. Вот видишь звоночек?

И она ткнула пальцем в пупочку.

— Кто там? — раздалось из динамика.

— От Ореста Львовича, — сообщила я.

— Входите.

Улыбающийся Олег Игоревич мигом отпустил мне комплимент.

— Дашенька, ты сегодня девочка-весна.

Я обдернула жутковатое бордовое платьице. Надо же, мужик запомнил имя никому не нужной тетки, хотя, наверное, ему позвонил Орест и сказал:

— Сейчас к тебе явится моя новая лаборантка, эта идиотка по имени Даша.

А Олег Игоревич, как дамский угодник, пытается наладить хорошие отношения со всеми представительницами слабого пола. Я ухмыльнулась и не удержалась:

— Уж скорей бабушка-весна!

Олег Игоревич засмеялся:

— Браво, дорогая, какое тонкое чувство юмора, редко кто из милых дам способен шутить на тему возраста.

Его приятное круглое лицо просто лучилось добротой, карие глаза смотрели ласково, от уголков век бежали в разные стороны лучики морщинок, и пахло от доктора дорогим одеколоном, но не сильно, а только чуть-чуть, этакий легкий намек на аромат. Весь вид Олега Игоревича словно говорил: «Меня не надо бояться, успокойся и расскажи все, что с тобой приключилось, обязательно помогу».

Ни за что бы не поверила, что такой человек способен хладнокровно отправить на искусственные роды женщину, чтобы убить вполне здорового младенца. Интересно, сколько ему заплатил этот Николай? А может, Оксана ошиблась, и доктора в консультации зовут как-то иначе? Олег Игоревич производил самое приятное впечатление. Я, войдя в кабинет и обнаружив там такого врача, мигом бы прониклась к нему расположением.

— Дашенька, — продолжал улыбаться Олег Игоревич, — будь другом, возьми сама контейнеры, видишь, один сегодня тут пашу, Катюшка моя заболела.

— Конечно, конечно, только где?

— А вот толкни эту дверку, за ней комната с холодильником, оттуда и достань.

— Все?

— Их там только два, — ответил Олег Игоревич и принялся быстро-быстро писать что-то в лежащей перед ним толстой истории болезни.

Я послушно пошлепала в указанном направлении. За дверкой и впрямь имелась небольшая комната с узким окном. Все, что в ней было, — это кушетка, прикрытая не слишком чистой простынкой, круглая белая табуретка и старенький, громко тарахтящий холодильник. Я распахнула рефрижератор и обнаружила в нем два термоса с синими крышками. Вынув их, услышала, как стукнула дверь и раздался визгливый крик:

— Нетушки, так не пойдет! Лохануть меня решили?!

— Люба, — сердито сказал Олег Игоревич, — сейчас же замолчи.

— А ты мне рот не затыкай! — завопила грубиянка. — Ишь чего придумали! Ты что, полагал, я у ей не спрошу? Почему Вальке Колосковой тысячу долларов дали, а мне только пятьсот?

— Люба! Замолчи и выйди. Поговорим, когда прием закончится!

— Еще чего, чтобы я тут сидела? Нет уж, отдавай мои бабки. Ежели теперь по тысяче платят, то и мне столько выкладывай!

— Люба, — каменным голосом оповестил Олег Игоревич, — мы не одни!

— Чегой-то никого не вижу, кроме тараканов! — взвизгнула хулиганка. — Не боишься, что в милицию побегу, а? Так и знай, ты у меня со своей наукой гребаной в кармане сидишь. Только стукну, мигом повяжут. Давай пятьсот баксов!

— Дашенька, — заорал доктор, — что так долго?

Я быстро впихнула контейнеры назад и крикнула:

— Холодильник не могу открыть: дергаю, дергаю — и ничего.

— Там кнопочка посередине на ручке, нажать надо.

Через пару секунд я возникла в кабинете. Олег Игоревич по-прежнему сидел за столом. Напротив него стояла женщина со злым, раскрасневшимся лицом и с растрепанными, не слишком чистыми волосами. Я мигом узнала скандалистку. Та самая тетка, ухитряющаяся постоянно беременеть, наглая Люба Ракитина, чуть было не затеявшая вчера драку со мной возле кабинета. Увидав меня, бабища поджала губы.

— Иди, Дашенька, — нежно улыбнулся Олег Игоревич, — ступай к Оресту Львовичу, да смотри не урони ничего по дороге. Там пробирочки, еще побьются ненароком, а у тебя из зарплаты вычтут!

Я сделала испуганное лицо и вышла в коридор. И как теперь поступить? Контейнеры следует быстренько отнести Оресту, я не могу стоять тут с ними, поджидая, пока Люба Ракитина выйдет из кабинета.

Почти бегом я кинулась в лабораторию. Авось успею! Правда, по дороге притормозила и как следует оглядела свою ношу. Открыть термосы не представлялось возможным: они опять были тщательно заперты на крохотные висячие замочки, вроде тех, на которые закрывают чемоданы.

Ореста Львовича в лаборатории не было. Я сунула принесенное в холод и пошла к выходу.

— Ты куда? — сурово поинтересовалась неприветливая Регина. — Работы полно. Сейчас крем раскладывать надо.

— В туалет.

— Только ненадолго, — нахмурилась девица, — рабочий день идет.

Надо же, какая противная. Вдруг у меня больной желудок? И вообще, ее самой вчера не было. Значит, Регине можно прогуливать, а бедной лаборантке и в сортир выскочить нельзя? Ну и порядочки тут.

Пронесясь бегом через подвал, я подлетела к кабинету Олега Игоревича и позвонила.

— Кто?

— От Ореста Львовича.

— Что случилось? — удивился гинеколог, увидав меня на пороге.

— Простите, очки тут у вас не оставляла? — поинтересовалась я, оглядывая кабинет.

Так, похоже, опоздала. Любы Ракитиной нет. Перед столом сидит молодая, интересная девушка, на руке у нее манжетка тонометра. Я помешала доктору измерять давление.

— Нет, — ответил Олег Игоревич и улыбнулся, — плохо быть растеряхой.

Я вышла в коридор. Где теперь искать эту Любу? Очень хочется с ней поболтать. Интересно, за какие услуги платит врач противной тетке по пятьсот долларов? И за что неведомая мне Валька Колоскова получила аж целую тысячу?

И тут меня вдруг осенило. Если эта особа регулярно посещает консультацию, значит, в регистратуре должна быть ее карточка. А что там указано на первой странице? Правильно, адрес!

Вдохновленная этой замечательной мыслью, я опять постучалась в дверь, за которой работала Анюта. Медсестра сразу высунулась.

— Чего тебе?

— Прикинь, какая штука вышла, — тихо сказала я, — пошла в туалет, а там эта Люба Ракитина губы красит...

— И что?

— Ну поставила на подоконник свою сумочку, зашла в кабинку, а когда вышла, гляжу, нету моего ридикюльчика.

— Сперла! — всплеснула руками Анюта. — Ну ты и раззява! Разве можно сумочку где попало бросать?!

Я горестно вздохнула:

— Да уж, сглупила. Слушай, помоги, а?

— Как?

— Спроси в регистратуре ее адрес, будь другом, мне они вряд ли скажут. А я сбегаю к воровке домой, может, успею деньги вернуть.

— Пошли, — вздохнула Анюта, — надо же тебя выручить! Ну ты хороша, побежала в общий туалет! Там грязища и бумаги нет. Надо вон туда идти.

— Но там же табличка «Инфекция, бокс».

— Простота, — усмехнулась Анюта, — на таких, как ты, и рассчитано: за дверкой самый обычный туалет, но чистый, поняла? Для своих.

Через десять минут я держала в руках бумажку с адресом — проезд Ковальчука, дом 9, квартира 12.

Обрадованная, я поскакала к себе в лабораторию, где мгновенно получила выговор от Регины:

— Сколько можно шляться? Ты решила весь рабочий день в сортире провести? Между прочим, получаешь деньги!

Я посмотрела на ее злое лицо. Странное дело — черты правильные, аккуратный носик, довольно большие глаза, красиво очерченный рот, но никакого обаяния. Регина скорей отталкивает, чем привлекает внимание. И я бы на ее месте распустила идиотский пучок. Похоже, у нее красивые волосы, зачем она себя уродует? Локоны, падающие на плечи, явно украсят девушку.

— Ну что стала столбом? — резко осведомилась Регина и пошла к холодильнику, бормоча по дороге: — Господи, как идиотка, так обязательно к нам, прямо наказанье. На банку, раскладывай. Помнишь, что вчера делала? Сообразишь, как поступить?

Я молча принялась зачерпывать светло-желтую массу. Нет, глубоко ошибалась. Никакие роскошные вьющиеся волосы не украсят Регину, уж больно она злобная!

Потом мои мысли обратились к крему. Очень хотелось помазать им шею и лицо. Но мою физиономию покрывал густой слой вульгарной косметики, а под воротничок платья подлезть очень трудно.

Остаток дня прошел отвратительно. Я мыла и убирала в лаборатории. Регина поручила разобрать огромный шкаф, до отказа забитый черт-те чем. Где-то в полседьмого явился Орест с красным чемоданом, похоже, пластмассовым.

— Можешь быть свободна, — сказал он мне.

— А как же, ну...

— Что?

— Надо же к этой Анне Константиновне, с отчетом...

— Не надо, — усмехнулся Орест, — она тут больше не работает.

— Да ну? — скорчила я рожу дебилки. — Уволилась?

Регина фыркнула. Орест Львович строго посмотрел на нее и сказал:

— У нас горе!

— Да уж, — не утерпела девица, — горше некуда, прямо беда.

— У нас горе! — повысил тон начальник. — Анна Константиновна вчера вечером скоропостижно скончалась от инфаркта. Ты разве не ходила в столовую? Не видела там траурное извещение?

— У меня не было времени пообедать, — наябедничала я, — велели шкаф до вечера в порядок привести, только его, похоже, лет сто никто не трогал. Вона, гляньте...

И я сунула Оресту под нос газету за 1985 год.

— С полки сняла! Когда же тут в последний раз разбирались?

— Хорошо, хорошо, — отмахнулся Орест, — ступай поэтому пораньше домой.

— Между прочим, — закапала ядом Регина, — Дарья на работу сегодня опоздала.

— Ступай, — почти вытолкал меня за дверь Орест.

Мне не понравилось, как он настойчиво пытался избавиться от лаборантки. Поэтому, громко хлопнув дверью, я тут же аккуратненько приоткрыла ее и приникла ухом к щелке.

— Регина, — с укоризной сказал Орест, — ты опять издевалась над лаборанткой?

— Она — идиотка, — спокойно ответила девушка, — полная кретинка с хроническим насморком. Стояла тут с раскрытым ртом и сопела, пока крем раскладывала. Чуть по башке ей не дала.

— Во-первых, умный человек не пойдет на такую работу, — спокойно пояснил начальник, — а во-вторых, зачем нам тут светоч разума, а? Тебе мало неприятностей было? Эта сволочь сюда все время шпионов подсылала! Она и Дашку хотела за нами наблюдать поставить, только эта дурочка жадной очень оказалась, а может, действительно решила благодарность проявить. Впрочем, нам теперь все равно: грымза, слава богу, сыграла в ящик. А тебя очень прошу, если не хочешь сама в грязи возиться, прекрати над теткой издеваться. Она не самый плохой вариант. Не пьет, моет себе спокойненько, особо не тараторит.

Регина не успела ничего ответить, потому что зазвонил телефон.

— Да, — сказал Орест, потом, помолчав, добавил: — А чего ты мне это рассказываешь? Наше дело — наука, а твое — с бабами вожжаться. Только вот что, Олег, ежели желаешь знать мое мнение на этот счет, тщательно подбирай источники, да и платить им надо нормально и уж всем одинаково.

Вновь повисла тишина.

— Тогда другое дело, — сообщил Орест и, очевидно, повесил трубку.

— Что случилось? — поинтересовалась Регина.

— Не бери в голову, — ответил начальник, — источник один дурака валять начал, но с ним разберутся. Наш Леня шутить не любит.

— Да уж, — отозвалась девушка, — не хотела бы я поругаться с Леонидом Георгиевичем и Яковом Федоровичем.

— И не надо, — засмеялся Орест, — ладно, садись ампулы запаивать, их надо сегодня во что бы то ни стало Якову отдать.

— Боже, терпеть не могу возиться с горелкой, — взвыла Регина, — давай завтра эту дуру обучим, пусть паяет.

— Нет, — строго ответил Орест, — разольет еще, представляешь, сколько денег потеряем.

Послышался тихий мерный гул и аккуратное позвякиванье. Я подождала пару минут и ушла.

ГЛАВА 19

Часы показывали семь. В машине я вытащила атлас и стала искать проезд Ковальчука. Обнаружился он неожиданно в самом центре, шел перпендикулярно Тверской. Тяжело вздохнув, я быстренько переоделась и поехала к Любе Ракитиной. Сейчас предложу ей денег и вытряхну из грубой, но жадной тетки всю информацию.

Дом, в котором должна была проживать Люба, выглядел солидно: не слишком новый, но и не старый, построен из светлого кирпича. Подъезд украшал домофон. Я набрала 12 и услышала звонкое:

— Открываю.

Замок щелкнул. Беспечная хозяйка даже не поинтересовалась, кто к ней пришел. Я шагнула в подъезд и ощутила легкое недоумение. Люба Ракитина одевалась более чем просто. В прошлый раз на ней красовались не слишком чистые черные брюки и вытянутый пуловер. Сегодня — кожаная черная юбка, слишком короткая для ее возраста, и жуткая обтягивающая фигуру темно-красная кофта, купленная, скорей всего, на барахолке. Трудно было предположить, что она живет в подобном доме.

В подъезде восседала за столиком пожилая женщина. В отличие от безалаберной Ракитиной она проявила бдительность:

— Вы к кому?

— В двенадцатую.

Консьержка потеряла ко мне всякий интерес.

Я доехала на лифте до четвертого этажа и, едва двери распахнулись, услыхала:

— Чего это ты на целый час раньше прискакала?

Я вышла на лестничную клетку. Высокая рыжеволосая дама, стоявшая в проеме открытой двери, попятилась.

— Простите, думала, массажистка ко мне идет.

— Нет, — улыбнулась я, — извините за беспокойство, мне нужна Люба Ракитина.

— О боже, — простонала хозяйка, мигом меняясь в лице. — Опять! Эта дрянь вновь дает прежний адрес.

Вымолвив последнюю фразу, она накинулась на меня чуть ли не с кулаками:

— Сами виноваты, небось видели, с кем дело имеете! Да у нее на лице стоит штамп — «подлая баба», вот и разбирайтесь без нас.

— Простите, Люба тут не живет?

— Нет, — проорала дама, теряя всю интеллигентность и элегантность, — нет!

— Не подскажете, где ее искать?

— Понятия не имею, уходите, — затопала стройными ножками, обутыми в красненькие домашние тапочки, нервная особа, — убирайтесь и не смейте сюда больше ходить! Слышите? Никогда!

— Но...

— Сейчас милицию вызову, — пригрозила злобно хозяйка и захлопнула дверь.

Я уставилась на красивую, обитую розоватожелтоватой кожей дверь. Интересно, чем так досадила Люба Ракитина этой особе? И как мне теперь поступить? Внезапно дверь соседней квартиры, совсем простая, деревянная, с обивкой из черного дерматина, приоткрылась, и на площадку вышла старушка. Маленькая, аккуратная, совершенно непохожая на российских бабушек.

К сожалению, наши женщины, едва перешагнув пятидесятилетний рубеж, мигом записываются в старухи. Начинают носить одежду темных тонов, не следят за модой, перестают ходить в парикмахерскую и выбрасывают помаду сочных оттенков. Этим они коренным образом отличаются от своих ровесниц-парижанок. «Чем старше женщина, тем короче юбка и выше каблуки», — заявила как-то бессмертная Коко Шанель. Но ей были свойственны экстремальные точки зрения. Однако в словах гениальной Коко, несомненно, была доля правды: французские дамы пятидесяти, шестидесяти и даже семидесяти лет не выглядят развалинами. Все они щеголяют в светлом. Розовое, голубое, нежно-зеленое — именно такие тона носят парижанки, перешагнув пенсионный возраст. При этом все они подстрижены и причесаны по последней моде, а на руках у них маникюр. Теплыми летними вечерами в многочисленных парижских кафе их можно встретить десятками. Разноцветными стайками сидят за столиками, пьют кофе, лакомятся пирожными и сплетничают, всем своим видом демонстрируя, старость — это еще не вечер. Впрочем, жизнь в Париже легче, чем в Москве: пенсии вполне достаточно для безбедного существования, а с внуками там сидеть не принято.

— Увольте, — морщит нос свекровь моей подруги Антуанетты, когда та робко просит маман приглядеть за Полем, пока она сбегает за булочками, — это твой сын, я своего уже воспитала, если желаешь таскаться по лавкам, найми няню.

Дама, вышедшая из своей квартиры, выглядит точь-в-точь, как свекровь Антуанетты. Сухонькая, маленькая, в ярко-голубом свитере и черных бархатных брючках.

— Вы ищете Любу Ракитину? — спросила она.

Я кивнула:

— У меня был записан этот адрес, пришла, а хозяйка квартиры такая неприветливая.

— А зачем вам Люба? — продолжала любопытствовать бабуся.

Я уже хотела было соврать, что работаю в поликлинике врачом, но тут бабушка продолжила:

— Небось тоже денег ей в долг дали?

Я кивнула.

— Если не секрет, сколько?

— Три тысячи.

— Ох, милая, плакали твои денежки, — запричитала старушечка, — заходи скорей. Меня Евгения Львовна зовут, а тебя как?

— Даша, — ответила я, протискиваясь в холл, забитый мебелью.

Одних только секретеров тут стояло три штуки. А еще комод, вешалка, шкаф и какие-то изогнутые непонятные штуки, похожие на кресла без спинок или на пуфики с ручками.

— Садись, — подтолкнула меня к одному из них Евгения Львовна. — Зачем же такую прорву денег давала? Неужели не видела, с кем дело имеешь?

Я вздохнула.

— Она казалась очень приличной, паспорт показала с пропиской. Всего-то и просила на месяц.

— Э, милая, — усмехнулась Евгения Львовна, — аферистка она. Вот на тебя сейчас Ниночка налетела...

— Кто?

— Ну Нина, из двенадцатой квартиры.

— Очень нервная женщина!

— Сама посуди, каково ей приходится. К ней уже добрый десяток человек приходили Любку искать. И все поголовно твердят: «Где деньги?» Ей тут такие сцены закатывают! Один мужик дверь бритвой изрезал, другой милицию вызвал и вопил: «Немедленно арестуйте ее за мошенничество».

Я тяжело вздохнула:

— Одно слабое утешение: не одна я такая дура, что Ракитиной поверила.

— И, милая, — усмехнулась Евгения Львовна, — тут полподъезда таких. Люба-то квартиру эту продала. После смерти матери она сильно нуждалась, вот и пошла на такой шаг. Никому ни слова не сказала. А в день отъезда прошлась по подъезду да и настреляла у людей денег. Понемногу, правда, но небось хорошая сумма получилась. У меня вот не попросила, наверное, все же совесть имеет. Мы с ее матерью дружили, в гости друг к другу по-соседски бегали, вот и решила меня, старую, не лопоушить. За что я ей благодарна.

— Вот беда, — пробормотала я, — где же ее теперь искать?

— Замужем ты? — вдруг полюбопытствовала старушка.

— В разводе.

— И детки небось есть?

— Двое, — вздохнула я, — мальчик и девочка.

Вот ведь какая интересная вещь получается. Сказала абсолютную правду: я действительно не имею супруга, и двое отпрысков налицо. И вот, услыхав эту информацию, Евгения Львовна тут же решила, что перед ней тетка, с трудом поднимающая в одиночку ребят, и сочувственно улыбнулась. Давно поняла: собеседнику нужно дать о себе лишь самые краткие сведения, остальное он додумает сам.

— Вот что, — пробормотала бабуся, — еще полгода тому назад Люба жила в Крылатском. Пиши адрес. Но не знаю, там она сейчас или уехала.

— Спасибо, — чуть не закричала я от радости, — ну какое огромное, невероятное спасибо!

— Ладно уж, — отмахнулась Евгения Львовна, — в другой раз думай, с кем дело имеешь!

Я выскочила на улицу и обнаружила, что в «Пежо» буквально разрывается мобильный.

— Зачем покупать сотовый, если ты не отвечаешь на звонки? — гневно заорала Замощина. — Ну-ка скажи, который час?

— Можно сто набрать, — не утерпела я, — быстрей узнаешь.

— Мне желательно от тебя это услышать!

— Ну, половина девятого, а что?

— То, что ты должна была в семь забрать нас с Масиком из Измайлова, куда переехала выставка.

— Я?!

— Кто же еще? Моя машина на приколе, а детки твои жутко нелюбезные, прямо так и заявляют: «Мы работаем, нам некогда». Между прочим, отсюда до Ложкина всю тысячу рублей запросят. Мы уже устали, есть хотим, ну сколько можно...

Она зудела и зудела, как жирная осенняя муха. Тяжело вздохнув, я развернулась и порулила за Риткой. Меньше всего мне хотелось двигаться в этом направлении, куда более интересно было бы отправиться в Крылатское. Но, проклиная себя за мягкотелость, я подъехала в полдесятого ко входу в парк.

Ритка стояла там, держа в руках перевозку. Всю дорогу до Ложкина она ругала меня всеми известными ей плохими словами. Спать я отправилась без ужина — мне не хотелось сидеть за одним столом с Замощиной. Поэтому шлепнулась на кровать и тут же заснула.

По широкой дороге, покрытой ровным слоем сухой пыли, мирно брела большая, явно бездомная собака. Солнце нещадно палило с неба, и по спине у меня тек пот. Руки оттягивали три тяжеленные сумки, доверху набитые продуктами. Ноги, обутые в неудобные туфли на шпильках, все время спотыкались; узкая короткая юбка мешала делать большие шаги; тоненькая нейлоновая блузочка противно липла к телу, во рту пересохло. Я поставила сумки прямо в пыль, вытащила из кармана сигареты «Пегас» и с тоской принялась чиркать ломающимися спичками по коробку. «Пегас» — отвратительное курево, кислое. Сигареты не просушены, набиты неаккуратно, но своих любимых «БТ» я не достала, в ларьке лежала «Ява», но производства фабрики «Дукат», а всем известно, что ее следует брать только, когда она «явская». Зато повезло в другом: случайно нарыла бананы, правда, они зеленые и стоять за ними пришлось два часа, поэтому я опоздала на автобус и прусь пехом до деревеньки Глебово, где меня поджидает на съемной даче пятилетний Аркашка. Кому бы сказать, как я устала, как хочется лечь прямо у дороги и заснуть. Вставать, чтобы успеть с дачи на работу, приходится в пять утра. Но ребенок не может жить летом в душном городе. Давай, Дашутка, ноги в руки, и бегом, тут всего-то пять километров.

Собака поравнялась со мной, подняла большую, покрытую клочкастой шерстью морду, нагло ухмыльнулась и хрипло спросила:

— Слышь, Дарья, знаешь, почему ты вновь оказалась на этой проклятой дороге в Глебово? Знаешь, почему больше нет ни «Пежо», ни Ложкина?

— Нет, — ответила я, совершенно не удивляясь тому, что мне встретилась говорящая собака, — понятия не имею.

— А зачем ты убила моих нерожденных детей, чтобы сделать себе крем для лица? — осведомилась дворняга и бешено захохотала.

Ее морда, черная, с большим блестящим носом

и выпуклыми карими глазами, внезапно удлинилась, побелела и превратилась в лицо Регины.

— Убить тебя мало, почему ты крем взяла?

Я тщетно пыталась найти нужные слова. Внезапно картинка исчезла, воцарилась темнота, сквозь которую прорвался крик.

— Боже ты мой! Господи, ну как же это, что же делать, о-о-о-о?!

Я села и включила лампу. Слава богу, это всего лишь сон. Впрочем, когда-то я впрямь бегала по той дороге, радуясь случайно приобретенным бананам. Первый раз Кеша увидел их, когда ему было лет пять. Я не успела объяснить ему, что к чему, просто поставила сумки на терраске и кинулась во двор к рукомойнику. А когда пришла назад, увидела отплевывавшегося ребенка. Он не знал, что бананы следует чистить, и начал есть их с кожурой. Как хорошо, что это сон! Я не хочу возвращаться на ту дорогу и в ту деревню, где не было магистрального газа, воды и теплого туалета, а на робкую просьбу протопить печь хозяйка, кстати, взявшая за свою халупу немалые по тем временам деньги, целых триста рублей, сурово отвечала:

— Летом кто ж топит? Хочешь жары, езжай в Ташкент.

— О-о-о, — понеслось из коридора, — помогите, ну помогите же!

А вот это уже явно не сон! Быстро накинув халат, я выскочила в коридор и попятилась. Может, все еще сплю и вижу кошмар?

По коридору, горько рыдая, шла совершенно лысая незнакомая мне женщина, прижимавшая к груди абсолютно голого младенца.

— Вот, — кричала, — вот, что получилось, сыночек любимый, мальчик мой, котик...

Через секунду я сообразила, что у лысой тетки в

руках не ребенок, а нечто, напоминающее ободранную тушку кролика. Но самое удивительное, что эта тушка довольно бодро вертела головой с треугольными ушами. Тут наконец до меня дошло, что это кошка, породы сфинкс, без шерсти. Животное, похожее на инопланетное чудовище. Но откуда оно у нас, а? И кто эта тетка в таком знакомом мне фиолетовом халате? Вроде бы у Зайки есть похожий.

— А-а-а, — в голос плакала баба, — а-а-а.

— Здравствуйте, — на всякий случай сказала я, — очень приятно познакомиться, Даша. Может быть, могу чем-нибудь помочь?

— Пошла ты на... — простонала незнакомка, — еще и издевается! Не узнала меня?

— Мы знакомы?

— О-о-о, — вновь завопила тетка.

Тут наконец захлопали двери, и в коридор начали выходить домашние в разной степени раздетости. На их лицах было выражение глубочайшего недоумения. Первой, как всегда, опомнилась Машка.

— Тетя Рита, — вежливо спросила она, — а зачем ты побрилась?

— Рита? — закричала я. — Это ты? Господи, что случилось? Вызывайте срочно «Скорую»! Какой кошмар, ты заболела?

— Не знаю, — прошептала Замощина, — самочувствие нормальное, вот только волосы...

— Похоже на лучевую болезнь, — серьезно заявила Маня. — Ты в Чернобыль не ездила?

— Не неси чушь, — дернула Зайка Маруську.

Но ту не так-то легко остановить.

— А еще подобное случается с теми, кому колют химию, — продолжила девочка. — Ты никакие лекарства не ела?

— Где ты взяла сфинкса и куда подевался Масик? — влезла я.

— Это он, — прошептала Замощина и стиснула голое чудище.

— Масик? — изумился Аркашка. — Но он же был такой пушистенький, черненький...

— Делать-то чего? — взвыла Ритка. — Хотела как лучше, столько денег отдала.

— Так, — раздался спокойный голос полковника, — главное, все живы. Рита, успокойся и объясни толком, что случилось?

— Не знаю, — прошептала Замощина, — легли с Масиком спать, все было хорошо. Проснулась вдруг и вижу: кот лежит лысый, а то, что было его шубой, рассыпано по кровати. Ну а уж когда себя увидала, прямо жуть взяла. У меня волосы на всем теле выпали. Во, гляньте: ни бровей, ни ресниц.

Аркадий хихикнул. Зайка строго глянула на мужа:

— Что смешного ты нашел в этой ситуации?

Кеша поднял руки вверх:

— Все, все, молчу!

Потом он не утерпел и добавил:

— Просто подумал, сколько денег Рита сэкономит на эпиляции.

Услыхав это заявление, Маня прыснула, а я разозлилась и уже собралась отругать Кешу, но тут Дегтярев с милицейской настойчивостью повторил:

— Что случилось?

— Не знаю.

— Хорошо, — не сдавался Александр Михайлович, — поставим вопрос по-другому. За что ты отдала много денег?

— За лекарство.

— Какое?

— Для шерстистости, — всхлипнула Рита.

— Чьей? — настаивал полковник.

— Масиковой! — взвизгнула Ритуська, и тут ее словно прорвало, слова полились бурным потоком.

Я буквально разинула рот. Конечно, знала, что интеллектом Замощина не блещет. Есть у нее кое-что более выдающееся — бюст, например, или красивые длинные ноги... Но то, что она такая дура, мне даже в голову не могло прийти.

Позавчера на выставке Масику ничего не досталось, даже самой завалященькой «розетки». А председательница жюри вновь завела речь о шерстистости. Ритка почувствовала себя крайне несчастной. Вокруг стояли владельцы других животных, и никому противная тетка не сказала ни одного плохого слова. Вся критика прозвучала в адрес Масика.

— Шерсть слабая, пересушенная, без жизненной силы, — вещала противная рефери, — явные следы перхоти, окрас неровный. Такое животное следует сначала пролечить, а уж потом приводить на выставку. Вот, — ткнула она пальцем в сторону вечного соперника Масика, кота Гали Казанкиной, — вот образцово-показательная шерсть!

Ритка чуть не зарыдала, глядя на торжествующую улыбку Казанкиной и на гадкую ухмылку ее кота, на клетке которого покачивалась целая гроздь бантов, лент и «розеток».

Потом толпа рассосалась. Глотая слезы, Ритка стала укладывать Масика в перевозку. Кот, всегда приветливый, вдруг занервничал, выпустил когти и оцарапал хозяйку. Замощина почувствовала себя совершенно несчастной.

— Послушайте, — раздалось за спиной.

Рядом с Риткой стояла тоненькая женщина, вернее девушка, с роскошной копной огненно-рыжих волос.

— Извините, но слышала, у вас проблемы с шерстью?

— Мой кот, похоже, лысеет, — вздохнула Рита, — ума не приложу, в чем дело.

— Беде легко помочь!

— Как?

— Гляньте на моего котика.

Рита бросила взгляд на перевозку этой девушки и не удержала завистливого вздоха. Внутри сидел огромный лоснящийся котяра, шуба которого походила на мех сытой лисы: гладкая, сверкающая, даже на глаз было видно, какая она густая.

— Нравится?

— Да.

— Неделю назад Ральф был такой. — И девушка, тряхнув восхитительными кудрями, достала фотографию.

Ритка удивленно вздернула бровь. На снимке был запечатлен ободранный, клочкастый перс с полулысой головой.

— Хотите помогу вам? Из чистого человеколюбия?

— Пожалуйста, — заломила Ритка руки, — умоляю.

— Только дорого!

— Сколько угодно!

— Саня, — крикнула девица, — у тебя есть «Норсол»?

— Только для своих, ты же знаешь, — недовольно пробурчал, подходя к ним, толстый парень, — мы им не торгуем.

— Вот, — торжественно заявила девица Рите, — знакомьтесь, это Саня. Работает в НИИ, они там это лекарство придумали. Кстати, всем помогает. У меня еще десять дней назад, как у вас, волос почти не было, буквально три волосины торчали. А теперь, гляньте, что выросло?

И она затрясла спутанной копной. Ритка, пропустив мимо ушей гадкие слова о своих кудрях, взмолилась:

— Пожалуйста, продайте. Заплачу, сколько угодно.

— Пятьсот баксов.

У Ритки с собой было только триста, и она принялась носиться по выставке, выискивая знакомых, способных дать в долг валюту до завтра. Наконец нужная сумма была собрана. В обмен на нее Ритулька получила коробочку с ампулами, в которых плескалась нежно-розовая жидкость.

— Утром и вечером подливайте коту в еду, — велел Саша, пряча хрусткие бумажки.

— Да про себя не забывай, — посоветовала девица и снова тряхнула кудрями.

Обрадованная Ритуля не стала откладывать начало лечения. Сначала «угостила» Масика, а потом и сама выпила слабосоленый на вкус раствор. Вчера они тоже исправно приняли лекарство три раза. Правда, Саня и девица с пышной гривой волос говорили, что зелье нужно пить два раза в день, но Замощина решила добиться эффекта поскорей. А потом случилось то, что случилось!

— Ну и дура ты, — не выдержал Кеша, — разве можно вот так неизвестно что глотать!

Ритка надулась и сообщила:

— Все Дашка виновата, не достала «Бурмиль».

— И хорошо, что не сумела, — вздохнула я, — может, от него твой Масик совсем бы копыта отбросил.

— Типун тебе на язык! — взвилась Рита. — Да...

— Молчать, — рявкнул Дегтярев, — слушать меня! Уже один раз сделала по-своему, результат получился сногсшибательный, теперь послушай умного человека. Развели тебя, Замощина, как лохушку. Взяли на гоп.

— На что? — всхлипнула Рита.

— Обманули!

— Ну спасибо, — вызверилась Замощина, — без тебя поняла! Если бы наша милиция хорошо работала, то и мошенников бы не существовало!

В этой фразе вся Замощина. Нет бы себя винить за глупость!

— Бедный Масик, — причитала Ритка, — он теперь все время трясется, еще заболеет, и как мне жить с такой головой?

— Знаю! — заорала Маня и унеслась.

— Масика надо положить в коробку к Черри, — посоветовала Зайка, — там полно собачат, котят, вот ему и станет тепло.

— Мой Масик ни за что не будет лежать рядом с вашей противной пуделихой, — ответила Замощина.

Но я быстренько выхватила у нее дрожавшего мелкой дрожью «сфинкса», бегом понеслась к собачьему ящику и пихнула несчастного кота в шевелящуюся гущу разноцветных комочков. Черри даже ухом не повела. Пуделята, мопсята, котята, а теперь еще и лысое нечто подсовывают. Всем своим видом собака выражала полное смирение: делайте, что хотите, мне уже все равно.

Еще больше удивил меня сам Масик. Всегда сердито шипевший и вздыбливавший шерсть при виде наших собак, он быстренько закопался в груду детенышей и заурчал. Очень довольная таким положением вещей, я побежала назад и застала дивную картину. Радостная Маруся трясет перед Ритой ярко-голубым, сильно завитым париком.

— Вот, надевай, никто и не догадается, что ты лысая. Я в нем Мальвину играла.

Багровая от злости Рита только молча открывала и закрывала рот.

— Ты издеваешься, — наконец прошипела она.

— Нет, — растерянно ответила Маня.

Понимая, что сейчас разгорится дикий скандал, я хотела было вмешаться, но тут Зайка заявила:

— Все, хватит, уже четыре утра, неплохо бы немного поспать. Слава богу, угрозы для жизни нет. Завтра купим тебе парик!

Рита вновь принялась рыдать, я же потихоньку заползла в свою спальню и совершила то, чего никогда не делаю: заперла дверь изнутри. Сил объясняться с Замощиной у меня больше не было.

ГЛАВА 20

На работе я до обеда разбирала шкаф. Но ровно в час отложила тряпку и сообщила Регине:

— У меня шестьдесят минут отдыха!

Та скорчила противную мину:

— И чего?

— Есть пойду.

— В столовую?

— Нет, мне там дорого, схожу в магазин, куплю сырок и вернусь.

Регина постучала пальцем по циферблату:

— Смотри не опаздывай.

Но мне надоело подчиняться ей, и я фыркнула:

— Наемся и приду, никуда этот шкаф не убежит, его почти двадцать лет в порядок не приводили!

Регина зыркнула в мою сторону, но ничего не сказала. Зато Орест Львович мигом сообщил:

— Назад можешь не возвращаться, на сегодня все. Ты будешь нужна только завтра.

— Вот спасибо, — искренне обрадовалась я.

— Только сначала сходи на третий этаж и возьми у секретарши Якова Федоровича пакет для нас.

Я кивнула и пошла в указанном направлении. Сидевшая в крохотном предбанничке дама лет пя-

тидесяти, старательно пытавшаяся казаться тридца-
тилетней, протянула мне пакет. Я пошла вниз, но
по дороге засунула нос внутрь полиэтиленового
мешка. Ничего особенного, пустые пластмассовые
баночки с этикетками «Маркус». Дневной крем от
морщин, маска для сухой кожи и питательное мо-
лочко. Я покачала головой. А Орест Львович-то —
жуткий лгунишка. Мне он сообщил, будто пустую
тару поставляет муж Регины, а на самом деле ее дает
Яков Федорович! Нет бы мне сразу догадаться, что
у такой противной бабы и мужа-то никакого, должно быть, нет.

В Крылатское я примчалась к трем. Дом Любы
высился огромным бетонным прямоугольником
напротив четырех толстых труб, из которых валил
разноцветный дым. Дивное местечко, экологически
чистое и тихое, учитывая, что в двух шагах шумит
многоголосая толкучка. Я въехала в арку, с трудом
припарковалась между двумя разбитыми «Жигуля-
ми», вошла в подъезд, поднялась на семнадцатый
этаж и остановилась возле двери, утыканной звон-
ками. Очевидно, жильцы отгородились от посторонних дополнительной дверью.

Я старательно нажимала и нажимала на кнопочку, но безрезультатно. Впрочем, может, Люба на
работе? В полной растерянности я села на подоконник и закурила, но тут дверь приоткрылась, и высунулась женщина с болезненно-бледным лицом.

— Простите, — тихо осведомилась она, — это
вы сейчас к Любе звонили.

— Да, — обрадовалась я тому, что кто-то от-
кликнулся, — вы ее сестра?

— Нет, соседка, — ответила тетка, — Валя Колоскова. У нас в квартире слышно, когда к Любе
звонят. У меня муж очень болен, только-только ус-
нул, а тут вы...

— Бога ради, простите, не знала, что здесь такая слышимость, и совершенно не желала причинить вашему супругу неудобство, — вежливо ответила я.

— Оно понятно, — вздохнула Валя.

Внезапно меня будто током ударило: Валя Колоскова! Именно эти имя и фамилию упоминала Люба, крича на Олега Игоревича: «Почему Вальке Колосковой тысячу долларов дали, а мне пятьсот?»

Что ж, удача сама плывет ко мне в руки, грех не воспользоваться, главное, найти подход к этой бабе. Похоже, она не злая и не хулиганка, как Ракитина. Вон какое у нее простое усталое лицо, да и в глазах нет никакой стервозности. Кажется, Валя из тех людей, которые постоянно жалуются на жизнь. Уголки ее рта загибаются вниз, на лбу виднеются довольно глубокие поперечные морщины. Такие появляются, когда человек, подняв брови, начинает причитать:

— Господи, ну за что мне такая жизнь?!

— Значит, вы соседка Любы?

— Да.

— Не подскажете, где она?

Колоскова секундочку помолчала:

— Вы ей кто?

— Родственница, очень, очень дальняя, можно сказать, один раз за всю жизнь и встречались, — принялась я сочинять, — моя бабушка была сестрой двоюродного брата второй жены первого мужа Любиной матери, понятно?

Валя обалдело кивнула:

— Ну, в общем, да...

— В Москве проездом, — бодро неслась я дальше, — только на два денечка, вот и решила, чего деньги за гостиницу отдавать, а? К Любе подъеду, уж не выгонит небось. Лучше я ей заплачу за постой.

— И сколько дать хотели? — неожиданно оживилась Валя.

— Десять долларов.

— Можете у меня остановиться, — вздохнула Валя. — Вещи-то ваши где?

— В камере хранения. Только лучше у Любы, можно у вас посидеть, ее подождать?

— Проходите, — протянула Колоскова и посторонилась.

В нос ударила смесь разных запахов: лекарств, только что выстиранного белья и кипящего супа, похоже, куриного. Мы прошли в довольно просторную кухню.

— Я не помешаю вашему больному мужу?

— У нас три комнаты, — пояснила Валя, — Слава в одной, я в другой, третья свободная, могу туда пустить за десять долларов, могу и чаем напоить за отдельную плату. Вы езжайте за вещами, не тратьте время зря, не придет Люба.

— Неужто отдыхать уехала?

— Убили ее.

— Убили?!!

— Уж извините, коли испугала, — развела руками Валя, — но все равно бы узнали.

— Как это? — бестолково забормотала я. — Кто? Почему?

— Вчера поздно вечером, в арке, — ответила Валя. — Люба — полуночница. Сколько раз я ее предупреждала: осторожней надо быть, нечего в темноте шастать, но она смеялась надо мной, обзывала глупой гусыней. И что получилось? Сегодня рано утром мусорщики за бачками приехали и нашли ее. Лежит в проходе, уже окоченела. Цепочку с шеи сорвали, сережки из ушей выдернули, сумочку отняли. За копейки убили. Ударили железной трубой по голове, проломили череп.

Она зябко поежилась. Несколько минут я молча переваривала информацию, потом сообразила, как действовать.

— Почему вы решили, что за копейки? Вдруг у нее с собой была приличная сумма?

— Откуда? — грустно ответила Валя. — Люба все время нуждалась, без конца бегала деньги одалживать. Она не работала, на бирже стояла. Первое время нормальное пособие платили, а потом оно уменьшаться стало с каждым месяцем, пока в копейки не превратилось!

Я поглядела в бледное, изможденное лицо Вали и вкрадчиво сказала:

— Нет, у нее было с собой пятьсот долларов.

— Откуда бы вам это знать? — отшатнулась Колоскова. — У бедной Любы отродясь подобных деньжищ не было.

Я погрозила ей пальцем:

— Ох, Валечка, неправду говорите. Олег Игоревич, ну тот милый доктор из роддома имени Олеко Дундича, платил Любочке большие денежки. Но вы все равно получали больше. Насколько знаю, вам дали тысячу долларов. Такая приятная цифра — единичка и три нолика.

Пару секунд Валя смотрела на меня не мигая, потом, резко покраснев, всхлипнула и тихо-тихо сползла по стене на пол.

Я подошла к мойке, набрала пригоршню воды и побрызгала хозяйке в лицо. Та раскрыла маленькие, какие-то застиранные глаза и сказала:

— Вы не Любина родственница...

— Нет.

— И не станете снимать за десять долларов комнату?

Я раскрыла кошелек и положила на стол зеленую купюру.

— Что это? — пробормотала Валя, с трудом поднимаясь на ноги.

— Сто долларов, они ваши, если ответите на пару вопросов.

Колоскова вновь покраснела, но в обморок не упала.

— Вы из милиции?

Я вытащила сигареты.

— Можно покурю?

— Да.

— Когда-нибудь встречали сотрудника правоохранительных органов, раздающего подобные банкноты?

— Не имею дел с милицией.

— Валечка, вам лучше рассказать мне, чем занимается Олег Игоревич.

— Я не совершала ничего противозаконного.

— Тем более.

Валя молчала. Я положила на стол еще одну купюру, потом третью... И тогда Колоскова дрогнула.

— Вы отдадите мне эти деньги просто за рассказ?

— Да.

— И не надо будет ничего подписывать?

— Нет.

— Ладно, — пробормотала Валентина, быстро смахивая приятные бумажки, — но ведь и впрямь ничего плохого...

— Начинайте! — велела я и выбросила недокуренную сигарету в форточку.

У Вали тяжелая жизнь. Три года назад нежданно у нее на руках оказался тяжело больной муж. Вполне здоровый мужик поехал за город с приятелями. Там они слегка выпили и решили искупаться. Валин супруг, Константин, разбежался и прыгнул с крутого берега в пруд. С трезвых глаз такая идея

вряд ли пришла бы ему в голову. Но Константин
принял на грудь грамм триста водки, и ему захотелось отличиться.

Закончилось купание сломанным позвоночни-
ком и больничной койкой. И вот сейчас Константин прикован к постели, а бедная Валечка выбива-
ется из сил, пытаясь выползти из долговой ямы.
Она любит мужа и не оставляет попыток поставить
его на ноги. Массаж, иглоукалывание, визиты экс-
трасенсов и обычных невропатологов... Все это стоит денег, причем немалых.

Валечка работает в библиотеке и получает, как
говорится, медные гроши. К тому же Константина
нельзя надолго оставлять одного, а сиделка им не
по карману. Валя наодалживала денег у приятелей,
которые сначала помогали охотно, потом не очень,
а когда поняли, что взятые суммы вернутся назад не
скоро, вообще перестали давать Вале в долг. Тогда
женщина сволокла все, что можно, в скупку, но и
этих средств хватило ненадолго.

Полгода назад к ней постучалась соседка Люба
и без всяких обиняков спросила:

— Слышь, подруга, ты мне давно пятьсот рублей должна, когда вернешь?

Валечка не выдержала и разрыдалась:

— Извини, не знаю!

Хамоватая Люба, всегда готовая начать скандал,
неожиданно проявила странную для нее приветли-
вость.

Ракитина вздохнула и спокойно продолжила:

— Понимаю, тяжело тебе, такой груз тянешь!

Валечка, пожалеть которую было некому, неожиданно вывалила на голову соседки все свои го-
рести. Она, захлебываясь, рассказала о вечной стир-
ке постельного белья, о дорогих лекарствах и вра-
чах, берущих как минимум триста рублей за визит,

о невероятных деньгах, которые она платит масса-жистке, о том, какой противный, вредный характер стал у мужа. Всегда приветливый, спокойный Константин превратился в капризное, желчное существо. По пять раз за ночь он будит жену воплем: «Поверни меня!» или «Поправь одеяло!»

Люба молча выслушала соседку. До сих пор они не были подругами, здоровались, столкнувшись возле дверей, и только. Денег у Ракитиной Валя попросила от отчаяния, честно говоря, думала, что горластая Любаша попросту пошлет ее куда подальше. Но нужно было купить очередные лекарства, денег же взять было неоткуда, вот тогда-то и толкнулась Валечка к Любе, не слишком рассчитывая на успех.

— Да уж, — пробормотала Ракитина, выслушав исповедь соседки, — нелегко тебе приходится. Сама-то здорова?

— Вроде, — всхлипнула Валя, — но на себя уж и внимания не обращаю.

— Детей у вас почему нет? — неожиданно полюбопытствовала Люба. — Неполадки у тебя какие или по другой причине.

— Три аборта сделала, — вздохнула Валечка, — Костя не хотел. А я, дура, его послушалась. Надо было по-своему поступить, сейчас бы сыночек рос или дочка, хоть какая радость.

— Ох, не скажи, — улыбнулась Люба, — порой такие получаются!.. Калининых вспомни!

Валя только вздохнула. Шумное семейство, жившее этажом ниже, состояло из вечно пьяных родителей и такого количества детей, что и сосчитать трудно. Они были настоящим проклятием подъезда. Подобных деток Колосковой иметь не хотелось.

— Может, оно к лучшему, что у тебя никого

нет, — продолжила Люба, — как бы ты сейчас справилась?

— Да уж, — вздохнула Валя.

— Я у тебя про здоровье не зря спросила, — неожиданно заявила Люба, — есть возможность заработать. Пятьсот долларов сможешь получать.

— В месяц?

— Нет, чуть реже, но регулярно, только для этого берут исключительно здоровых женщин и не болтливых. Ты как по части языка?

— Могила, — пообещала Колоскова.

— Хорошо, коли так, — пробормотала Люба, — ладно, пошли ко мне, объясню, что к чему.

Примерно через час совершенно ошарашенная Валя вернулась к себе. Было чему удивляться, Люба предложила совершенно невероятный бизнес.

— Есть один НИИ, — спокойно растолковывала она Вале, — изучают человека, ну всякие там процессы в организме беременных. Отчего, например, уроды появляются на свет и другие разные вещи, толком сама не знаю, не интересуюсь, да нам это не так уж важно. Доктор там имеется, Олег Игоревич, нормальный дядька. Хочет Нобелевскую премию отхватить, вот и роет землю носом, эмбрионы изучает.

— Что? — не поняла сразу Валя.

— Зародыши человеческие, — пояснила Люба, — только ему вечно материалов для исследований не хватает, поэтому и нанимает нас.

— Для чего? — никак не могла врубиться в суть проблемы Валечка.

Люба с жалостью посмотрела на соседку.

— Как думаешь, откуда Олег эмбрионы для изучения берет?

— Ну, — напряглась Валентина, — небось аборты бабы делают, а он изучает.

— Правильно мыслишь, — похвалила Люба. — Ты ведь на такие операции сама ходила, верно? И о чем тебя в консультации сразу предупредили?

— Чтоб долго не тянула, они лишь до двенадцати недель делают.

— Верно, — согласилась Ракитина, — только весь подобный материал давным-давно изучен, нового в науке не сказать и Нобелевскую премию не получить. Олег Игоревич работает с эмбрионами от двенадцати недель и более, а их достать трудно. Немногие идут на аборт при большом сроке, обычно успевают вовремя проделать. Хотя встречаются идиотки, но, повторяю, их мало!

— Я-то тут при чем, — недоумевала Валя, — делать чего надо? Ходить по поликлиникам и таких теток выискивать?

— Нет, — ухмыльнулась Люба, — твое дело — забеременеть, а на том сроке, который укажет Олег, сделать аборт. Не волнуйся, он долго не тянет, максимум до четырнадцатой недели, ему нужен период от трех до трех с половиной месяцев. Никто ничего не заметит, ни муж, ни соседи. Будешь получать пятьсот долларов в день операции, а еще по сто станут давать каждый месяц беременности, на питание. Олегу нужны здоровые эмбрионы от положительных женщин. Ты ведь не куришь и не пьешь?

— Нет, — помотала головой Валя, — и не начинала никогда. Только страшно закон нарушать. Нас не посадят?

Люба хрипло рассмеялась:

— Ментам больше делать нечего, как за глупыми бабами бегать. У них что, других забот нет? И потом, ничего преступного мы делать не собираемся. Аборты разрешены.

— Но срок, — слабо сопротивлялась Валечка.

— Глупости, — отмахнулась Люба, — если су-

ществует угроза жизни матери, чистку выполнят
всегда, так же поступают и в случае болезни плода.
У Олега все предусмотрено. Он карточку заполняет
и тщательно туда запись делает. Вроде как рожать
собираешься и ни о чем другом не помышляешь, а
потом, бац — выкидыш. Чего уж тут поделать! Некоторые по восемь детей теряют, пока одного ро-
дят, и никого это не волнует.

— Боязно как-то, — вздохнула Валя, — вредно
небось такое делать.

— Ерунда, — засмеялась Люба, — Олег Игоревич сам все в кабинете проворачивает, под полным
наркозом. Полежишь потом у него на кушеточке и
домой. Денежки в кармане, красота! Никакого на-
пряга! Да я тебе золотую жилу в руки даю. Как только организм позволит, опять забеременеешь, и все
по новой. Мне повезло, у меня нижний этаж, как у
кошки: через неделю опять готовая. Но даже если
ты два раза в год всего соберешься, все равно очень
выгодно выходит. Ну-ка считай, девятьсот баксов
плюс еще девятьсот. Сколько выходит, а? То-то и
оно, что почти две тысячи «зеленых»!

Валечка призадумалась: такая огромная сумма
пришлась бы очень кстати. Колоскова живо под-
считала, что она сумеет расплатиться с долгами. Но
внезапно ей в голову закралась одна мысль, и Валечка, покраснев, сказала:

— Ничего не получится.

— Это почему же? — удивилась Люба.

— Муж у меня, ну понимаешь, он же совсем болен... — пояснила Валя, — мы уже давно ничего такого, ну в общем...

Люба широко улыбнулась:

— Кто тебе про супруга говорил? Олег Игоревич и адресок даст, там Игоряша живет, зверь, а не

парень. Он все в лучшем виде устроит. Еще понравится, будешь сама бегать, раз у тебя мужик совсем никуда.

Валя затрясла головой:

— С чужим в кровать? Да ни за что! От стыда сгорю.

— Ой, ой, ой, — захихикала Люба, — тоже мне, целка-невидимка какая! Первый раз, что ли, ноги-то раскидывать? Игоряша тебе по душе придется, смазливый мальчик, молодой совсем, лет двадцать пять, не больше.

— А мне тридцать три, — протянула Валечка, — потом, видишь, похудела я сильно, все висит. Он меня засмеет.

— Дура, — воскликнула Люба, — он этим деньги зарабатывает, ему абы с кем, хоть с жабой, хоть с козой, лишь бы заплатили!

— Тем более не пойду, — возмутилась Валя, — если он такой потаскун, небось болячками обвешан всякими, опять же СПИД...

— А вот это ты зря, — сообщила Люба, — у Олега Игоревича дело четко поставлено. Сначала анализы сдаешь, а потом в койку, да Игоряша весь проверенный-перепроверенный, с ним спокойно дело иметь можно. Ты лучше думай о двух тысячах в год.

— Откуда же ты столько насчитала? — спросила, окончательно сдаваясь, Валя. — Вроде только по пятьсот дают.

— А про сто баксов на питание забыла? — радостно напомнила Люба. — Вот и считай, четыре месяца ты их имеешь, ну-ка сложи все вместе?

Валя дрогнула и согласилась. Впрочем, Люба оказалась во всем права. Олег Игоревич был ласков, улыбчив и обходителен. Игорь тоже не произвел отталкивающего впечатления, да и ходить к нему пришлось всего три раза. То ли у парня оказался талант, то ли у Валентины после долгого воздержания обострилась способность к воспроизводству. Она получала по сто долларов четыре месяца, потом явилась на аборт. Очнувшись на кушетке, Валентина была приятно удивлена. Операцию провели на высоком уровне, у нее ничего не болело, но основная радость ждала впереди.

— Оклемалась? — спросил, входя, Олег Игоревич. — Держи, молодец, заслужила.

В беленьком конвертике лежала ровно тысяча долларов.

— Пятьсот обещали, — удивилась Валечка.

Улыбающийся доктор спокойно ответил:

— За одного, а у тебя двойня получилась, купи Игоряше шоколадных конфет, ишь, как расстарался.

— Спасибо, — пролепетала Валя, — спасибо, ведь могли и не сказать, а дать просто пятьсот. Как бы я проверила?

— Никак, — усмехнулся врач, — только я не Российское правительство и никого не обманываю.

ГЛАВА 21

От Вали я ушла, чувствуя головокружение. Хорошими же делами занимается вежливый до приторности Олег Игоревич. Теперь понятно, отчего Люба Ракитина бегала к нему, как на службу. Это и была ее работа: беспрерывно беременеть. Право слово, у некоторых людей начисто отсутствуют моральные принципы. Одна из корыстных побуждений спокойно убивает своих детей, другой с легкостью подвергает опасности жизнь женщины для того, чтобы сделать научное открытие. Впрочем, есть еще третий, небрезгливый юноша Игорь, преспокойненько работающий «осеменителем».

Мне захотелось лечь в ванну, вымыть голову, почистить зубы, одним словом, попытаться смыть с себя всю налипшую за день грязь.

Вытащив сигареты, я принялась курить, приспустив стекло «Пежо». Вот, значит, чем занимаются ученые мужи из НИИ тонких технологий. Представляю, в какой ужас пришла бедная Анна Константиновна, узнав о творящихся безобразиях. Она-то, наивная душа, небось предполагала, что Орест Львович варит свой крем для лица и не платит налоги с выручки, а тут такое!.. Всемирной славы парням захотелось, Нобелевской премии, докладов на международных симпозиумах, заголовков в газетах и журналистов с микрофонами в руках.

— Скажите, как вы сделали свое мировое открытие?

Представляю, что случилось бы с репортерами, если Олег Игоревич ответил бы правду:

— Я убил множество детей, которые могли бы жить, уговаривал несчастных, нуждающихся в средствах женщин беременеть, а потом делать криминальные аборты на больших сроках.

Неужели у тех людей, которые будут изучать материалы исследований этого гадкого дядьки, не возникнет вопрос: а откуда он взял эмбрионы?

Сигарета обожгла мне пальцы. Я выбросила окурок на улицу, он шмякнулся прямо посередине чистого тротуара. Чувствуя неудобство, я вылезла, подобрала чинарик и отнесла к урне. Нет, никто ни в чем не станет сомневаться. Небось в истории болезни у каждой из этих теток четко стоит: выкидыш. Четырехмесячный плод не жизнеспособен, таких еще не умеют выращивать. Все шито-крыто, придраться нельзя. С беременной женщиной произошла неприятность, но это никого не удивит. Изучать подобные эмбрионы никто не запрещал, а вот заставлять женщин беременеть...

Ну и негодяи сидят в НИИ тонких технологий. Полная возмущения, я влезла в «Пежо». Значит, Олег Игоревич добывает эмбрионы, Орест Львович и Регина изучают их, а мировую славу они собрались поделить на троих. Минуточку!

Значит, в контейнерах с синими крышками, в этих термосах, которые я послушно таскаю из роддома в лабораторию, лежат эмбрионы! Мамочка! Ни за что больше не прикоснусь к этим банкам.

Внезапно вспомнилось крошечное существо с большой головой, плававшее в прозрачной жидкости, и я снова схватилась за сигареты. Господи, Орест Львович обманул меня. Это был не эмбрион собаки, а несчастный, не успевший развиться младенец. Вот почему начальник пугал меня какими-то ядовитыми веществами и приказывал не открывать контейнеры с синей крышкой. В термосах, которые были закупорены красными пробками, и впрямь находились чьи-то анализы, а термосы с синими крышками прибывали из кабинета Олега Игоревича. Я случайно перепутала и открыла то, что не следовало, Орест Львович не растерялся и мигом навешал глупой лаборантке лапшу на уши: собак, мол, изучаем. А на следующий день, когда меня послали к гинекологу за «материалом», термосы оказались запертыми на висячие замочки.

Так, теперь ясно, кто убил Анну Константиновну. Олег Игоревич, Орест Львович или Регина. Это они, погнавшиеся за мировой славой. Впрочем, наверное, покойный директор института, сын Анны Константиновны, Володя, был в курсе дела.

И как теперь поступить? Это всего лишь догадки, а из доказательств только рассказ Вали. Можно, конечно, отправиться к Жанне, рассказать ей все, что узнала, и потребовать обещанную информацию о яйце. Но мне не хочется впутывать в это дело Валю Колоскову. Она, бедняжка, и так уж настрадалась по полной программе: муж-инвалид, долги... Еще, не дай бог, начнется следствие. Мне жаль эту женщину. Вот Любу Ракитину — нисколечко, но ее убили...

И тут только до меня полностью дошло то, что произошло. Перед глазами мигом возникла картина.

Вот Ракитина кричит на Олега Игоревича:

— Почему Колосковой дали тысячу долларов, а мне пятьсот?

Гинеколог, помня о том, что в соседнем помещении стоит лаборантка, попытался остановить грубиянку, но куда там. Люба, привыкшая в жизни всего добиваться горлом, продолжала орать, кажется, она выкрикивала что-то вроде:

— Вы у меня все в кармане, обмануть решили...

В общем, как я теперь понимаю, пугала Олега Игоревича разоблачением. Тот и крикнул:

— Даша, что ты так долго?

Увидав меня, Люба заткнулась: не в ее интересах было впутывать в проблему посторонних. Мне пришлось уйти. А взмокшая от злобы Ракитина осталась. Представляю, чего она наговорила Олегу Игоревичу, требуя денег. Наверное, гинеколог рассказал ей про двойню и выставил за дверь. Но потом решил избавиться от наглой бабы. Ракитина, шумная, крикливая, частенько устраивающая скандалы перед его кабинетом, слишком привлекала к себе внимание...

Я включила мотор и поехала в Ложкино. Вчера вечером, выйдя из лаборатории, постояла немного под дверью, слушая, о чем беседуют Орест и Регина. Сначала они обсуждали новую лаборантку, потом зазвонил телефон, и начальник сказал:

— Мое дело наука, а твое с бабами вожжаться. Тщательней подбирай источник, да и платить всем надо одинаково.

Потом Регина поинтересовалась, в чем дело, а Орест ответил:

— Источник один дурака валять начал, но с ним разберутся. Наш Леня шутить не будет.

Леня — это явно Леонид Георгиевич Рамин, заместитель директора. Значит, он тоже в курсе. Да там просто оранжерея цветов беззакония. Скорей всего, Любу попросту убили за длинный язык и сварливый характер.

С гудящей от самых разных мыслей головой я влетела на наш участок, бросила «Пежо» у входа в дом, ворвалась в столовую и тяжело вздохнула. Опять гости!

Между Машкой и Дегтяревым сидела ослепительная блондинка с ярко-красными губами.

— Добрый вечер, — вежливо сказала я, — приятного аппетита.

— Садись, — хмыкнула светловолосая дама, — не стесняйся.

Удивленная столь бесцеремонным поведением со стороны совершенно незнакомой тетки, я осторожно уселась за стол и сообщила:

— Будем знакомы, меня зовут Даша, а вас как?

Воцарилось молчание. Потом Дегтярев засмеялся, а Машка со вздохом произнесла:

— Давно говорю: пора очки тебе покупать.

— Ты меня не узнала? — веселилась блондинка.

— Нет, — растерянно пробормотала я, — простите, бога ради, наверное, давно не встречались.

— Ой, не могу, — ржала тетка, — неужели и по голосу не поняла, что это я, Рита.

Вилка с насаженной на нее картофелиной выпала у меня из рук.

— Рита?

— Ага, парик надела и накрасилась по-другому, здорово?

— Да уж, — пробормотала я, — кто бы мог подумать, что прическа способна так изменить человека. Слава богу, а то думала, что у нас опять гости!

— Терпеть не могу посторонних в своей квартире, — сообщила Ритка, потряхивая серебристой челкой, — кстати, у меня в доме затеяли капитальный ремонт, батареи менять будут. Шум, грязь, жуть. Поживу у вас еще месячишко, подожду, пока Масик обрастет.

— Тебе же на работу к девяти, — попыталась я остудить пыл Замощиной, — рано вставать придется.

— Это еще почему? — возмутилась Ритка.

— Ну, — пустилась я в объяснения, — от нас не так-то легко до центра Москвы добраться. По дороге, правда, ходит автобус...

— Ты забыла, что у меня машина? — спокойно парировала Ритка. — Кстати, ее наконец-то починили.

В полном изнеможении я отодвинула тарелку и пошла на второй этаж. Терпеть Замощину с ее лысым котом еще месяц! Страшнее перспективы просто нет. Хуже было только, когда в моем доме случайно оказались две бывшие свекрови и принялись всех воспитывать.

Чувствуя себя бесконечно усталой, я открыла дверь, и тут же нечто черное, довольно большое с громким рычанием кинулось мне на грудь. Упав на спину, я уже через секунду поняла, что это обезумевшая от материнства пуделиха.

— Черри, — сердито сказала я, садясь, — ты с

ума сошла? На хозяев бросаешься. И как ты очутилась в моей спальне.

Тут из угла донесся многоголосый писк, и я увидела короб с копошащимися комочками. Их было подозрительно много. Я подошла и стала пересчитывать детей. Так, черненькие и беленькие, это плод любви Черри и Гектора, собачки Сыромятниковых; рыженькие, смахивающие на лисят, детки Юни; далее идут котята, посередине спит лысый Масик. Похоже, кот решил не покидать теплое местечко, пока на теле не отрастет шуба. Минуточку, а эти откуда? Серых собачат, похожих на бурундучков, у нас не было. Бог мой, да их шестеро!

— Маня! — заорала я.

Послышался топот, и запыхавшаяся девочка влетела в комнату:

— Что случилось?

— Эти серенькие откуда взялись?

— Фаина Михайловна попросила пока у нас их подержать!

— Кто?

— Ну моя учительница по москвоведению, — сбавила тон Маруська. — Понимаешь, мусенька, она недоглядела на даче за собачкой, и вот результат! Целых шестеро!

— Мы тут при чем? — тарахтела я.

— А ее Гизела отказалась от детей, — неслась Манюня. — Фаина Михайловна целую неделю их сама выкармливала, ты представить себе не можешь, как это трудно.

Я вспомнила бессонные ночи, которые провела с бутылочкой в руке, и желчно сообщила:

— Ну да, куда мне!

Но Маруська не заметила ехидства.

— Просто ужасно! Но Фаина Михайловна не хотела их топить, вот и возилась. И тут, как на грех, ей подсунули Кильку, а у той сперли ночной горшок. Ну Фаина и обозлилась, никогда ее такой не видели. Влетела в класс и орет:

— Контрольная по всему курсу, отметка в журнал, учебниками и тетрадями пользовать нельзя!!!

Представляешь, как все мне теперь благодарны за то, что я их спасла?

Я пыталась переварить информацию. Фаину Михайловну, естественно, знаю. Милейшая дама, интеллигентная, всегда идущая детям навстречу. Контрольные она устраивает крайне редко и обязательно заранее раздает вопросы. Если она влетела в класс с воплем, значит, щенки успели довести бедняжку до изнеможения.

— Но при чем тут рыба-килька и ночной горшок? — осторожно поинтересовалась я.

— Мусик, — укоризненно сказала Маруська, — ты меня совсем не слушаешь! Фаина Михайловна пришла в школу с ночным горшком!

— Зачем?

— Чтобы туда писать!

Я в задумчивости почесала голову. Похоже, у милейшей дамы от усталости сорвало крышу. Может, подъехать завтра в школу и ненавязчиво посоветовать несчастной учительнице сходить к невропатологу? Ночной горшок — это как-то слишком!

— А его украли, — докончила Маня, — хотя, думается, просто выкинули по ошибке. Ну кому нужен горшок, а? Вот Фаина Михайловна и обозлилась донельзя на всех. Решила, что мы так по-идиотски с ней пошутили.

— У вас сломались туалеты?

— Нет, с чего ты взяла?

— Но почему Фаина Михайловна не могла воспользоваться обычным туалетом?

— Мусик, — покачала головой Манюня, — с тобой очень тяжело разговаривать, ты совершенно не слушаешь собеседника. Она же маленькая совсем, может провалиться в унитаз!

Я раскрыла рот. Насколько помню, Фаина Михайловна выше меня на целую голову и носит пятьдесят четвертый размер одежды.

— Она заболела?

— Кто?

— Фаина.

— Вроде здоровая, а почему спрашиваешь?

— Ну, в унитаз может упасть...

— Муся, не она, а Килька!

Сегодняшний день выдался на редкость тяжелым, но я подавила крик раздражения. Просто села на кровать, вздохнула и попросила:

— Ты очень меня обяжешь, если объяснишь связь между дешевыми рыбными консервами, ночным горшком, Фаиной Михайловной и появлением очередных щенков в нашем доме.

Маруся принялась растолковывать ситуацию. Килька — это не маленькие вкусные рыбки в пряном рассоле, а внучка учительницы, прозванная так за крохотный рост и почти полное отсутствие веса. Кильке всего годик, и ее мать Вера, дочка Фаины Михайловны, сейчас не работает, а воспитывает девочку. Где Килькин отец, не знает никто.

Вчера ночью Веру спешно увезли на «Скорой» в больницу с приступом аппендицита, бедной Фаине Михайловне пришлось взять с собой в школу Кильку. Естественно, она могла попросить бюллетень по уходу за ребенком, но Фаина Михайловна крайне ответственный человек. А в этом году подавляющее число девятиклассников выбрали в качестве экзамена тест по москвоведению. На дворе уже середина апреля, вот учительница и волнуется, что не сумеет запихнуть в детские головки весь положенный материал.

Килька — тихая девочка, способная целый день просидеть на одном месте, собирая и разбирая пирамидку. Поэтому Фаина Михайловна и явилась на работу с внучкой, манежем, баночками с питанием и с горшком. Еще хорошо, что живет она напротив. Собачат оставить дома одних тоже не представлялось возможным. Обычно за ними днем приглядывала Вера. Пришлось тащить с собой щенков, коробку, бутылочку, сухую смесь, электрогрелку...

Одним словом, учительская сегодня походила на помесь детского сада с театром Натальи Дуровой. В одном углу резвилась с кубиками Килька, в другом пищали на разные голоса кутята, а между ними металась, словно ошпаренная кошка, Фаина Михайловна. Едва закончив урок, она неслась кормить свое стадо. А потом обнаружилась пропажа горшка. На памперсы у Кильки аллергия. Представляете размеры несчастья? По малолетству, Килька еще не может пользоваться туалетом для взрослых. Очевидно, Фаине Михайловне просто стало плохо, когда она сообразила, что после кошмарного дня предстоит еще и бессонная ночь с бутылкой заменителя собачьего молока в руках.

В общем, на головы школьников готовился упасть остро наточенный нож никем не ожидавшейся контрольной. Класс приунул, подсчитывая в уме, какие отметки поставит озверевшая Фаина Михайловна. Небо почернело, тучи прижались к земле, в воздухе носились молнии, и вот-вот должна была разразиться неминуемая гроза. И тут Маруську, твердо знавшую, что больше чем на «два» ей москвоведение не написать, осенило.

Девочка вскочила и затарахтела:

— Фаина Михайловна, миленькая, не расстраивайтесь. У нас собака недавно ощенилась, я ваших детей заберу, а Черри выкормит. Она добрая, у нее в коробке уже вместе с пуделятами, мопсята, котята и лысый Масик лежат, всех приголубила.

— Лысый Масик? — недоуменно переспросила Фаина.

— Ага, — неслась дальше Маня, — это сыночек маминой подруги Риты Замощиной.

Внезапно учительница засмеялась:

— Ну и порядки у вас дома! Положили младенца к щенкам.

— Он кот! — возмутилась Маша. — Лысый Масик, сыночек Риты Замощиной, маминой приятельницы, кот!

Наверное, Фаина Михайловна подумала, что она тихо сходит с ума от усталости:

— Знакомая твоей матери родила кота? — в ужасе спросила она.

— Да нет же! — заорала Маня и стала объяснять, что к чему.

Минут через пять Фаина Михайловна, понявшая, что ее освобождают от кормления щенят, разрыдалась. Потом она стала просить у детей прощения, поставила школьникам пятерки, открыла подаренную кем-то из родителей коробку конфет и угостила детей. Про контрольную, естественно, все забыли, и урок закончился всеобщим братанием. После занятий Фаина Михайловна пошла домой, прихватив Кильку, манеж и игрушки. С ней отправились близняшки Водорезовы, решившие помочь учительнице. А Маруська со щенками, коробкой, банкой сухой смеси и электрогрелкой прибыла в Ложкино.

— Зачем же ты притащила с собой грелку и молоко? — только и смогла спросить я.

Маня вздохнула:

— Да говорила, что не надо, а Фаина все равно сунула.

Я с тоской смотрела на серых «бурундуков». Ведь не выбросишь же их. Бедняга Черри стала похожа на шнурок. Представляю, какой ужас начнется, когда вся разноцветная кошачье-собачья стая вылезет из коробки. Недолго ждать осталось, вон уже кое у кого глаза открываются!

— Ваня Реутов сказал, что я спасла класс! — гордо заявила Машка и присела около коробки. — Ой, какие миленькие.

— Почему они у меня в спальне?

— Пищат очень ночью, — бесхитростно пояснила девочка, — их подкармливать надо. Вот тебе бутылочки, вот смесь, ну я пошла, спокойной ночи, муся!

Не дожидаясь моего ответа, Манюня выскочила в коридор. Я уставилась на щенят и котят, ровным слоем лежащих в коробе. Да уж, спокойной ночи не будет!

ГЛАВА 22

Время с полуночи до шести утра я провела, запихивая соску в рот тем щенятам, которые казались послабее. Видя, как хозяйка вытаскивает из ящика ее очередного детеныша, Черри начинала изо всех сил вертеть хвостом. Очевидно, дети надоели пуделихе до остервенения, но природная интеллигентность и деликатность не позволяли ей выскочить из короба и убежать куда глаза глядят. Я обычно тяжело переношу ночь без сна. Вот не есть могу сколько угодно: день, два, неделю, но не спать! Мой организм устроен так, что требует как минимум десяти, а еще лучше двенадцати часов, проведенных под одеялом. Как правило, около полуночи глаза закрываются сами собой, и приходится прилагать отчаянные усилия, чтобы их открыть. Но сегодня, как ни странно, сон ко мне не шел, его отгоняли мысли. Руки разводили молочную смесь, поили бесконечных кутят, а голова думала совсем о других вещах.

Я понимаю теперь, почему убили Анну Константиновну, я даже догадываюсь, кто сделал ей инъекцию. Допустим, что Олег Игоревич, Орест Львович и Регина наняли киллера, возможно, это сделал Леонид Георгиевич. Не суть важно, кто и чьими руками это сделал, главное, знаю, за что уничтожили заведующую отделом кадров, кому это было нужно!

Но доказательств нет! А без улик — это просто пустые разговоры, и Жанна очень хорошо понимает данный факт.

Я отложила в сторону последнего «бурундучонка» и принялась за «лисят». Честно говоря, совсем не представляю, где искать пропавшее яйцо, поэтому надо как можно быстрее найти человека, «заказавшего» Анну Константиновну, и сообщить это Жанне, тогда она расскажет мне о судьбе яйца, и я наконец сумею снять с себя обвинение в краже. Конечно, лучше всего было бы попросить Валю Колоскову дать письменные показания, но она не захочет. Валентина замужняя женщина. Хотя, если предложить ей денег! Эх, зря сразу не догадалась!

Утром, ровно в десять, я позвонила в лабораторию и занудила:

— Орест Львович, это Даша, у меня ребенок заболел.

— Ну и что? — хладнокровно поинтересовался заведующий. — Имей в виду, тут работы по горло, я не собираюсь пробирки мыть. Хочешь сидеть дома, тогда увольняйся, на твое место живо желающие найдутся!

— Ой, ой, ой, — запричитала я, — ну не ругайте, случайно вышло, дети, они всегда не вовремя болеют.

— Мне на это наплевать, — гавкнул Орест Львович.

— Ой, ой, ой, только хотела спросить, можно задержусь немножко? После обеда подъеду и все-все сделаю, не сомневайтесь!

— Хорошо, — весьма недовольно протянул начальник, — надеюсь, подобная ситуация не станет повторяться регулярно.

— Ни боже мой, только сегодня! — выкрикнула я и побежала к «Пежо».

Я довольно долго жала на звонок Валиной квартиры, но дверь никто не открыл. В недоумении посмотрела на часы. Одиннадцать утра. Может, Валя отправилась в магазин, и потом, она же работает где-то. Ну и дурака я вчера сваляла, не предложив женщине сразу денег, нет бы додуматься. Ведь Валечка при виде трехсот долларов мигом рассказала все про Олега Игоревича, а предложи я пятьсот, небось согласилась бы написать все это на бумаге. Да уж, дурная голова ногам покоя не дает.

Погода сегодня радовала москвичей теплым солнышком. Я спустилась на первый этаж, вышла во двор и устроилась на скамеечке рядом с молодой черноволосой женщиной, прогуливающей двухлетнего карапуза. Курить я не стала, просто сидела, изредка поглядывая на дверь подъезда. Ох, чует мое сердце, зря провожу время. Надо ехать на работу, а вечером рулить к Вале.

Крохотный ребеночек, то ли мальчик, то ли девочка, подковылял к скамейке и уцепился ручонками за мою коленку. Я улыбнулась ему. Карапуз расплылся в ответ в радостной улыбке и сказал:

— Мака киса дяка.

Я кивнула.

— Мака киса дяка, — повторил ребенок.

— Плохо говорит пока, — обрадованно сообщила мать, — все соображает, прямо, как десятилетний, а слова еще не получаются.

— Как же вы его понимаете?

Девушка пожала плечами:

— Сама не знаю. Вот сейчас она сказала: «Маше дали кису».

— Киса няка.

— Кошка хорошая, — перевела мать и добавила: — Животных любит, сил нет. Хотела завести собачку или кошечку, только боюсь.

— Чего? — равнодушно поддержала я разговор.

— Глисты у них, блохи, грязь всякая, еще заболеет девочка.

— Глупости, — возмутилась я, — мои дети росли с собаками. Конечно, от бродячих животных можно подцепить заразу, но за своими вы же станете следить — будете регулярно мыть, давать таблетки от паразитов.

— Оно верно, — протянула женщина, — вот нам Валя Колоскова вечером свою кошечку принесла. Чистенькая, беленькая, аккуратная, не поверите, ходит в унитаз. Вот такую бы с удовольствием.

— Валя Колоскова принесла вам кошку? — переспросила я. — Зачем?

— Мы на одном этаже живем, — ответила молодая мамаша, — когда Валентина мужа увозит, Дусю мне отдает, но я с радостью...

— Куда увозит мужа?

— Ой, у нее такое горе, — обрадовалась возможности посплетничать отчаянно скучающая женщина, — супруг у Валюши парализованный, она его раз в полгода возит в специальную клинику на десять дней. Там всякие процедуры, массажи, водолечение. Валечка настоящая героиня, надеется, что муж встанет на ноги.

— Куда же она отправилась?

Девушка вздохнула.

— Целое дело. Знаете, как тяжело лежачего человека на самолете перевозить?! Валя специальную машину вызывает.

— Так куда ездит?

— Ой, боюсь соврать, у нас где-то, вроде Мацеста, нет, Анапа или Феодосия? Кажется, впрочем, Феодосия уже не наша, а украинская. Не знаю. Одно помню, Валюша всегда весной и осенью туда ездит, летом намного дороже. А чего вы так заинтересовались?

— Да вот, пришла к ней, принесла лекарства, а дверь не открывают.

— Уехала, — радостно воскликнула женщина, — сегодня в шесть утра отправилась! Дусю мне вчера отдала, чтобы нас рано не будить, и отбыла. Вы теперь через месяц приходите, а хотите, можете у меня оставить, передам обязательно.

— Нет, спасибо, — тихо ответила я, — сама принесу.

Тут малышка упала на асфальт, и мать кинулась ее поднимать. Я села в «Пежо» и стукнула кулаком по рулю. Здорово вышло! Мацеста, Анапа или Феодосия. Теперь целых десять дней не добраться до Колосковой. Ну почему она вчера ничего не сказала мне про отъезд? А с какой стати ей про него рассказывать?

Вот ведь незадача. В полной растерянности я покатила в НИИ тонких исследований и, естественно, угодила в огромную пробку. Делать нечего, включив радио, я бездумно уставилась на соседние машины. Их водители и пассажиры развлекались, как могли. Справа от меня парень, сидевший за рулем, целовался с девчонкой, слева молодая женщина занималась текущим ремонтом лица. Я с интересом наблюдала за ее действиями. Сначала она нанесла тональный крем, затем нарисовала брови, прошлась по ним щеточкой, оттенила ресницы тушью, нанесла румяна, затем в ход пошла губная помада... Изредка машины чуть-чуть продвигались вперед, и дама ухитрялась перемещать свой «Фольксваген», не бросая увлекательного занятия. В конце концов она вытащила серебристый парик и нахлобучила на голову. Я засмеялась. Десять минут тому назад в машине сидела ничем не примечательная, коротко стриженная шатенка с маловыразительными чертами лица и серовато-бледной кожей. Сейчас же за рулем красовалась эффектная блондинка с лучистыми глазами и соблазнительно пухлым ротиком. Да уж, возможности макияжа практически безграничны, можно так измениться... Минуточку! От неожиданно пришедшей мне в голову мысли я резко нажала на тормоз и услышала сзади гудок. Но мне было наплевать на нервного водителя. Значит, так! Мне нужен свидетель того, что Олег Игоревич подбивает женщин на неблаговидные поступки? Он будет!

Не обращая внимания на гудки, я нахально вклинилась в правый ряд, повернула направо и полетела на Якиманку. Там в доме 27, как раз напротив «Президент-отеля», разместился салон «Модес Хаар», где делают модные прически. Управляющей там работает моя подруга Кира.

— Мы знаем о прическе и макияже все, — говорит она.

И это правда. На почти лысой голове, где торчат жидкие, слабые волосенки, тут ухитряются сделать роскошную стрижку. Один вид такой прически заставляет женщин вздыхать от зависти. Только не спрашивайте меня, как они это проделывают. Сама не понимаю, почему мои патлы, честно говоря, не слишком густые и красивые, превращаются в руках у Киры в шикарные, переливающиеся на свету кудри.

Часы показывали половину первого, когда я влетела к Кире и заорала:

— Немедленно сделай из меня брюнетку, знаешь, такую, с усиками над губой.

— Зачем? — попятилась Кирка. — С ума сошла, да? Это же совсем не твой стиль. И потом, волосы, выкрашенные в черный цвет...

— Надень парик!

— Ну, — пробормотала подруга, — в принципе, конечно, можно, только зачем?

Кира странный человек. Другой мастер молча выполнит пожелания клиентки и спокойно разведёт руками, если при взгляде на себя в зеркало клиентка издает вопль ужаса.

— Вы сами так хотели!

Потом получит деньги и забудет этот инцидент. Кирка не такая. Она станет долго объяснять сидящей в кресле даме, почему не следует мазать губы помадой цвета сочной морковки, если на ней надета блузка ярко-зеленого цвета. Если клиентка упорно стоит на своем и требует за любые деньги соорудить на голове нечто несуразное, Кира может просто уйти. Уродовать человека она не станет ни за что. Но мне сейчас требовалось стать неузнаваемой.

— Понимаешь, — забубнила я, — познакомили с мужиком, такой красавец, прямо кровь в жилах сворачивается, когда на него смотрю, земля из-под ног уходит.

— И чего? — заинтересовалась Кирка.

— А ничего, — вздохнула я, — он только на

смуглых брюнеток западает, с усиками и ярко-красной помадой на губах.

— Ага, — вдохновилась подруга и ринулась к шкафу.

Через секунду на моей голове сидел роскошный парик цвета пера молодого грача. Густые локоны ниспадали на плечи, лоб прикрывала завитая челка.

— Отлично, — вздохнула Кира и принялась за лицо.

Через полчаса я, разинув рот, смотрела в зеркало. Мать родная не узнает, да что там моя давно умершая мама, я сама себя не узнавала. На смуглой коже щек появился персиковый румянец. Губы стали толще и могут поспорить окраской с пожарной машиной. Брови превратились в соболиные. Глаза, правда, остались голубыми, но из-за густо намазанных ресниц и подкрашенных век, кажутся светло-карими. Над верхней губой появились усики, а справа Кира в порыве вдохновения создала над верхней губой пикантную родинку.

— Если этот парень не рухнет как подкошенный к твоим ногам, — сообщила подруга, снимая с меня пеньюар, — значит, он либо слепой, либо импотент. Погоди, у вас первое свидание?

Я кивнула. Кирка залезла в пластмассовую коробочку и вытащила два поролоновых кружка.

— Сунь в лифчик.

Я послушалась. Господь не наградил меня формами, в джинсах и пуловере больше похожа на мальчишку. Но сейчас никто не смог бы перепутать меня с лицом мужского пола. Бюст, оттопыривающий кофточку, тянул примерно на третий размер.

— Очень сексуально, — одобрила Кира, — действуй, семь футов тебе под килем.

Я пошла на улицу. Хорошо, что любитель брюнеток выдуман, а ну кабы он существовал на самом деле? Прикиньте, как изумился бы мужик, уложивший в койку пышную брюнетку, а затем обнаруживший там тощенькую блондинку?

Представив себе выражение лица парня, я захихикала, вышла на проезжую часть, подошла к «Пежо». Рядом затормозил «Рено».

— Девушка, — крикнул водитель, высовываясь в окошко, — вам помочь?

— Нет, спасибо.

— Не заводится?

— Все в порядке.

— Что сегодня вечером делаете?

Я удивилась. Ко мне никогда не пристают на улицах.

— Внуков нянчу.

— Ой, врешь, — рассмеялся мужчина, — не понравился я тебе.

«Рено» умчался. Я поехала в НИИ тонких технологий. Стоило мне притормозить у светофора, как водители оказавшихся рядом машин начинали проявлять повышенный интерес к моей особе. Одни упирались в меня взглядом, другие, понахальней, спускали стекла и кричали:

— Эй, симпомпончик, куда спешим? Может, тормознем у кафешки, а?

Я пребывала в глубоком недоумении. Обычно посторонние мужчины не обращают на меня внимания. С ранних лет поняла: моя сила не во внешности, а в редкостном уме и обаянии. И вот сейчас в голову закралась мысль, что, может быть, мне еще в ранней юности следовало покраситься в брюнетку и намалевать губной помадой огромный рот? Вон какой эффект произвело изменение внешности...

Возле кабинета Олега Игоревича сидела всего одна тетка. Обрадовавшись, что тут не толпится очередь, я села на стул.

— Доктор просил не занимать, — сказала женщина, — он закончил прием.

— Спасибо, только рецепт взять, — ответила я. Через полчаса я заглянула в кабинет и спросила:

— Можно?

Гинеколог, писавший что-то в большой тетради, поднял голову и ослепительно улыбнулся:

— Вообще говоря, просил не занимать.

— На секундочку.

Олег Игоревич продолжал излучать улыбку:

— Что с вами поделаешь, всегда шел на поводу у красивых женщин, садитесь.

Я устроилась на стуле и, хрустя и шурша нафабренными ресницами, прошептала:

— Меня прислала к вам Валя Колоскова.

Олег Игоревич не шелохнулся, его лицо продолжала освещать самая ласковая улыбка.

— Мне посоветовала обратиться к вам Валя Колоскова, помните такую? — повторила я.

Гинеколог кивнул:

— Конечно, моя пациентка, очень милая женщина.

Повисло молчание.

— Видите ли, — осторожно завела я, — я попала в трудное положение.

Врач постучал пальцами по столу.

— Рассказывайте спокойно, помогу, если сумею. Пропустили срок?

— Да! — радостно сказала я.

— И сколько?

— Четыре месяца.

— Многовато, но возможно. Давайте сначала сдадим кое-какие анализы, — и доктор вытащил из стола беленькие бумажки. — Завтра пойдете в 9-й кабинет, натощак. Да, еще принесите паспорт, нужно завести историю болезни.

— И сколько? — спросила я.

— Тысяча долларов, — преспокойно ответил Олег Игоревич.

Снова повисло молчание.

— Вам эта сумма кажется большой? — ожил врач. — Но придется еще платить медсестре и кое-кому в роддоме. Дело незаконное, потому и деньги большие.

— Нет-нет, — с видом жизнерадостной идиотки ответила я, — наоборот, очень рада, что получу такие хорошие деньги. Валечка говорила о пятистах долларах!

Доктор положил ручку и уставился на меня уже без всякой улыбки.

— Вы о чем?

— Ну Валюша сказала, что вы заплатите пятьсот «зеленых», а теперь речь идет о тысяче.

— Я вам буду платить?! — подскочил Олег Игоревич. — За что?

— Ну, — замялась я, — сами понимаете...

— Нет!

— Как же...

— Послушайте, — улыбнулся Олег Игоревич, — вы хоть осознаете абсурдность ситуации? Пришли просить сделать аборт на большом сроке...

— Вы меня не поняли, я от Вали Колосковой!

— Да понял великолепно, — вскипел гинеколог, — только деньги-то вы мне должны будете, а не наоборот.

— Я пока еще не забеременела!

Олег Игоревич швырнул ручку на стол, от его приветливости не осталось и следа.

— Послушайте, мадам, что за представление! То собрались аборт делать, то не беременны. Как вас понимать?

Я секунду помедлила и решилась:

— Валя сказала, будто тут нужны эмбрионы.

— Кто?! — подскочил врач на стуле. — Кто мне нужен?!

— Ну, вроде для науки, — не сдавалась я, — изучаете вы их. Так вот, готова забеременеть, а потом пойти на аборт!

Гинеколог уставился на меня во все глаза.

— Вам это сказала Колоскова?

— Да, и цену назвала: пятьсот долларов за зародыш и еще по сто баксов в месяц на питание.

— Дорогая моя, — неожиданно ласково зажурчал Олег Игоревич, — теперь наконец понял, в чем суть. Видите ли, Валя Колоскова больной человек. Она пытается родить ребенка, но тщетно. Есть такая неприятная вещь, как привычный выкидыш, вот с ней данная штука и происходит. Мы сейчас начали гормональное лечение, тяжелым препаратом. Кое у кого на фоне его приема развиваются психозы. Очевидно, у Колосковой временное помрачение рассудка. Очень вам благодарен, что не сочли за труд прийти и поставить нас в известность. Обязательно отправлю Валентину Кирилловну к психиатру. Могу вас успокоить, как только отменю препарат, она снова станет адекватной. Простите, вы откуда знакомы?

— На одной площадке живем, — буркнула я, — соседствуем. Пожаловалась ей на безденежье, а Валя к вам отправила.

— Душенька, — расплылся в самой сладкой гримасе противный Олег Игоревич, — ну подумайте сами, что за чушь! Врач, который просит пациентку забеременеть, а потом выплачивает ей деньги за аборт!.. Такое могло родиться лишь в воспаленном мозгу психически ненормальной женщины. Впрочем, в случае с Колосковой все объяснимо. Гормоны — коварная вещь.

— И вам не нужны четырехмесячные эмбрионы?

— Дорогая, аборты на таком сроке запрещены, а я не хочу конфликтов.

— Но вы только что брались сделать мне вмешательство за тысячу долларов!

— Я? — вполне искренне возмутился Олег Игоревич.

— Ну да.

— Никогда.

— Как это? Сами сказали, поздновато, но возможно, сдайте анализы.

— А-а-а, — протянул доктор, — вот видите, опять мы друг друга не поняли. Имел в виду, что поздновато вам рожать, но вполне возможно, при хорошем наблюдении. Тысяча долларов — это стандартная цена за услуги частного специалиста, который берется довести до успешных родов трудную беременность.

Я растерялась. Думала, Олег Игоревич радостно ухватится за новый «источник», но отчего-то врач не захотел иметь со мной дело.

— Значит, неправда?

— Полный бред.

Вновь воцарилась тишина. Гинеколог цвел улыбкой, я пробормотала:

— Мне что, уходить?

— Да, мой прием закончен.

— Не передумаете?

— Милая, — с жалостью в голосе ответил врач, — Валя тронулась рассудком, но вы-то не похожи на ненормальную.

Пришлось встать и удалиться. Выскользнув за дверь, я, пользуясь тем, что в коридоре никого не было, присела и приложила ухо к замочной скважине. Но из кабинета не доносилось ни звука.

ГЛАВА 23

Остаток дня я мыла посуду и молча сносила тычки Регины. Девушка была недовольна лаборанткой по всем статьям и придиралась к любой мелочи. Плохо вымыла мензурки, накапала водой на пол, размазала грязь по столу, не сумела аккуратно застелить полки в шкафу газетами. Меня так и подмывало сказать: «Между прочим, Орест Львович велел тебе не цепляться к новой служащей».

Но, естественно, ничего такого вслух я не произнесла, только молча повиновалась, чем довела злобную девицу почти до исступления. Она, очевидно, надеялась, что я разину рот и пошлю ее куда следует. Мое терпение взбесило ее окончательно, и она велела:

— Ну-ка сгоняй на проспект, там торгуют горячими пирожками, да притащи мне один с сыром, а другой с мясом!

Следовало возразить, ляпнув что-то типа: «Это не входит в мои служебные обязанности». Но я одурела от бесконечного мытья посуды, поэтому просто кивнула и ушла.

Пирожками торговали в огромном супермаркете. Я спокойно встала в очередь, сжимая в кулаке деньги. С перекошенным лицом Регина дала мне двадцать рублей, не забыв сообщить:

— Пирожки стоят по семь пятьдесят, надеюсь, сдачу не потеряешь. Впрочем, если и уронишь где пятерку, то вернешь из своих.

Надо же быть такой противной! Очередь медленно двигалась вдоль огромного стеклянного прилавка, внутри которого лежали на тарелочках разнообразные пирожные. Я ползла к кассе, обозревая выпечку. Почему Олег Игоревич не захотел иметь дело с подругой Вали Колосковой. Отчего не пошел на контакт? Какой я допустила промах?

Внезапно мой взгляд упал на кусок торта «Наполеон». Рот мгновенно наполнился слюной. Я обожаю это лакомство. К сожалению, его не везде готовят так, как надо, но этот выглядел волшебно. Высокий, щедро посыпанный сахарной пудрой. Даже сквозь стекло было понятно, что тесто нежное, рассыпчатое, а светлый крем восхитительный и свежий. Стоил кусок торта сто двадцать рублей. Абсолютно необременительная сумма для меня, но неподъемная для бедной лаборантки, считающей копейки, а, учитывая то, что супермаркет находится в двух шагах от НИИ, вполне вероятно, что в очереди стоят и наши сотрудники.

— Говорите, — буркнула потная продавщица.

— Два пирожка, «Наполеон» и кофе, — выпалила я.

«Зря волнуюсь, что, людям больше делать нечего, как только следить за мной?» — успокаивала я себя.

Но, получив поднос, обогнула кафетерий и устроилась в самом темном углу, сев спиной к залу. Торт оказался неземным, он таял во рту. Я вздохнула: единственный приятный момент за весь день. Сначала потерпела полную неудачу, придя к Олегу Игоревичу, потом целый час в туалете смывала грим. Естественно, никаких средств для снятия макияжа не оказалось под рукой и пришлось тереть лицо противно воняющим куском мыла розового цвета. Ну а затем меня принялась шпынять Регина.

— Кофеек пьешь? — раздался знакомый голос.

Я повернулась и опрокинула картонный стаканчик. Перед столиком, сжав в нитку губы, стояла Регина.

— Значит, я ее жду, а она тут кофейничает!

— Мне положен обеденный перерыв!

— Учитывая, что ты заявилась во второй половине рабочего дня, это крайне актуально, — вызверилась девушка. — Где мои пирожки?

— Вот.

— Они холодные! Совершенно несъедобные!

— Извините.

— Еще чего, — фыркнула Регина, — ты идиотка! Отдавай мои деньги.

— Вот, возьмите.

— С ума сошла? — Тут пять рублей! Я тебе давала двадцать!!!

— А пирожки?

— Жри их сама! — выпалила Регина и швырнула мне в лицо пакетик со слоеными треугольничками.

Это уж было слишком.

— Пошла ты!.. — крикнула я, швыряя ей буквально в лицо купленную выпечку. — Подавись жратвой и деньгами, вот они!

Регина уставилась на бумажки, потом подняла на меня тяжелый взгляд. На дне ее поросячьих глазок плескалось торжество.

— Как ты посмела уйти с работы в кафетерий?

— Ты меня сама отправила.

— Не «тыкай»! — взвилась Регина. — Я старший научный сотрудник.

— И чего? — обозлилась я. — Ах, извините, ваша милость, не успела упасть перед вами ниц! Имей в виду, в мои обязанности не входит покупка жратвы.

— Ты уволена, — прошипела Регина, сливаясь по цвету с красной клеенкой, которой был накрыт столик.

— Не ты меня на работу брала, — фыркнула я, — этот вопрос будет решать Орест Львович.

Остаток дня Регина злобно молчала, изредка швыряя в мойку эмалированные лотки и какие-то изогнутые железки. Я тоже не произнесла ни слова, расставляя в шкафу перемытые банки. Когда появился Орест, девушка приказала мне с мрачным видом:

— Принеси из 29-й комнаты бутыль с раствором.

Когда я вернулась, Орест Львович стоял в одиночестве у большого черного стола. Увидав меня, он вздохнул:

— Даша, не обижайся на Регину, у нее сложный характер, но она великолепный специалист.

Я пожала плечами:

— Она ко мне постоянно придирается.

— Знаю, — спокойно кивнул Орест, — Регина работает со мной всего пару месяцев, а уже успела выжить не то пять, не то шесть лаборанток. Сама понимаешь, труд уборщицы, давай называть вещи своими именами, так вот, работа уборщицы не престижная, малооплачиваемая...

— Чего же Регина хочет?

— Замуж ей надо, — фыркнул начальник, — мужик требуется, живо шелковой станет. Я почему этот разговор затеял. Ты меня устраиваешь во всех отношениях. Сделай милость, плюнь на девицу, ну не обращай на нее внимания, а я уж в долгу не останусь, запомни.

— Ладно, только она обещала меня уволить.

— Сегодня пятница, — тяжело вздохнул начальник, — отдохни спокойно, а в понедельник с новыми силами — на службу. Кстати, хочу научить тебя паять ампулы, пригодится такое умение, лады? Да, кстати, вот.

И он протянул мне сто рублей.

— Это зачем?

— Ну просто так, — засмеялся Орест, — у тебя ребенок вроде заболел, купи ему шоколадку и яблок.

— Спасибо, — пробормотала я, — дай вам бог здоровья.

— Давай, топай, — отмахнулся Орест.

Отогнав «Пежо» подальше от роддома имени Олеко Дундича, я переоделась и поехала к Жанне. Конечно, доказательств вины сотрудников лаборатории у меня нет, но я могу рассказать ей о преступных махинациях с эмбрионами. Честно говоря, хотела предложить ей такой вариант: мы едем к нам домой, я знакомлю Жанну с Александром Михайловичем, и девушка рассказывает полковнику все. Дегтярев — отличный профессионал, он сразу поймет, как следует поступить в данном случае.

Подлетев к квартире Жанны, я глянула на дверь и почувствовала приступ дурноты: косяк украшала белая бумажка с печатью.

Полная самых нехороших предчувствий, я позвонила к соседям. Высунулась девочка лет двенадцати с туго заплетенными топорщившимися косичками.

— Вам кого?

— Не знаете, где Жанна?

— Кто там, Лена? — донеслось из комнаты, и через секунду в прихожую вышла безобразно толстая старуха в бордовом застиранном халате. — Вам кого?

— Пришла к Жанне, гляжу — опечатано...

— Милая моя, — всплеснула руками бабка, — вы им кем приходитесь?

Я секунду поколебалась, потом соврала:

— Учились когда-то вместе, а потом я оказалась по распределению в Воркуте. Вот, приехала в Москву. Дай, думаю, зайду. По телефону звоню, звоню, никто не подходит.

— Ой, милая, горе-то, горе, — запричитала старуха, — ты вот тут в передней на стульчик сядь.

— Случилось что?

— Ой, страшное дело, — завела было бабка, но, заметив, с каким жадным любопытством к ее словам прислушивалась девоча, осеклась. — Лена, ступай уроки делать.

— Ну, ба, — заныл любопытный ребенок.

— Иди-иди, — сурово приказала старуха.

Пришлось девочке удалиться.

— Не хочу при ней страсти рассказывать, — пояснила хозяйка. — Ой, горе, ой, беда, ой, несчастье...

— Да в чем дело?

— Она жила вместе с родственницей, знаете?

— С Анной Константиновной? Конечно.

— Во-во, — оживилась бабка, — тому уж несколько дней, как Аня застрелилась.

Я подскочила на стуле и, чуть было не ляпнув: «Вы путаете, ей сделали укол», спросила:

— Как?

— Жуть кромешная, — без остановки трещала бабка, — прямо в рабочем кабинете жизни себя лишила. Наши во дворе говорят, что у неё какое-то вещество радиоактивное пропало, вот руки на себя и наложила. Она в НИИ секретном работала, большим начальником.

Я тяжело вздохнула. Удивительная вещь сплетни, откуда что берется. Во всем рассказе только одна фраза правильная: о работе в НИИ. Анна Константиновна и не думала стреляться, и из ее отдела кадров не могло пропасть ничего, кроме бумаг да личных дел сотрудников. Вот ведь что накрутили тетки на лавочке у подъезда. «Агентство ОБС», как называет их Дегтярев. Расшифровывается аббревиатура просто: Одна Баба Сказала.

— На ихнюю семью прямо мор напал, — азартно блестя глазами, вещала тетка, — совсем недавно брат у Анны помер, только оплакали, сама убралась, а потом уж и Жаннин черед пришел.

Я почувствовала огромную усталость и какую-то темную безнадежность. Подобное чувство испытывает человек, идущий по длинному черному тоннелю. Вдруг впереди брезжит свет. Обрадованный человек кидается со всех ног к выходу и тут же понимает, что путь к свободе перекрыт решеткой.

— Что с Жанной? — тихо спросила я.

— Так отравилась, — выкрикнула бабка, — записку оставила! Мол, так и так, в моей смерти никого винить не надо, после кончины Ани жить не могу, прощайте.

— Вы видели письмо?

— Нет, бабы у подъезда говорили.

— Когда это случилось?

— А вчерась вечером. Милиция приезжала, все ходили, нас спрашивали, правда ли, что они с Анной Константиновной так дружили.

Я медленно встала и пошла вниз, забыв поблагодарить словоохотливую бабку.

Вечер прошел ужасно, домашних не было. Аркадий и Зайка, как всегда, пропадали на работе. Где-то около десяти позвонила радостная Машка:

— Мусик, останусь ночевать у Сашки Хейфиц.

— Ладно, — ответила я, — ее родители не против?

— А их нет, — весело кричала Маня, — на гастроли укатили, в Америку, только бабушка осталась, но она в восемь вечера спать легла! Мы сейчас поглядим видик, поедим мороженое, завтра в школу не идти. Красота!

Дегтярев не звонил и не появлялся. Ритка Замощина тоже куда-то подевалась. Я взяла бутылочку, развела молоко и пошла кормить щенят. Лысый Масик приветливо мяукнул, увидав меня. Похоже, его характер изменился в лучшую сторону: раньше гадкий кот только шипел, завидя посторонних людей.

Взяв одного «лисенка», я устроилась в кресле, сунула ему в рот соску и задумалась. Все мои усилия ничего не дали. Столько времени потратила на расследование, и абсолютно безрезультатно. Впрочем, узнала о безобразиях, творящихся в НИИ тонких технологий, только как это приближает меня к украденному яйцу? А никак. Жанна, которая знала правду о дорогой вещице, погибла, все концы обрублены, нити разорваны.

Покормив кутят, я легла на кровать и выключила свет. Сегодня не хотелось ни читать, ни ужинать. Сон медленно начал наваливаться на меня.

«Ну и пусть все думают, что хотят, — вяло размышляла я сквозь подступающую дремоту, — наплевать! Домашние и близкие подруги, до которых рано или поздно дойдут сообщения о том, что я воровка, ни за что не поверят данной информации. Карина Сыромятникова, соседка, с которой мы несколько лет были в самых шоколадных взаимоотношениях, запретила своей дочери бывать у нас дома. Раньше Лена просиживала у Мани все вечера, а теперь не появляется. Неприятно, конечно, но пережить такую ситуацию вполне возможно. К тому же, если специально не ходить друг к другу в гости, то столкнуться нам трудно...»

Сон окончательно сморил меня. Внезапно в темнеющем сознании молнией пронеслась картинка: Амалия Густавовна, комкая в руках кружевной платочек, грустно говорит:

— Мне бы только увидеть его, подержать перед смертью в руках...

Сон как ветром сдуло. Я села на кровати и зажгла лампу. Бедная старушка, мне так хотелось помочь ей, даже больше, чем оправдаться самой. И как поступить? Ума не приложу! Может, порасспрашивать приятелей? Вдруг у кого-нибудь есть похожее яйцо? Попросить на несколько дней, показать Амалии Густавовне? Нет, не пойдет. У ее талисмана была особая примета: один из изумрудиков заменили сапфиром... И тут вдруг мне в голову пришла совершенно гениальная мысль. Забыв все на свете, я ринулась к телефону и набрала номер Серафимы Лузгиной. «Ту-у-у-у...» Что они там, заснули все? Где-то на двадцатом гудке трубку сняли.

— Алло, — пробормотала подруга.

— Симка, — заорала я, — помнишь, Артем на годовщину свадьбы подарил тебе потрясающие старинные серьги?

— Конечно, — недоуменно ответила Сима.

— А помнишь, как вы собрались к приятелям в Вашингтон, и ты, побоявшись везти свои драгоценности, заказала копии? Все вам так здорово сделали, что даже вблизи нельзя было отличить фальшивые от настоящих.

— Ну?

— Что — ну? Помнишь?

— Дарья, — сурово заявила подруга, — в моей тусовке так часто делают. Не хотят таскать везде раритетные камушки. В гостинице украсть могут, да и за кулисами спереть не постесняются. Вот и заказываем фальш-бриллианты, а настоящие — в сейф или в банк.

— Дай телефон!!!

— Банка, где храню украшения? — хихикнула Серафима.

— Нет, конечно, мастерской, где тебе такую потрясающую имитацию сделали.

— Это не мастерская, а частный ювелир.

— Дай телефон!!! Срочно!!!

— Тебе никогда не говорили, что ты ненормальная? — вздохнула Сима. — Что, прямо сейчас диктовать?

— Это не я ненормальная, а ты зануда! Почему не хочешь телефон сказать?

— Ладно, — вздохнула Сима, — погоди, за книжкой схожу.

Минут через пять она сообщила:

— Давай, пиши: Шведов Юрий Парфенович. Скажешь, что от меня, примет как родную. Он уникальный мастер, такие штуки умеет делать, закачаешься. Кстати, за работу берет на удивление недорого. Ежели очень попросишь, может за одну ночь изготовить. Очень приятный, интеллигентный и милый парнишка, только прошу тебя, не надо ему сейчас звонить.

— Почему? — удивилась я.

— Потому что часы показывают четыре утра, — спокойно сообщила Сима и отсоединилась.

Я уставилась на циферблат. Верно! Значит, разбудила Серафиму посреди ночи, то-то она все время намекала, что у меня крыша поехала.

ГЛАВА 24

Юрий Парфенович действительно оказался очень приятным, но несколько полноватым для своего возраста парнем лет тридцати. Должно быть, мастер весь день проводит, склонившись над своей работой, вот и расплылся чуток в талии. Хотя возможно, что он просто любит хорошо покушать и выпить пивка.

— В чем проблема? — улыбнулся ювелир.

— Юрий Парфенович...

Парень улыбнулся вновь.

— Можно просто Юра, пока еще не ощущаю себя Парфеновичем.

Я кивнула. Сама не люблю, когда меня величают Дарьей Ивановной.

Юре я рассказала почти что правду. У меня есть родственница, очень пожилая дама, Амалия Густавовна Корф. Одной из фамильных ценностей Корфов было яйцо работы самого Фаберже. Амалия очень дорожила этой вещью, но у нее в доме бывает слишком много разных людей, и в один далеко не прекрасный день эта семейная реликвия пропала. Скорей всего кто-то утащил.

Юра хмыкнул:

— К сожалению, подобные вещи случаются часто. Мне приходилось делать кое-кому колечки по фото.

Я кивнула.

— Очень неприятная история, на кого подумать, не знаю. Амалии Густавовне ничего не сказала, не хочу травмировать старушку, но у той примерно раз в месяц появляется желание поглядеть на драгоценное яичко, вот я и решила заказать копию.

— Фото принесли?

Я растерялась.

— У меня его нет.

Юра развел руками:

— Но как же тогда? Сумеете нарисовать в подробностях?

— Нет, — пробормотала я, — понимаете, Амалия Густавовна очень пожилая, ей за девяносто перевалило, видит не очень хорошо. Она не поймет, что яйцо другое. Помнит только, что верхушку украшали изумрудики, двенадцать штук. Но один в 1917 году потерялся. Уже случилась революция, и в мастерской не нашлось нужного камня, вместо изумруда вставили сапфир. Так и получилось, что яйцо украшено одиннадцатью изумрудами и одним сапфиром.

Юра вдруг встал и начал расхаживать по комнате.

— Что-то не так? — поинтересовалась я, глядя на то, как он нервно шагает от подоконника к двери.

Внезапно ювелир повернулся.

— Видите ли, Даша, кажется, знаю, у кого находится ваша фамильная реликвия.

Я чуть не упала со стула.

— Не может быть!

— Вы знакомы с Петром Зайцевым?

— Нет, впервые слышу это имя.

Юра опять заходил по комнате.

— Значит, никогда не пользовались его услугами?

— Кто он такой?

Ювелир усмехнулся:

— Посредник. Люди вашего достатка, как правило, слышали про него.

— С чего вы взяли, что я богата?

Юра рассмеялся:

— Знаете, работаю с золотом и камнями пятнадцать лет, сразу после художественного училища начал на дому трудиться. Как-то научился распознавать финансовое состояние клиентов. Один придет, пудовыми перстнями в нос тычет, в каждой руке по мобильному телефону, а на ногах ботиночки «Скороход». А у вас ничего такого вроде нет. Джинсики простые, но, по-видимому, сшиты на заказ у «Джанфранко Ферре». Правильно?

Я кивнула.

— Кофточка скорей всего «Морган», а незатейливые туфельки от «Сони Рикель», ручная работа.

— Неужели моя одежда так бросается в глаза? — изумилась я. — Всегда хотела выглядеть скромно.

Юра кивнул:

— Это-то и отличает по-настоящему богатого человека. Сделаем исключение для криминальных структур и шоу-бизнеса, там любят блестеть, сверкать и переливаться. Не расстраивайтесь, вы отнюдь не похожи на тех людей, которые носят одежду фирменным ярлычком наружу, просто знающему человеку достаточно посмотреть на эти джинсы, чтобы понять: их сделали штучно, а не на конвейере.

Я тяжело вздохнула. Иногда делаю потрясающие глупости. Переодеваясь в брюнетку и отправляясь к Олегу Игоревичу в образе бедной дамы, желающей беременеть по заказу, я не стала натягивать на себя жутковатое бордовое платье. Оно у меня одно, хожу в нем на работу. А у Олега Игоревича отличная память, во всяком случае, имя своей нищей лаборантки он запомнил сразу. Гинеколог привык иметь дело с женщинами и небось сразу понял, сколько стоит одежда посетительницы. Бо́льшей глупости нельзя было и придумать. Специально не надела бордовую хламиду, чтобы он не узнал платье бестолковой лаборантки, и явилась изображать остро нуждающуюся в деньгах тетку, нацепив эксклюзивные шмотки от лучших парижских модельеров. Да уж, глупей того, что сделала я, придумать трудно.

— Петр Зайцев — посредник, — спокойно продолжал Юра. — Допустим, хотите купить дорогое украшение, куда пойдете?

— В магазин или закажу у ювелира.

Юра улыбнулся:

— Кое-кто не хочет светиться, люди болтливы, пойдут разговоры... Поэтому и обращаются к Пете.

Дают ему заказ, предположим, на старинные серьги... Петя достает все, о чем его попросят.

— Где?

Ювелир хмыкнул:

— Кто же расскажет? Люди, продающие семейные ценности через Зайцева, как и покупающие их, не хотят огласки. Это одно из условий сделки — полное инкогнито.

Я слушала затаив дыхание. Не далее, как неделю тому назад, Петр приехал к Юре и показал ему фото яйца.

— Видишь, — спросил он, — тут один камень отличается от остальных. Сможешь заменить этот сапфир на изумруд?

— Зачем? — удивился Юра.

— Продавец так хочет, — ответил Зайцев.

Юра повертел в руках снимок.

— Не советую, хотя сделать это можно.

— Почему не советуешь?

— Сапфир поставили очень давно, это не недавняя вставка. Изумруд, который бы идеально подходил к имеющимся одиннадцати, подобрать не сумею. Все равно будет отличаться по тону, — терпеливо объяснял Юра. — Знаешь, как у Фаберже в мастерских поступали? Брали один большой камень и распиливали, только тогда можно было получить совершенно идентичные камни. Правда, частенько использовали и мелочь, но тогда играли на разнице в цвете. Здесь же явно изначально был взят один крупный изумруд. Никогда не сумею подобрать совершенно такой, как все остальные. Если твой клиент пожелает, могу предложить два варианта.

— Какие?

— Вынимаю и заменяю все камни. В этом случае мы добьемся идеального цветового решения, но сильно потеряем в стоимости вещи. Или пусть все остается так, как есть. На мой взгляд, сапфир совершенно не портит яйца. Даже наоборот, придает ему шарм, оригинальность. Уж поверь мне, у Фаберже знали толк в драгоценностях и если в его мастерской не подобрали изумруд, а вставили сапфир, так тому и быть.

Зайцев уехал, но вечером перезвонил и сказал:

— Спасибо, мой клиент решил оставить все, как есть.

— Дайте телефон Петра, — попросила я.

Юра вздернул брови:

— Пожалуйста, пишите, только очень прошу, не ссылайтесь на меня, придумайте что-нибудь. Ну совните, что хотите купить яйцо работы самого Фаберже, предложите несусветную сумму. Зайцев жадноват, если вещица еще не продана, он обязательно клюнет. Попросите разрешения посмотреть вещь и сфотографируйте ее. Хотя нет, не пойдет. Лучше сделайте снимок тайком. Знаете, есть такие шпионские камеры в зажигалках, в пудреницах... Открыл крышку, и готово.

Я кивнула.

— На Симоновском валу можно купить, — посоветовал Юра, — магазин называется «Безопасность». Принесете мне фото, и я выполню все в лучшем виде, не сомневайтесь.

Сидя в «Пежо», я трясущимися от нетерпения руками набрала номер Зайцева.

— Алло, — ответил густой бас.

— Добрый день, Петя, — защебетала я, — мы пока незнакомы, ваш телефончик подсказала мне Лена Ригель, жена Эдика Ригеля, владельца компании «Мединвест», помните такую?

— Компанию или госпожу Ригель? — усмехнулся Зайцев.

Я радостно захохотала:

— Ой, какой вы остроумный человек! Конечно, Ленусю. Она говорит, что вы можете абсолютно все! Просто кудесник.

— Ну, предположим, — хмыкнул Петр. — Что вы хотите приобрести?

— По телефону говорить нежелательно.

— Подъезжайте.

— Если часа через два?

— До шести буду дома, а потом уйду.

— Не волнуйтесь, примчусь мигом.

Отсоединившись, я понеслась на Симоновский вал. Спасибо Юре, что рассказал мне про магазин «Безопасность», только шпионскую фотокамеру покупать не стану, хочу приобрести совсем другой прибамбас.

В большом торговом зале скучали штук шесть продавцов, все молодые парни. Очевидно, их совсем заела тоска, потому что, едва завидя клиентку, они кинулись ко мне, чуть не сталкиваясь лбами.

— Что хотите? — радостно выкрикнул рыжеволосый юноша, выигравший гонку у коллег.

Я захлопала глазами, придала лицу самое идиотское выражение и прочирикала:

— Прикиньте, какая дрянь получается! Мой муж, старый идиот, седина в бороду, а бес в ребро, решил изменить семье!

— Ну, — осторожно протянул рыжий, — всякое случается.

— Хочу узнать, с кем он говорит в мое отсутствие по телефону. Есть такие аппаратики?

— Конечно, — оживился продавец, — у нас их до фига. Главное — понять, какой хотите.

Следующие полчаса передо мной на прилавок

выкладывали всякие коробочки и объясняли принцип их действия. Наконец я остановилась на одном устройстве, не слишком дорогом и наиболее простом.

— Вот эту штучку-крохотулечку надо прилепить к аппарату, — спокойно объяснял продавец.

— Как?

— Просто прижмите с оборотной стороны телефона, сама прилипнет. Затем уходите, только недалеко.

— В подъезд можно выйти?

— Да, лучше всего. Надеваете наушники, берете пульт, нажимаете здесь и все слышите. Если разговор неинтересный, тогда просто отключаетесь, ну а ежели застукали супруга, тогда вот на эту красненькую кнопочку надавите, и в окошке выскочат цифры. Это номер, по которому идет разговор. Очень просто и эффективно.

Запихнув шпионское снаряжение в сумочку, я понеслась к Зайцеву.

ГЛАВА 25

Когда Петр открыл дверь, я попятилась. На пороге возвышалась гора высотой под два метра и весом в пару центнеров. Я доставала мужику примерно до пояса.

— Входите, — пригласил Зайцев.

Я вошла в роскошно обставленный холл и хихикнула.

— Боже, какой вы огромный, прямо жуть берет. Интересно, какой автомобиль вы себе купили? Небось троллейбус приобрели, в мой «Пежо-206» вам ни за какие деньги даже голову не просунуть.

Петя улыбнулся, из его глаз пропала небольшая настороженность. Я захихикала. Давно заметила:

чем глупее ты кажешься людям, тем лучше они к тебе относятся. Дурочек не опасаются.

— Мой отец чуть-чуть не дорос до самого высокого человека планеты, — улыбаясь, пояснил Зайцев, — два метра двадцать сантиметров вымахал, я малость пониже буду, да и вес набрал слишком большой, надо бы скинуть.

— Ой, — закатила я глаза, — обожаю крупных мужчин, ну представьте себе парня ростом с меня, это же форменная катастрофа. Куда с такой канарейкой пойти можно?

Зайцев рассмеялся в голос.

— Ну, все хорошо в меру. С другой стороны, зачем вам такой кавалер, как я? Очень смешно выглядит: слон и блошка. И потом, в постели я бы вас просто раздавил. Была у меня как-то дама вашей конструкции, так прямо измучился весь, боялся ей руки-ноги поломать. Ну да ладно, вернемся к нашим баранам...

— При чем тут бараны? — прикинулась я совершенной кретинкой. — У меня вопрос не по животноводству...

Петр прикусил нижнюю губу — он явно пытался сдержать рвущийся наружу смех.

— Просто так сказал, к слову, в чем проблема?

— Петенька, — капризно оттопырила я нижнюю губку, — вы всегда держите приходящих к вам в гости дам на пороге? Понимаю, конечно, что не заинтересовала вас как женщина, но надо же и приличия соблюсти? Даже кофе не предложили!

Зайцев опять широко улыбнулся:

— Только-только хотел спросить, что предпочитаете, чай или...

— Кофе, — докончила я, — черный, без сахара, с лимоном, естественно, не растворимый, лучше всего стопроцентную арабику, желательно «Лавац-ца д'Оро», знаете эту фирму?

Зайцев хмыкнул, и мы прошли на кухню. Сразу стало понятно, что он живет один, вернее, что не женат. Его кухня больше походила на бар. Вместо обычного стола, вроде того, за которым удобно устраивается наша семья, тут имелась доска на одной толстой ноге. Сидеть предлагалось на высоких табуреточках с плетеными сиденьями. Петр с его ростом преспокойно оседлал этот малокомфортабельный стул, я же еле-еле вскарабкалась. Плита была двухконфорочная. У нас в Ложкине горелок шесть, и то их Катерине частенько не хватает. Вдоль стены размещались разнообразные электробытовые приборы: кофеварка, тостер, СВЧ-печка. Но никаких кухонных комбайнов или вафельниц я не приметила.

Кофе Петр сварил почти приличный, во всяком случае, его можно было проглотить.

— Так в чем проблема? — поинтересовался он, вытаскивая сигареты. — Разрешите?

— Конечно, сама курю. Пора представиться, Даша Васильева, та самая, понимаете?

— Нет, — честно ответил Зайцев, — пока не слишком.

— Да ну? — надула я губки. — Неужели? Даша Васильева, та самая, одна из богатейших женщин Москвы, обо мне столько говорят...

— Извините, — развел руками Петя, — не слышал.

— Вы позвоните Лене Ригель, — посоветовала я, — да спросите обо мне.

— Зачем? Я и так вижу, кто передо мной.

— О-о, очень мило, — старательно изображала я глуповатую тетку из среды «новых русских». — Дело вот в чем. Я хочу сделать подарок своему другу. Он — страстный коллекционер произведений Фаберже, собирает давно самые разнообразные вещи: пепельницы, подсвечники, шкатулки и так далее. Просто мечтает найти пасхальное яйцо, но вот беда: никак оно ему не попадается. Вот и хочу обрадовать дорогого человека, купить ему вожделенную игрушечку. За любые деньги!

— Прямо-таки за любые? — усмехнулся Петр.

— Да, — твердо сказала я, — мне для Пусика ничего не жаль. Заплачу столько, сколько скажете, двести, триста тысяч...

— Дорогая моя, — усмехнулся Зайцев, — десять тысяч долларов — это не та цена, за которую можно приобрести раритет работы великого Фаберже. Вы, наверное, не очень хорошо разбираетесь в этом вопросе. Ювелир имел мастерские, он выпускал массу вещей: пепельницы, портсигары, монетницы, шкатулки, кольца, броши, и на всех стоит клеймо Фаберже. Но это не значит, что он сам делал эти штучки. Вот, смотрите.

Зайцев открыл ящик и вытащил прехорошенькую серебряную корзиночку с витой ручкой. Край изделия украшало кружево. Я потрогала его пальцем, ну надо же, полное впечатление, что это ткань, а на самом деле металл.

— Глядите, — Петр перевернул вещичку, — данная конфетница сделана в мастерских Фаберже, клеймо это подтверждает. Но рядом стоит еще одно клеймо.

— А это что такое? — заинтересовалась я.

— Фаберже разрешал лучшим мастерам ставить именное клеймо. Таких умельцев было мало, можно по пальцам перечесть. Эту конфетницу создал один из его ведущих ювелиров. Отсюда и цена вещи. Те, что шли на потоке, выходили из рук рядовых работников. Безусловно, хорошие, качественные вещи, но стоят не так уж и дорого. Это не были уникумы. До революции мастерские Фаберже работали активно, и у многих имелась посуда или украшения с маркой ювелира. Вещи с личным клеймом мастера встречаются реже, естественно, они намного дороже. И уж совсем бесценными являются произведения самого мэтра. Тут ценовая планка взлетает просто на недосягаемую высоту. А вы хотите купить яйцо за десять тысяч долларов, но...

— Я разве называла эту сумму?

Зайцев повертел пустую чашку.

— Сказали же триста тысяч...

— Но не рублей же, дорогой мой!

Петр уставился на меня хитрыми глазами.

— Понимаете, — неслась я дальше в своем вранье, — не так давно Юрочка Рыков, есть такой богатый человек, владелец крупного учебного заведения, показал мне свою семейную реликвию: пасхальное яйцо от «Фаберже». Уж не знаю, сам ли мастер делал его или кто из подручных. Лично я до нашего сегодняшнего разговора считала, что знаменитый Фаберже работал один, сам по себе.

— Многие так думают, — улыбнулся Зайцев, — приносят мне украшения и страшно расстраиваются, когда даю им не очень высокую цену. Начинают объяснять: у меня «Фаберже»...

— Так вот, — бесцеремонно прервала я его, — Юрочка демонстрировал яйцо, замечательной красоты штука, сверху украшена двенадцатью камушками, одиннадцать изумрудиков и один сапфир. Вот его очень хочется, но, сами понимаете, несмотря на близкое знакомство, никаких разговоров с Юрочкой я вести не стану. Лена Ригель утверждает, что вы можете все. Достаньте мне именно это яйцо, заплачу любую сумму. Понятно? Любую. Считайте это прихотью. Но, если есть деньги, отчего не побаловать себя?

Зайцев протянул:

— Значит, наверху одиннадцать изумрудиков и сапфир...

— Точно!

— А принадлежит оно Юрию Рыкову?

— Верно.

— Что ж, — вздохнул Зайцев, — попробую сегодня разузнать, что к чему, и свяжусь с вами. Дайте номер вашего телефона.

— О нет-нет, сама позвоню.

— Пожалуйста, — пожал плечами Петр, — завтра, после семи вечера. Но, надеюсь, вы понимаете, что гарантировать ничего не могу.

— Естественно, — согласилась я и потрогала чашку с кофе.

Кажется, достаточно остыл, не хочется обжечься.

— Конечно, — продолжала я, аккуратно поднимая чашечку, — вам... о-о-о-о... Боже, пролила ваш идиотский кофе, прямо на брюки. Ну что вы стоите, как болван? Видите же, мне горячо, еще и пятно останется. Несите скорей кусок мыла из ванной, живей!

Петр вышел. В ту же секунду я быстро прилепила «жучок» к днищу телефонного аппарата. Зайцев вернулся, неся розовый брикетик.

— Это что? — возмутилась я.

— Вы же сами просили мыло!

— О боже, — закатила я глаза, — все мужики идиоты. Тряпку или губку! Ладно, сама пойду, где тут ванная?

Через десять минут в совершенно испорченных брючках я спустилась на второй этаж и надела наушники. Надеюсь, не ошиблась в своих расчетах, и сейчас милый Петяша кинется звонить тому, кто продает яйцо.

Послышались какие-то щелчки, потом в ухо ворвался голос:

— Можно Елену?

— Я.

— Беспокоит Зайцев.

— Погодите минутку, выйду в другую комнату. Тут очень громко телевизор орет.

Из наушника и впрямь раздавались звуки стрельбы и крики. Кто-то смотрел боевик.

— Ну ты даешь, — раздался вновь безумно знакомый женский голос, — Эдька сегодня дома, выходной в стране. Договаривались ведь, что только в рабочее время созваниваемся. И вообще, почему не на мобильный, а по домашнему?

— Перестань идиотничать, — прошипел Зайцев, — не о свиданке хочу договариваться. А мобильник надо хоть иногда включать. Ты знаешь некую Дашу Васильеву?

— Еще бы, — ответила его собеседница, и я мигом поняла, отчего мне так хорошо известен ее голос. Петр звонил Лене Ригель.

— Очень хорошо, — продолжала та, которую я считала своей доброй знакомой, — такого могу про нее рассказать! Для начала, она — нимфоманка, то ли семь, то ли восемь раз выходила замуж и ни с одним не ужилась.

От возмущения я чуть не заорала. Какая ложь! Всего-то четыре раза сбегала в загс, мне просто не везло. И вовсе не мужья бросали меня, а я сама уходила от них.

— Теперь-то она снова в невестах, — ехидничала Ленка, — небось научилась концы в воду прятать. Но, с другой стороны, зачем ей муж, а? Наша красавица всегда хотела богатенького...

Я едва не выронила наушники. Нет, вы только подумайте! Что же это такое, а? Меня никогда не волновало финансовое состояние супруга!

— Слышь, Лен, — пробурчал Зайцев, — мне сплетни не нужны. Ответь просто на один вопрос: она богата?

— Так к тому и речь веду, — обиженно ответила Ригель, — а тебе послушать лень. Наша Дашутка все гонялась за бобром и наконец подстрелила его! Представляешь, выскочила замуж за французского миллиардера, тот мигом скончался и оставил нашу красоту всю в шоколаде. Теперь у нее всего полно: дом, машины, сынку своему кретинскому диплом юриста купила, а невестку Ольгу, между нами говоря, ту еще уродку, пристроила на телевидение. И теперь вся страна на ее кривую рожу любуется. Деньги-то власть имеют!

— Значит, она в состоянии выбросить крупную сумму на свои прихоти?

— Ой, да сколько угодно, — заржала Ригель, — стесняться не станет, скромностью никогда не отличалась, все себе любимой, все себе родной.

— Ладно, это и хотел узнать, — буркнул Зайцев.

— Когда встретимся? — понизила голос Ленка.

— Потом поговорим, у тебя же Эдька дома, — ответил Петр и отсоединился.

Я, все еще не веря своим ушам, нажала на красную кнопочку. В окошечке мигом высветился отлично знакомый номер телефона моей хорошей подруги Лены Ригель. Нет, какая необыкновенно полезная вещь. Вот ведь что получается! С Ленкой знакома тысячу лет, мы вместе учились в институте. Она носила тогда фамилию Коломийцева и без конца жаловалась на черное безденежье. Потом на ее жизненном пути возник Эдик Ригель, сын то ли посла, то ли какого-то советника, точно не скажу, но мальчик из элитарной, вполне обеспеченной семьи. По советским временам, родственники, годами работающие за рубежом, — это было круто. Ленуська прибегала ко мне в Медведково, и несколько бессонных ночей мы провели, обсуждая проблему: выходить ей за коротконогого, вечно потного, очкастого Эдьку или закрутить роман с первым красавцем курса Леней Фединым. Первый был отвратителен, зато богат, второй хорош собой, как греческий бог, но имел на руках маму-инвалида, а весь его доход составляла стипендия. Бедная Ленка прорыдала три дня и выбрала Эдика. Надо сказать, она не прогадала и получила все, что хотела. После перестройки Эдик неожиданно занялся бизнесом и крайне преуспел. Ленусик теперь имеет загородный дом, шикарный автомобиль, кредитную карту и море шмоток. Брак их с Эдиком не распался, наверно, финансовые веревки оказались прочнее любовных уз.

Я искренне считала Ленуську своей подругой. Одно время, правда, мы охладели друг к другу, но, после того как моей семье на голову обрушилось наследство, Ленка примчалась в Ложкино и принялась причитать:

— Дашка, как я за тебя рада, прямо счастлива!

А я-то дура принимала ее выкрики за чистую монету. И что выясняется? Ригель ненавидит меня и охотно болтает гадости, причем еще и самозабвенно врет. Уж кто-кто, но она-то хорошо знает, что у меня было всего четыре мужа и что никто из них не обладал каким-либо состоянием. Интересно, за что Ленусик меня терпеть не может? Хотя, ясно. Ей-то в погоне за финансовым благополучием пришлось укладываться в кровать к потному Эдику и зарабатывать себе на жизнь самым древним способом. И штамп в паспорте сути дела не меняет. Ежели дама прыгает к отвратительному кавалеру под одеяло, зажмуривает глаза, затыкает уши и нос, а потом начинает представлять себе, что на самом деле рядом с ней не противно сопящий Эдичка, а Том Круз, то это, как ни крути, самая настоящая проституция. Так что Ленке тяжело достались заветные доллары, мне же они просто пролились на голову золотым дождем. Самое интересное, что я ни о каком богатстве никогда не мечтала. Безусловно, хотела хорошо зарабатывать, но и только...

В наушниках вновь защелкало, потом ворвался голос, на этот раз мужской.

— Алло.

— Зайцев беспокоит.

— Слушаю.

— У меня есть покупатель на вашу вещь.

— Спасибо за хлопоты, я передумал.

— Но как же, — занервничал Петр, — вы же...

— Извините, — ответил приятный баритон, — сколько должен вам за хлопоты?

— Но ведь вы хотели побыстрей получить деньги, — не успокаивался Петр, — я нашел крайне выгодный вариант.

— Благодарю, не надо.

— Но...

— Спасибо, передумал.

— Но...

— Послушайте, — обозлился баритон, — что вы ко мне привязались, а? Сначала хотел продать, потом решил этого не делать. Что в этом странного?

— Ничего, — буркнул Зайцев, — кроме того, что ко мне обращаются тогда, когда все уже решено. Выходит, заставили человека зря работать!

— Говорю же, сколько за хлопоты?

— Да пошел ты! — рявкнул Петр.

— А ты меня не посылай, гаденыш, — обозлился баритон, — какую цену предложил, а? Ишь, говнюк, думал проверять не стану? Половину давал? Не хочешь по-интеллигентному разойтись, тогда правду слушай: дела с тобой иметь не желаю, поскольку ты вор и обманщик. Думал у лоха за бесценок купить, а потом подороже продать? Пошел на... Обломилось тебе!

— ... — сказал Петр.

— Заткнись... — припечатал собеседник, — а то, не ровен час, нарвешься, пришлю ребят, они тебя из шкуры вытряхнут и голым по камням провезут. Понял, урод?

Понеслись гудки. Я быстро нажала на красную кнопочку — 764-89-35. Так, очень здорово, теперь осталось уточнить имя и фамилию владельца этого номерка. Полная радостного энтузиазма, я потыкала в кнопочки и услышала:

— Абонент отключен или временно недоступен, попробуйте позвонить позднее.

Значит, это мобильный. Интересно, какой компании? Их сейчас тучи. «Би лайн»? «МТС»? И как узнать? Да просто. Мигом набрав на своей трубке цифры 611, я услышала:

— Справочная «Би лайн».

— Девушка, кому принадлежит номер 764-89-35?

— Извините, — очень вежливо, но твердо ответила служащая, — сведения об абонентах являются тайной.

— Но номер ваш?

— А зачем вам?

— А он от моего всего на одну цифру отличается, заколебал какой-то мужик. Вечно ко мне попадает, причем по ночам!

— Можете оставить у оператора заявление, постараемся помочь.

— Значит, ваш абонент?

— Да.

Обрадованная, я отсоединилась, пару минут подумала и покатила на Масловку, в центральный офис «Би лайн».

Служащих этой компании отличает невероятная, гипертрофированная вежливость. На лицах у всех, начиная от охранников и заканчивая кассирами, играют неправдоподобные улыбки. Через каждое слово сотрудники «Би лайн» произносят фразу: «Мы рады вам помочь!» — и чуть ли не приседают перед клиентом. Лично мне от такого обращения делается не по себе.

Внимательно оглядев зал, я нашла самую молодую девушку и подошла к стойке.

— Рада помочь, — мигом расплылась та в улыбке.

— Мой хозяин велел сообщить о краже телефона.

— Ой как неприятно, — мигом отозвалась служащая.

— Да уж, — фальшиво вздохнула я, — в магазине сперли, положил на прилавок трубку — и ау, как не бывало. Как теперь поступить? Ведь вор начнет разговаривать за счет моего хозяина.

— Мы можем блокировать номер, — объяснила девушка, — но к заявлению нужно приложить паспортные данные, и вообще, оно принимается только от владельца трубки.

— А я помню его данные наизусть.

— Нет-нет, так нельзя.

— Девушка, дорогая, — завела я, потом бросила взгляд на бейджик, висевший у нее на груди, и прибавила: — Милая Катенька, помогите. Мой хозяин очень занятой человек, он сюда не поедет, а меня уволит, если не выполню поручение. Просто самодур, каких мало. Сделайте одолжение.

Секунду девушка колебалась, потом сдалась:

— Хорошо, диктуйте номер телефона и покажите мне свой паспорт, я к заявлению ваши сведения приложу, в порядке исключения.

— 764-89-35, — обрадованно зачастила я.

Служащая пощелкала мышкой:

— Имя владельца?

Я недолго сомневалась:

— Воронцов Аркадий Константинович, проживает в коттеджном поселке Ложкино, паспорт... серия...

— Погодите, погодите, — воскликнула оператор, — этот номер принадлежит другому!

— Кому? — делано изумилась я и, перегнувшись через стойку, уперлась взором в экран компьютера.

На голубом фоне виднелись строчки: Мордвинов Артур Романович, Подлипецкий проезд, 8, квартира 147.

Девушка недовольно посмотрела на наглую клиентку, но потом профессиональная выучка взяла верх, и она, улыбнувшись, сказала:

— Вы сейчас упадете.

— Ой, простите, совсем дурой стала! Вместо хозяйского телефона назвала номер своего мужа Артура! Ну прямо крыша съехала!

— Бывает, — кивнула служащая, — давайте еще раз. Значит, Воронцов Аркадий Константинович, есть такой. Номер назовите.

Делать нечего, пришлось оставлять заявление о блокировке трубки Аркадия. Сами понимаете, сказать приветливой девушке, что я передумала, было невозможно.

ГЛАВА 26

Есть в Москве такие местечки, где время словно остановилось. Буквально за углом шумит многоголосый рынок, несутся по проспекту машины, клянчат деньги бомжи, и бойко торгуют всякой мелочью старушки. Но стоит немного углубиться внутрь квартала, и возникает картинка из 60-х годов.

Войдя во двор дома № 8 по Подлипецкому проезду, я вздохнула: надо же, словно вернулась в детство. Пятиэтажное кирпичное здание стояло буквой П. Сегодня выходной, день выдался теплый, и за длинным деревянным столом сидели мужики, азартно игравшие в домино. Около них стояли бутылки с пивом. Кое-кто из парней, торопя лето, скинул свитер и красовался в одной футболке. Чуть поодаль от доминошников трепыхалось на веревках белье. Приятный ветерок ласково перебирал простыни, пододеяльники, мужские «семейные» трусы, угрожающе огромные розовые лифчики и невероятное количество разноцветных крохотных колготок. На площадке возле качелей кричали дети, на скамеечке мирно болтали старухи. Одно из окон первого этажа было распахнуто, в проеме виднелся магнитофон, из которого неслась громкая музыка. В стайке подростков шел какой-то ожесточенный спор.

Точь-в-точь в таком дворе прошла моя юность. Очень хорошо помню, как расставалась со своим кавалером на углу, запрещая ему провожать меня до подъезда. Возле нашей входной двери в любую погоду, даже в лютый мороз, восседала баба Нюра, зорко приглядывавшая за всеми. Вот уж кто знал всю подноготную своих соседей. Впрочем, в мое время подростки не стали бы открыто курить в присутствии взрослых. У них мигом отняли бы сигареты, надрали уши и сообщили родителям. Да и музыка была другая... Но какая-нибудь своя баба Нюра тут тоже обязательно есть.

Я подошла к скамеечке со старухами и вежливо сказала:

— Здрассти.

Бабуськи прервали разговор и начали шарить по мне блеклыми глазами. Наконец особа в пронзительно яркой фиолетовой куртке ответила:

— Здравствуй, коли не шутишь.

— Можно присесть?

— Давай, скамейка не куплена.

Я примостилась на краешке и завела разговор:

— Погода какая хорошая.

— Спину ломит, — сообщила фиолетовая куртка, — небось дождь пойдет.

— Не говори, Зин, — подхватила другая старуха, — голову прям перехватило, гроза прет.

— Ну ты сказала, Клава, — усмехнулась Зина, — разве ж в апреле гроза бывает?

— Ща чего угодно будет, — вздохнула третья, — на Новый год молоньи сверкали, вся погода с ног на голову встала.

— Сами они виноватые, — села на любимого конька Клава, — понавыдумывали дряни всякой: излучения, телефоны, компьютеры, нет бы жить, как мы.

— Вся беда от бананов, — не успокаивалась третья старуха, — за каким бесом нам ихняя жратва обезьянья? Манги, киви, чипсы какие-то! Проще надо, щи да каша, чего еще? Мясо — смерть!

— Глянь, Анька, твой идет, — оживилась Зина, — вон, кренделя выписывает.

— Где? — напряглась бабка.

— Да вон, у гаражей.

— Ладно, девки, — подскочила Аня, — недосуг мне с вами языком махать, белье неглаженое потолок подперло, пойду.

— Ступай, — хором ответили товарки.

Не успела Анна войти в подъезд, как Клава хмыкнула:

— Ишь, побегла!

— Белье гладить, — подхватила Зина, — умора, врет и не краснеет.

— Да уж, перед нами могла бы и не прикидываться.

— Почему вы думаете, что она сказала неправду? — нагло вклинилась я в чужой разговор.

Бабки разом повернулись ко мне, помолчали, потом Клава вполне приветливо ответила:

— Вишь, мужичонка там шлепает, плюгавенький такой, в беретке?

— Да.

— Сын Анькин, алкоголик. Приезжает только тогда, когда пенсию приносят. Отымет у матери и пропьет. Вот она и понеслась рублишки прятать.

— Только зря, — встряла Клава. — Ваньке все ее захоронки известные.

— А ежели не отыщет, морду матери начистит, — вздохнула Зина.

— Анька потом будет брехать, будто в ванной упала, — дополнила Клава.

— Вы, наверное, тут все про жильцов знаете, — восхитилась я.

Зина улыбнулась:

— А то! Всю жизнью на одном месте. Дом наш завод построил, мы все разом квартиры получили.

— Спасибо Ивану Дмитриевичу, царствие ему небесное, — перекрестилась Клава, — вот директор был, не то что нонешние говнюки, все под себя, словно курица лапой, гребут.

— Да уж, — покачала головой Зина, — настоящий человек, хоть и не без греха, Аську вспомни.

— Все мужики кобели, — не сдалась Клава, — Аська ему сама на шею кидалась, кто ж удержится?

— Как хорошо, что вас встретила, — воскликнула я, — шла и думала: ну кто мне поможет?

— В чем дело-то? — посуровела Клава.

Я всплеснула руками:

— Только послушайте, чего у нас в семье приключилось.

— Ну! — оживились старухи.

Я вздохнула и затараторила, выдумывая на ходу детали и подробности.

Всю жизнь замужем за военным, супруг мой при чинах, полковник. И дом у нас полная чаша. Квартира трехкомнатная с мебелью и холодильником, телевизоров аж целых два, ну там ковры, хрусталь, люстры... «Жигули» имеются, садовый участок, словом, все как у людей, не стыдно по двору ходить. И достанется нажитое доченьке единственной, родной кровиночке — Анечке. Все у нас шло хорошо, только попала девчонке шлея под хвост — влюбилась.

— Дело молодое, — вздохнула Клава, — сколько годов-то?

— Двадцать.

— По нонешним временам перестарка, — резюмировала Клава.

— Вовсе нет, — «оскорбилась» я, — хорошая девушка, чистая, наивная, мамой воспитанная, а выбрала черт-те кого, Мордвинова Артура Романовича...

Зина хмыкнула:

— Да уж!

— Слышали про такого?

— Как не слыхать, — протянула Клава.

— Дочка моя о нем ничего не рассказывает, — неслась я без остановки дальше, — вот приехала сюда, думала порасспросить соседей, может, зря волнуюсь? А тут господь вас послал. Дай, думаю, узнаю у пожилых, опытных людей, которые умный совет дать могут.

Бабуськи разом вздохнули. Потом Клава сообщила:

— Хочешь мое мнение? Запрети дочери к нему даже близко подходить. Художник, понимаешь, хренов!

— Кто?

Зина усмехнулась:

— Ты хоть чего-нибудь про будущего зятя знаешь?

— Не-а, — помотала я головой.

— Слушай тогда, — сурово заявила Клава, — ща всю правду выложим, ну а ты уж сама решай, можно с таким родниться или следует его поганой метлой прочь гнать.

Артур — художник. Вернее, это он сам себя так называет, потому как ни одной картины, написанной им, никто никогда не видел.

— Наташка, мать его, выйдет, бывалыча, во двор, — сплетничала Зина, — закатит глаза и ну врать. Ой, мой Артурик на выставке все полотна продал. Денег получил — прорву!

— А сама, — перебила товарку Клава, — в обносках бегала, одну капусту готовила да по подъездам лестницы мыла, чтоб, понимаешь, лоботряса своего одеть и прокормить. Оттого и померла рано: изработалась, ровно ломовая лошадь.

После кончины матери Артур начал водить к себе вертлявых девиц. Все его дамы, как на подбор, были облачены в коротенькие юбочки, все ковыляли на высоченных каблуках. На какие средства жил Артур, непонятно. Одно время он бегал по соседям и стрелял мелочь на сигареты, судя по всему, ходить на нормальную работу за стабильный оклад парень совершенно не собирался. Но потом вдруг положение резко изменилось, сменился и контингент женщин, крутящихся возле красавчика Артура. Теперь это были хорошо одетые дамы, приезжавшие на роскошных иномарках.

— Прости господи он стал, — подвела итог Клава.

— Кем? — не сразу врубилась я.

— Проститутом, — хмыкнула Зина, — али не слыхала про мужиков, которые с бабами за деньги спят?

— Вы точно знаете?

— Ну, — усмехнулась Клава, — свечку-то не держали, только, скорей всего, не обманываемся. На какие такие доходы ён оделся, обулся, ремонт зафигачил и машину купил?

— Может, действительно картины продает? — подначила я старух.

— Кто ж за размалеванную бумагу столько деньжищ отвалит? — спросила Зина. — Вона, ступай к метро, тама за сотню чего хотишь приобрести можно. Желательно тебе природу или фрукты, собаки с кошками, божественное есть и даже девки голые на любой вкус. Так что уволакивай свою девчонку от такого кадра.

— Да и есть у него сейчас баба, — подхватила Клава, — ничего из себя, вон ейная машина стоит. Дорогих денег стоит, глянь.

Я проследила за корявым пальцем старухи и увидела новехонький «Мерседес», весь глянцевый, переливающийся.

Старухи захлопнули рты, я тоже примолкла. Ну и как теперь поступить? Отправиться в квартиру и заявить с порога: «Знаю, что вы украли яйцо Фаберже!»

Да уж, глупей и не придумать.

— Чего скисла? — ожила Зина.

— Да вот думаю, как дочери рассказать, не поверит ведь она мне.

Клава хмыкнула:

— Мы ща тебя научим! Фотоаппарат имеешь?

— Ну дома есть.

— Дуй к себе, привози и сядь тут на скамеечке. Он в десять вечера выйдет с бабой этой, и они станут прощаться. Начнут лизаться, тут ты их и щелканешь, а потом девке своей под нос и сунешь: любуйся, доча, кого твой суженый обминает!

Я с уважением посмотрела на старуху — просто Джеймс Бонд. Небось любит детективы по телевизору смотреть.

— Вы точно уверены, что они именно в десять выйдут?

Зина сморщилась.

— Баба евонная замужем: кольцо на пальце блестит. Видать, домой спешит, чтоб супружник чего плохого не заподозрил, ночевать никогда не остается. Она тут, как по расписанию, вторник, четверг и субботу проводит.

— В промежутках других водит, — поддакнула Клава, — только с теми дело ненадежное. Иной день и нет у него никого.

— Простой случается, — заржала Зина.

— Лучше к десяти подъезжай, — подбила итог Клава, — поверь нам.

ГЛАВА 27

С гудящей головой я приехала в Ложкино и налетела на Риту Замощину. На этот раз у нее на голове красовался сильно завитой ярко-рыжий парик. Ритка стала в нем похожа на легенду российской эстрады Аллу Пугачеву времен исполнения песни «Паромщик».

Не успела я войти в холл, как Замощина, тряся кудрями, полетела ко мне с воплем:

— Иди сюда, будешь его держать.

— Кого? — устало спросила я. — Очередного твоего жениха?

— Скажешь тоже, — вскипела Ритка, — мне мужики не нужны! Масика, естественно. Смотри, что я ему купила.

И она жестом фокусника извлекла из сумки нечто пушистое, серое, больше всего похожее на шкурку, снятую с кролика.

— Замечательная вещь, — тараторила Ритка, — мой бедный сыночек совсем измучился, лежит в коробке с жуткими морскими свинками.

— Это щенки и котята!

— Уроды, — отмахнулась Рита, — сейчас мы его оденем.

— Зачем? И во что?

— Да вот, — трясла передо мной куском непонятного меха подруга, — купила по случаю, страшно дорогая вещь, комбинезон для кошки из норки.

— Комбинезон из кошки для норки? — обалдело повторила я, чувствуя, как к голове подбирается мигрень.

— Издеваешься? — налилась краснотой Ритка. — Это шуба для кота! Из норки!

— Зачем? У кошек своя отличная есть!

— Ты ненормальная, — заорала Ритка, — да, да, совсем больная! Это для Масика, он же лысый!

— А-а-а, — протянула я, — надо же, до чего додумались, шубы для кошек!

— Во-первых, их шьют для сфинксов, — пояснила, успокаиваясь, Замощина, — а во-вторых, для больных и старых животных. Вот, купила сыночку, а он одевать себя не дает. Придется тебе его держать, а я начну комбинезончик натягивать.

«Вовсе даже не стану помогать», — хотела было ответить я, но вслух отчего-то произнесла совсем другое:

— И что, эти прикиды только из норки шьют?

— Почему? — удивилась Ритуська. — Бывают разные, даже вязаные, но из норки самый дорогой, а у Масика все должно быть наилучшее.

Кто бы сомневался! Естественно, для милого сынка и сережку из ушка.

— Сколько же стоит шубенка?

— Пятьсот баксов.

Я уронила на пол одежонку.

— Сколько?

— Пятьсот долларов, — повторила Замощина.

— Да за такие деньги тебе шубу купить можно!

— Мне для Масика денег не жаль.

— По-моему, он мог обойтись вязаной фуфаечкой, — протянула я.

— Вот сама и ходи в кофте по холоду, — вызверилась Рита, — а мой сыночек...

Я безнадежно поплелась на второй этаж в свою спальню. Лысый Масик, очевидно, весьма комфортно чувствовал себя в стае щенков, потому что стоило начать выуживать его из ящика, как он принялся раздраженно шипеть.

— Кисонька моя, лапонька, пусинька, пойди к мамусечке, — засюсюкала Рита, — сейчас тебе станет уютненько. Эй, Дашка, пихай ему ноги в рукава.

Я попыталась засунуть лапы Масика в сшитые куски меха. Куда там. Кот извивался, царапался и плевался.

— Давай, держи его, — велела Ритка, — ничегошеньки не можешь сделать, беда с тобой.

И она сунула мне разгневанного Масика.

— Кисонька, дусенька, не дергайся, мамочка хочет как лучше.

Да уж, родители вечно норовят улучшить жизнь своих деток, только последние, как правило, сопротивляются изо всех сил. Вот и Масик совершенно не собирался надевать на себя дорогой комбинезон.

— Фу, — сказала Ритка, — чего сидишь, как кукла? Ну-ка тяни за лапы!

В самый разгар действия появилась Маруся. Мигом поняв, что происходит, она тут же включилась в ситуацию. Теперь я держала кота, а Ритка и Машка пытались запихнуть несчастного в шубу. Масик легко справлялся с тремя идиотками, размахивая когтистыми лапами. Потом я почувствовала, как по коленям потекла горячая жидкость.

— Он меня описал! — закричала я.

— Подумаешь, — тяжело дыша, ответила Ритка, — не сахарная, помоешься.

— Чем вы тут занимаетесь? — всунула голову в комнату Зайка.

— Потом объясним! — заорала Маня. — Видишь «молнию»?

— Где? — изумилась Ольга.

— У Масика на спине, застегни скорей.

Зайка, не задавая лишних вопросов, выполнила требуемое.

— Слава богу, — вздохнула Ритка.

Я отпустила кота.

— Чего вы с ним сделали? — поинтересовалась Зайка.

Ритка принялась с жаром рассказывать про комбинезон.

— По-моему, он Масику не слишком нравится, — вздохнула Маня, — вон как злится.

Кот бешено крутился на одном месте. Масику было наплевать, что на него с превеликим трудом нацепили страшно дорогой и супермодный комбинезон. Несчастное животное пыталось содрать с себя теплую одежду. Возможно, ему нравилось ходить лысым, а, может, Масику не по душе мех норки, вполне вероятно, что он предпочитает шиншиллу.

— Во обозлился, — качала головой Маня, глядя, как «сыночек» с воем носится по моей спальне, роняя мебель, — может, снять с него шубу-то?

— Ни за что, — отрезала Ритка, — сейчас привыкнет. Я лучше знаю, как со своим ребенком поступить.

Тяжелый вздох вырвался из моей груди. Еще одно родительское заблуждение. Всовывают в руки мальчика, страстно мечтающего о карьере футболиста, скрипку, таскают сопротивляющееся чадо в музыкальную школу, приговаривая: «Мама знает, чем тебе лучше всего заняться...» И в результате вместо счастливого человека, великого голкипера или популярного нападающего, получают пятнадцатисортного скрипача, вынужденного с тоской «перепиливать ящик». Чем же футбол хуже скрипки, а?

— Что у вас тут происходит? — недовольно спросил Дегтярев, входя в спальню. — Стук, топот...

Маня, Зайка и Рита, перебивая друг друга, начали рассказывать полковнику, какой чудесный комбинезон приобрела Рита и как мы натягивали его на Масика.

Александр Михайлович задумчиво поглядел на беснующегося кота.

— Странно, однако.

— Что? — напряглась Замощина.

— Шапка где?

— Чего? — разинула рот Маня.

— К шубейке, — совершенно спокойно констатировал приятель, — должен прилагаться капор или, на худой конец, берет. А то глупо выглядит тело прикрыто, а голова голая.

Не успел он докончить фразу, как Масик внезапно упал на ковер и взвыл. Никогда еще я не слышала звука, в котором бы слышалось столько тоски. Плач на реках вавилонских — ничто по сравнению с тем воплем, который издал несчастный кот.

— Вы как хотите, — сурово заявила Зайка, — а я больше не способна наблюдать мучения животного. Комбинезон надо снять. Масик, кис-кис... Иди сюда.

Но кот, наученный горьким опытом общения с нами, мигом забился под туалетный столик. Он затаился в самом дальнем углу и, лихорадочно блестя глазами, продолжал издавать жуткие воющие звуки.

— Надо поднять столик, ну-ка, Дегтярев, действуй, — велела полковнику Ольга.

Александр Михайлович подошел, ухватился, поднатужился... Баночки с кремом, расчески, губная помада попадали на пол. В ту же секунду кот быстрее молнии прошмыгнул мимо ног полковника и метнулся в новое убежище. Дегтярев, испугавшись, шарахнулся в сторону, наступил на валявшуюся на полу подушку, заорал, выпустил столик... Масик заметался по комнате, потом, обезумев, впрыгнул в короб, где Черри, распластавшись, закрывала собой щенков и котят. Пуделиха, уже слегка подслеповатая и никогда не отличавшаяся хорошим нюхом, взвыла и попыталась цапнуть непонятное существо. Несчастный кот ринулся в сторону и взлетел по занавескам вверх...

— Уф, — сказал Дегтярев, — столик-то сломался.

— Наплевать, — бодро сообщила Машка, — жуткий урод был, никогда он мне не нравился.

Я только вздохнула. Старинный туалетный столик, единственная вещь, оставшаяся от моей бабушки, помню его с детства, и, хотя домашние многократно приказывали «выбросить рухлядь», я поставила его в своей спальне из ностальгических чувств.

— Масик, Масик, — засюсюкала Ритка, подбираясь к занавескам, — мой любимый котик, иди к мамусе.

Но вредный кот ждал теперь от «матери» только самого плохого. Стоило Замощиной колыхнуть драпировку, как загнанное животное с утробным воплем прыгнуло на люстру.

Светильник угрожающе закачался.

— Сейчас упадет, — спокойно сообщил полковник.

— Масик? — ошарашенно спросила Зайка.

— Нет, сначала светильник, — уточнил Дегтярев, — а уж потом, конечно, и лысик.

Не успел он договорить фразу, как раздался треск, и красивая люстра рухнула на пол. В разные стороны дождем взметнулись осколки. Я наблюдала за происходящим, как если бы это был интересный кинофильм. Жаль только, что нельзя выключить звук — слишком уж противно визжит Ритка:

— Сыночка убили! Масик мой, Масик!

Впрочем, Зайка не отставала от нее:

— Ой, ой, ой, жуть какая!

Но громче всех орала Маня:

— Щенков засыпало, катастрофа!!!

Три крещендо слились, превратившись в единый хор, исполнявший форте песню о катастрофе.

— Мать, — раздался в самый кульминационный момент ледяной голос Аркадия, — а ну-ка иди сюда немедленно.

Чувствуя себя нашкодившей школьницей, я выползла в коридор и, заискивающе, снизу вверх, глядя на почти двухметрового сына, робко поинтересовалась:

— Случилось чего?

— Я не спрашиваю тебя, — тоном, от которого веяло всеми морозами Арктики, заявил Кеша, — я никогда не спрашиваю тебя, где ты шляешься дни напролет...

— Ничего плохого не делаю, — забормотала я, — так, по магазинчикам мотаюсь, знаешь, дамы любят шмотки разглядывать, косметику...

— Только не ты, — отрезал сын.

— В книжном толкусь, детективчики всякие перебираю...

— Мать, говори правду!

— Да что случилось? — недоумевала я.

— Ладно, — процедил Кеша, — мы разрешаем тебе все, и, видно, зря. Первого апреля ты по-идиотски пошутила, но я смолчал. Знаешь, одно дело подбрасывать пластмассовых мух в чай, а другое договариваться с ГИБДД. Меня тормозили через каждые сто метров, ехал до Бутырки четыре часа! А главное — еще иметь наглость позвонить и предупредить, чтобы я передвигался без машины!

— Это не я!!

— А кто?

— Дегтярев. Он обозлился за пукательную подушку. Ну как бы я, по-твоему, с гаишниками договаривалась, а?

— Не знаю, как-то сумела, — рявкнул Кеша, — да Александр Михайлович наивное существо, он не способен на такую гадость! Ладно, хорошо! Теперь возьмем сегодняшний день. Что за бардак ты устроила у себя в комнате?

— Это лысый Масик! — возмутилась я. — Он не захотел надевать комбинезон из норки, дорогую, между прочим, штуку, вот и метался по спальне.

— Мать, это твоя комната. Хочешь, чтобы люстра валялась на полу — кто бы спорил, но не я. Кстати, со столиком поступила абсолютно правильно, давно пора было эту рухлядь в щепки поломать.

— Мой любимый столик!

— А мой любимый телефончик?! — сердито ответил Кеша и повертел возле моего лица огромной черной трубкой.

— «Нокиа», — машинально прочитала я название фирмы и удивилась. — Такой страшный купил, почему?

— Потому что живу в доме с сумасшедшими собаками, которые харчат навороченные аппараты, — буркнул Кеша. — Этот проглотить даже бегемоту слабо.

— Да уж, — пробормотала я, — словно из камня высечен. Хорошо работает?

— Это самая первая модель, — со стоном произнес Кеша, — весом с Хучика, просто неподъемный, отвратный и неудобный, но я, несчастный, вынужденный жить в сумасшедшем доме и не могу себе позволить маленький хорошенький «Сони». Не успеешь оглянуться, как его ам — и схомякали.

— Не надо так переживать, — попыталась я успокоить сына, — Юнону скоро заберут, надеюсь, вместе со щенками. Купишь себе новую трубку, а пока этой попользуешься.

— Ты надо мной издеваешься? — тихо-тихо спросил Кеша.

Я перепугалась. Домашние постоянно кричат, причем без всякого повода. То из Машкиной комнаты доносятся негодующие вопли, то из спальни Зайки несется визг. Но меня это не пугает, потому что знаю: первая, скорей всего, опять что-нибудь потеряла, а вторая просто встала на весы и обнаружила, что прибавила двадцать грамм. Но когда родственники начинают разговаривать шепотом, тут уж жди беды.

— Нет, — прошептала я в ответ, — даже и не думала, с чего ты взял?

— А с того, — шипел Кеша, — что он вообще не фурычит, желаешь убедиться, ну-ка, послушай!

Я послушно приложила трубку к уху.

— Действительно, гудка нет. Зачем же ты купил неисправный телефончик?

— Мать, — рявкнул Кеша, — хватит идиотничать! Немедленно отвечай, за каким чертом отключила сегодня мой номер?

От неожиданности мои руки разжались, «Нокиа» шлепнулась на пол.

— Давай, доламывай, — дернул плечом Кеша.

— Ну, это, в общем...

— Почему?

— Ну, как бы объяснить...

— Просто, словами!

— Ну...

— Ну?!!

— Это не я!!!

— А кто?

— Не знаю, может, шутка?

Аркадий молча смотрел на меня пару минут, потом процедил:

— Запираться глупо, я был в офисе. Мало того, что там на заявлении твои паспортные данные, так еще и подпись стоит!

— Видишь ли, — внезапно осенило меня, — в «Би лайн» все перепутали, я хотела отключить свой телефон, а они вон чего сделали!

— Зачем? — буравил меня взглядом сынок. — Почему ты захотела остаться без телефона?

— Надоел, звонит все время! А они перепутали и тебя отрезали.

Аркашка поджал губы, естественно, он не поверил ни одному моему слову, но решил, что больше выяснять нечего. Видя, что в его глазах начали прыгать смешинки, я вздохнула и попятилась поближе к своей спальне. Кеша, не говоря ни слова, пошел по коридору, потом неожиданно обернулся:

— Мать!

— Что еще! — подскочила я.

— Ты у нас приколистка! — хмыкнул Кешка. — Хочешь, подскажу парочку забавных штучек? Можно, к примеру, насыпать в бензобак рафинад или сунуть кому из своих под простынь презерватив с водой. Еще жутко весело намазать родственников ночью зубной пастой. Мы в лагере, лет в восемь, очень любили забавляться подобным образом, давай, не стесняйся!

Тут распахнулась дверь моей спальни, и в коридор вывалились галдящие Дегтярев, Маня, Зайка и Рита.

— Это не норка, — говорил Александр Михайлович, — извини, конечно, коли обидел. Но, похоже, неизвестный скорняк содрал с какой-то несчастной кошки шкуру и превратил в комбинезон.

— Это норка, — сверкала глазами Рита.

— Не-а, — протянула Зайка, — пойди в гардеробную и посмотри на мою шубку, подшерсток совсем не такой, хотя на первый взгляд довольно похоже.

— То-то Масик хотел сбросить шкуру, — подскакивала на одном месте Маня, — я бы тоже не пожелала в пальто из человеческой кожи разгуливать.

— Это норка, — затопала ногами Ритуська.

— Ладно, — устало прервал беседу Дегтярев, —

давайте остановимся, спать давно пора, вон Даша уже зевает по-страшному.

— Нечего в коридоре дремать, — взвилась Зайка, — ступай к себе, а мы тоже по комнатам разойдемся.

С этими словами она впихнула меня в спальню, и я в изнеможении свалилась на кровать. Комната являла взору страшную картину. Милый сердцу столик грудой щепок валялся на полу. Под потолком торчал голый крюк. То, что еще недавно было красивой итальянской люстрой, сверкающими брызгами рассыпалось по ковру. Занавески, по которым носился обалдевший Масик, порваны кошачьими когтями. Черри, одуревшая от страха, воет в коробе; среди груды щенят и котят виднеется лысая голова Масика. Такое ощущение, что тут только что произвели бомбометание вражеские самолеты. И мне придется провести в этом разгроме ночь, потому что сил на уборку никаких нет, а с Иркой существует договор: после девяти вечера мы беспокоим ее только в крайних случаях.

Подумав, считать ли произошедшую в спальне битву тем самым крайним случаем, я вздохнула. Лягу в кровать, повернусь лицом к стене и не буду видеть этого ужаса.

— Мусик, — влетела в комнату Маня, — на, держи бутылочку, уже половина одиннадцатого, бедным щенятам давно есть пора.

Я выудила из ящика черненького бастарда, сунула ему в рот соску, и тут до меня наконец дошло:

— Маня!!! Который час?!!

— Половина одиннадцатого, — повторила девочка, — чего ты так орешь?

Я тяжело вздохнула. Надо же, совсем забыла, что собиралась вернуться в Подлипецкий проезд, чтобы издали посмотреть на Артура Романовича

Мордвинова, собиравшегося продавать яйцо, сработанное Фаберже.

— Случилась неприятность? — не успокаивалась Машка.

— Нет, детка, — обреченно пробормотала я, меняя черненького щеночка на «лисенка», — все так замечательно, что просто плакать хочется.

ГЛАВА 28

Утром, когда причитающая Ирка принялась за уборку моей спальни, я залезла в ванну, вылила в воду почти полный флакон геля для душа и, глядя как обильная пена начинает быстро образовывать белые горы, попыталась разложить по полочкам информацию.

Значит, так. Противный Юрий Анатольевич Рыков и его не менее гадкая жена Сабина решили, что безделушку украла я. Почему? Логика их рассуждений проста. В гостях в тот день были только хорошие знакомые Рыковых: врач-косметолог Раиса Андреевна Шилова, директор НИИ тонких исследований Владимир Сергеевич Плешков, его заместитель Леонид Георгиевич Рамин и Яков, сотрудник того же научного заведения. Новеньких случилось всего двое: я и Жорка Колесов. Все выше перечисленные, кроме меня и Жоры, знают друг друга очень давно и тесно дружат. Естественно, что никого из них Рыков подозревать не стал. Жорка тоже оказался «весь в белом» — он ни разу не покинул комнату, где сидели гости. Понятно, что самая подходящая кандидатура на роль ворюги — это я.

Юрий Анатольевич настойчиво подчеркивал, что вещица исчезла именно в тот вечер, когда собралась теплая компания. Утром он якобы видел это дрянное яйцо, да и вообще оно у него все время перед глазами — стоит в спальне, семейная реликвия!

Я включила душ и принялась лить себе на голову шампунь. Почему-то он странно пах, каким-то лекарством, но мылился хорошо и совсем не щипал глаза. Странное дело, бутылочка уже пустая, мне достались последние капли, а я еще ни разу подобным не мылась. Наверное, Зайка купила новый шампунь, неизвестной мне фирмы.

Я старательно взбивала на голове пену, чувствуя, как изнутри поднимается душная волна злобы. Семейная реликвия! Как же! Только не ваша, глубокоуважаемый Юрий Анатольевич, а бедной Амалии Густавовны Корф. Теплая вода полилась на голову, и пена убежала в слив. Я выскочила из ванны, закуталась в халат и включила фен. Однако какой отличный шампунь. Мои обычно непокорные пряди приобрели удивительную шелковистость и изумительно укладываются.

Значит, яйцо пропало во время застолья, но там не было никакого Артура Романовича Мордвинова. Следовательно, вор отдал ему яичко. Зачем?

Я опустила руку с феном. А действительно, зачем? Ладно, оставим этот вопрос без ответа. Важно другое — господин Мордвинов знает имя вора. И что делать? Просто спросить:

— Эй, Артур, ну-ка, расскажи, голубчик, кто принес тебе эту симпатичную вещичку, кто сей пасхальный зайчик?

Да уж, глупее и не придумать.

— Дарья Ивановна, — крикнула из-за двери Ирка, — еще долго мыться будете?

— Уже выхожу, — ответила я и распахнула дверь.

Ирка всунулась внутрь.

— С легким паром.

— Спасибо, — пробормотала я.

— Вот непослушная, — в сердцах воскликнула домработница.

— Что случилось? — удивилась я.

Ирка ткнула пальцем в пустую бутылочку из-под чрезвычайно понравившегося мне шампуня.

— Сколько раз просила Маню не оставлять его в ванной. Попользовалась и убери на полочку, где стоит бытовая химия.

— Почему? На мой взгляд, хорошее средство.

— Оно, может, и так, но ядовитое.

В полном недоумении я взяла пустую пластиковую упаковку и медленно прочитала на этикетке. «Байер», шампунь двойного действия от блох и клещей, применять с осторожностью, только для зараженных животных. Не употреблять внутрь».

Рука сама собой взъерошила волосы. Не знаю, как в отношении кожных паразитов, но на мою голову средство оказало просто волшебное действие. Может быть, мне теперь всю оставшуюся жизнь следует использовать шампунь для блохастых собачек?

— Просто безобразие, — злилась Ирка, — бросила тут отраву, а если кто по случайности, не дай бог, голову им намылит? Вот катастрофа!

— Почему?

— И вы еще спрашиваете, — всплеснула руками Ира, — так ведь отравиться запросто можно, волосья повыпадают.

Я молча изучала себя в зеркале. Пока вроде все нормально, а то и впрямь будет смешно: лысый Масик, лысая Ритка, лысая Даша. Не удержавшись, я хихикнула.

— Вот-вот, — взвилась Ирка, — все ей позволяете, а чего выходит? Следить надо за девчонкой. Глаз да глаз за ней нужен. Следить, следить и еще раз следить! Только тогда толк получится из ребенка, а у вас все на самотек...

— Следить, следить, следить, — растерянно повторила я, чувствуя, как в голове начинает брезжить рассвет, — следить, следить, следить...

— Именно, — снова завела свою песню Ирка, — везде хозяйский глаз нужен, а вы...

— Ира!!! — завопила я. — Ты — гений! Именно следить, следить и следить!

Выскакивая из тапок и роняя на пол попеременно полотенце, фен и расчески, я вылетела из спальни.

— Сумасшедший дом, — бубнила недовольно за моей спиной Ирка, — чего от ребенка хотят, коли мать с разума съехала — на люстре качается! Это надо же придумать такое.

Я притормозила и удивленно спросила:

— Кто качался на люстре?

— Так вы, кто же еще, и всю обвалили.

— Это почему ты так решила?

— Аркадий Константинович сказал, — вздохнула Ирка, — спустился сегодня в столовую и велел мне:

— Ира, убери у матери в спальне, там такое!

— Что случилось? — заинтересовалась домработница.

Аркадий махнул рукой:

— Ты не поверишь.

— Ну? — горела от любопытства Ирка.

— Вчера примчалась ближе к ночи, — на полном серьезе заявил сын, — и шмыг к себе. Я заглянул к ней в спальню и чуть не умер. Представляешь, она на люстре качалась, туда-сюда, туда-сюда, обвалила, естественно. Падая, попала на туалетный столик. Тот, конечно, вдрызг разлетелся... Словом, в спальне кошмар! Да еще!

— Чего, — спросила в конец обалдевшая Ирка, — чего еще то?

— Как столик разбила, так разозлилась, что занавески разодрала, — как ни в чем не бывало заявил Кешка, — ты от матери подальше держись, безумие заразно.

— У меня нет когтей, — сказала я и рассердилась сама на себя.

Выходит, все остальное правда, вот только с когтями накладочка вышла.

— Аркашка наврал тебе!

— Аркадий Константинович никогда не лжет, — возмутилась домработница.

— Значит, я, по-твоему, способна кататься на люстре?

— Ну, — замялась Ирка.

— Прыгать на столик, а потом рвать занавески? Это на меня похоже?

— Да, — выпалила Ира, — вернее, не всегда, но часто, в общем, похоже.

В полном негодовании я пошла к себе. Кешка отомстил мне за телефон. Одно хорошо: Ирка, совсем того не желая, подсказала, как действовать дальше. Следить. Все очень просто. Нужно устроить засаду возле дома Артура Романовича Мордвинова и тщательно проследить, кто приходит к мужику. Естественно, рано или поздно я увижу эту молодую женщину, разъезжающую на «Мерседесе». На всякой машине имеется номерной знак.

Значит, сфотографирую сцену трогательного прощания мадам с Мордвиновым, запишу номерок кабриолета, а потом...

С лихорадочной поспешностью я принялась натягивать на себя одежду. А потом! Пойду к господину Мордвинову и предложу сделку. Он мне рассказывает, от кого получил яйцо, а я отдаю ему снимки и негативы. Если дражайший Артур Романович откажется, пригрожу, что отправлю компрометирующие снимки рогатому мужу любвеобильной дамочки. Парнишка, который купил своей жене «Мерседес», вряд ли захочет, чтобы милая супруга каталась в нем на свиданки к любовнику. Мужчины очень нервно относятся к факту измены. Лица сильного пола могут многое простить своим женщинам: мотовство, лень, бесхозяйственность, глупость, вздорность, сварливость, но вот измену — практически никогда. Так уж устроены мужчины: что его, то его.

В магазин «Безопасность» я влетела, размахивая кошельком.

— О, — сказал рыжеволосый продавец, — ну, как дела? Поймали супруга?

— Почти, — радостно сообщила я, — теперь хочу осуществить наружное наблюдение. Мне требуется хороший бинокль и качественный фотоаппарат.

— Такого добра у нас навалом, — обрадовался парень, — на любой вкус, выбирайте.

Вооружившись отличной цейсовской аппаратурой и замечательным фотоаппаратом, я понеслась в Подлипецкий проезд. Погода стояла великолепная, апрельское солнышко ласково пригревало землю, на газонах уже зазеленела первая травка, в воздухе одуряюще пахло быстро наступающей весной.

Естественно, что во дворе дома вновь толкался народ. Радуясь воскресному дню, гоняли на велосипедах дети, мужчины играли в домино и толпились у гаражей. Клава и Зина восседали на той же лавочке. Я подскочила к ним:

— Здрасти.

— Привет, — ответили старухи.

— Вот, фотоаппарат принесла.

— Правильно, — одобрила Клава, — таперича жди, когда появится, она завсегда к обеду прирули-вает.

Старухи принялись мирно перемывать кости соседям. Я тихонько сидела на краю лавочки.

— Вон Колька пошел, — объявила Зина.

— Опять небось пьяный, — предположила Клава.

— Не, вроде прямо шагает.

— Значитца, вечером напьется, — резюмирова-ла Клава.

— Смотри, Катька с Пашкой под ручку чешут!

— Простила она его, выходит! Мало ён ей синя-ков под глазья ставил.

— А у Ленки живот на нос полез, — злорадно сообщила через секунду Зина.

— Да уж, — хмыкнула Клава, — я ей ищо зимой говорила: «Осторожней, девка, не надо парню на шею вешаться!» И чего? По-моему вышло. Володь-ка сбег, а у Ленки пузо.

Я вяло слушала их беседу. Двор заменял бабкам все: телевизор, кино, газеты и книги. Скорей всего они никуда не ходили, проводя целые дни на ска-меечке и обсуждая соседей. Очень увлекательное занятие. Баба Нюра из моего детства всегда ласково так говорила, увидав семилетнюю Дашеньку с по-мойным ведром:

— Посиди со мной минуточку, отдохни. Чегой-то у тебя в ведре-то? Банки из-под тушенки? Афа-насия не готовит? Консервами питаетесь? Хорошо, значит, живете, коли мясо из упаковок себе позво-ляете.

Солнышко припекало, мне стало жарко, и я расстегнула кожаную куртку.

— Ох, молодежь, — неодобрительно покачала головой Клава, — запахнись, ща обдует, и готово дело — радикулит.

— Клав, глянь, — оживилась Зина, — это кто ж такой?

По двору шел довольно высокий стройный мужчина в самой обычной темно-коричневой курт-ке. Вязаную шапочку цвета молочного шоколада он натянул до бровей. Лица у незнакомца, можно ска-зать, не было. Лоб закрывал головной убор, над верхней губой торчали пышные черные усы, а под-бородок прятался в окладистой бороде цвета моло-дой вороны.

Быстрым шагом мужчина приближался к подъ-езду.

— Не знаю, — протянула Клава, — в первый раз такого вижу, не из наших, со стороны. Гость не-бось.

— К кому ж идет? — не успокаивалась Зина.

— А к Парастаевым небось, — ответила Кла-ва. — Тонька вчера хвалилась, что к Митьке учите-ля английского наняли.

— Денег девать некуда, — неодобрительно по-качала головой Зина.

— Им чего, они на рынке торгуют.

— Ох и чудной парень, чисто Карабас-Барабас, глянь, ботинки какие.

Я невольно перевела взгляд на ноги мужчины и подавила улыбку. Штиблеты, прямо сказать, не слишком элегантные. Тупой носок украшен желез-ной пластинкой, и она сверкает под ярким сол-нышком. Мне не нравится такая обувь, но она сей-час на пике моды.

Бородатый исчез в подъезде. Клава с Зиной принялись самозабвенно обсуждать какую-то Нин-ку, купившую на днях шубу. Я в тоске осматривала двор. «Мерседес» не появлялся, дверь подъезда, где жил Мордвинов, открылась только один раз, когда туда вошел бородатый мужик.

— Ну ладно, — поднялась Клава, — ты сиди, а мы пойдем, сериал у нас начинается. Жди, скоро прикатит.

Я кивнула, надо же, ошиблась, думала, что их ничего, кроме сплетен, не интересует. Стукнула дверь подъезда, и на улицу вышел мужчина в светло-бежевой куртке. Шапки на незнакомце не было. Его курчавые морковно-рыжие волосы торчали в разные стороны, над губой виднелись пшеничные усы, по подбородку стекала аккуратная бородка, похожая на кусок сливочного масла. Мужчина поднял воротник куртки и, сгорбившись, пошел по направлению к проспекту. Волос у него на голове была целая копна. Непокорные кудряшки мотались по лбу, пряди прикрывали уши. Я улыбнулась. Эх, жаль бабки убежали смотреть мексиканское «мыло». Интересно, кто это у них во дворе такой рыженький? Славная парочка для нашей Ритки Замощиной, когда она натягивает на себя парик «а-ля Пугачева». Мужчина шагнул через лужу, неожиданно носок его ботинка блеснул на солнце. У парня тоже была модная обувь с железной пластинкой. Я присмотрелась к быстро идущей фигуре, что-то в ней показалось мне знакомым. То ли слегка сутулая спина, то ли широкий шаг...

Но в этот момент во двор влетел «Мерседес». Он лихо развернулся и замер недалеко от песочницы, я схватилась за бинокль. Так, поглядим внимательно. Передняя дверца открылась, высунулась ножка, обутая в элегантную туфельку на шпильке, потом показалась бежевая норковая шубка, наконец на свет явилась вся дама. Я заскрипела зубами от злости. На голове незнакомки сидела круглая шляпка с густой вуалью. Хитрая изменщица предусмотрительно прятала лицо. На мой взгляд, подобное поведение глупо, ну какой смысл занавешивать физиономию, если ездишь на свидание в собственном автомобиле, да еще в вызывающе роскошной шубе? Теплым апрельским днем меховое манто привлекает к себе внимание. Многие граждане уже даже куртки сняли, а тут шуба! Правда, дорогая и очень красивая.

Дама щелкнула брелком сигнализации. «Мерс» коротко гуднул и мигнул фарами. Покачиваясь на тонюсеньких каблуках, стройная фигурка в развевающейся шубке пошла к подъезду. Я молча посмотрела ей вслед. Теперь понятно, отчего мадам накинула на плечи мех; под шубой виднелось невероятно короткое платьице из полупрозрачного материала.

Дверь подъезда хлопнула. Я навела бинокль на сверкающий автомобиль и записала номер. Так, надо не упустить момент, когда парочка будет прощаться. Всезнающие бабки говорили, что они всегда вместе выходят. Небось поднимет вуальку, чтобы поцеловаться со своим обоже. Впрочем, даже если этого не произойдет, все равно получатся отличные компрометирующие снимки.

Я постаралась поудобней устроиться на жесткой скамейке. Однако какая тяжелая работа — сидеть и ничего не делать. В свое время Дегтярев сказал мне, что сыщику в основном приходится заниматься ожиданием и что отвратительней этого занятия ничего нет. Я ему тогда не поверила, а сейчас понимаю, что Александр Михайлович был прав. Нет, правильно говорят, хуже нет, чем догонять и ждать. Прошло всего десять минут, а я уже вся извелась, пытаясь найти удобную позу. Эх, жаль, не догадалась прихватить детективчик, а то бы почитала спокойненько. Может, сбегать к ближайшему лотку? Нет, нельзя, вдруг упущу парочку. Хотя вряд ли мадам явилась к любовнику на полчаса...

Я уже совсем было уговорила себя пойти на проспект за книжкой, но тут дверь подъезда распахнулась, и вылетела дама в шубке. Лицо ее по-прежнему было закрыто вуалью. Быстрым шагом она подскочила к «мерину», нервно дернула дверцу, села в автомобиль, газанула, стукнула бампером скамейку, на которой мирно читала газету молодая женщина, качавшая коляску...

— Эй, ты, — закричала девушка, — озверела, блин, дура!

Напуганный воплем матери ребенок зашелся в нервном плаче. Я быстренько защелкала фотоаппаратом, радуясь, что в кадр вместе с иномаркой попадает и табличка, на которой четко видно название проезда и номер дома.

ГЛАВА 29

Подняв столб пыли, автомобиль, взвизгнув на повороте шинами, исчез. Я покачала головой. Пока не знаю, как зовут даму, но ездит она безобразно, ни с кем и ни с чем не считаясь.

— Вот дрянь, — продолжала негодовать молодая мать, — паразитка чертова, сволочь! До полусмерти напугала. А если бы посильней газанула, так и скинула бы меня со скамейки, гадина! Ну погоди, я на тебя управу найду, вот мужу пожалуюсь, он тебе ноги-то повыдергает!

Я подошла к разъяренной женщине, подняла с земли упавшую газету и сказала:

— Безобразие, чуть вас не убила.

— Дрянь! Думает, раз на «Мерседесе», то все ей и можно, — опять вскипела девушка. — Ну ничего, мой с ней разберется.

— Вы ее знаете? — осторожно поинтересовалась я.

— А то! — пожала плечами собеседница. — К Артуру трахаться ездит! Ну цирк! Морду прикрыла, думает, не увидит никто! Да все знают, что это мордвиновская баба! Мой мужик зайдет к этому Артуру да и побеседует с ним по душам. Ишь, поругались небось.

— Почему вы решили, что они поссорились? — продолжала любопытствовать я.

— Так она больно быстро выскочила, — пояснила молодая мать, — да злющая, как черт, скамейку чуть не сшибла.

— Может, она любовника дома не застала, — вздохнула я, — динамо он ей прокрутил: пообещал свидание, а сам укатил.

— Э, нет, — засмеялась «информаторша», — гляньте-ка, вон там «Нексия» серая стоит. Его, Артура. Он у нас специалист по дамской части.

— В каком смысле?

— Да в прямом, — откровенничала женщина, покачивая коляску, — живет за их счет, альфонс. Его сначала мать содержала, а когда умерла, Артурик наш по рукам пошел. И бабы у него богатые. Одна ему ремонт сделала, другая «Нексию» подарила. Небось хорошо в кровати работает. Вот эта хамка, на «мерсе», не знаю пока, что преподнесет. У них, похоже, роман в самом разгаре, а он презенты при расставании получает.

— Ну и что из того, что «Нексия» стоит?

— Наш красавчик ногами не ходит, — хмыкнула собеседница, — даже на проспект за сигаретами рулит, а тут двести метров всего. Не, дома он, да и куда выходить-то? К Артурику денежки сами прибегают. Поцапались они, вот девчонка и умчалась.

— Отчего думаете, что она молодая? Обычно любовь покупают дамы в возрасте, — вздохнула я.

— Точно, только тут такой цирк третьего дня приключился... Вы никуда не торопитесь?

— До пятницы абсолютно свободна, — хмыкнула я.

— Почему? — удивилась женщина.

— Простите, пошутила, вы не читали детскую книжку про Винни Пуха?

— Нет, — улыбнулась молодая мать, — самой не пришлось, Ванечке только три месяца.

— У вас все еще впереди. Так что случилось третьего дня, простите, мы не познакомились. Даша.

— Вика, — опять улыбнулась девушка. — Мне тут жутко скучно целый день сидеть, вот и глазею по сторонам. Днем еще ничего, с разными людьми поболтать можно, а после девяти вечера вообще караул, полная тоска.

— Что же вы так поздно с ребенком гуляете? — удивилась я. — Обычно дети в это время в кроватях давно.

— Ой, — всплеснула руками Вика, — у меня такой крикун! Сил нет! В квартире орет и орет, чего ни делаю. На руки беру, качаю... Знаете, до чего дошла? Ну не поверите, прижимаю к себе Ваняшу и на диване прыгаю, как на батуте, вот тогда он примолкает.

Но нельзя же весь день напролет скакать на диване? Вике еще повезло, у нее отличная свекровь, которая грудью легла на амбразуру домашнего хозяйства. Мать мужа убирает, стирает, гладит, готовит, а Вика сидит во дворе, потому что на свежем воздухе Ванечка ведет себя, словно ангел: погулит, погулит, да и засыпает. Намучившись за день, бедная свекровь около девяти вечера падает в кровать. Квартира у Вики маленькая, можно сказать, полуторакомнатная, вот женщина и выкатывает сына во двор, чтобы дать бедной матери мужа спокойно поспать.

Позавчера Вика сидела во дворе до позднего вечера. Погода постоянно меняется: то тепло, то холодно, и Ванечка, едва его вносили в комнату, принимался орать, и Вика решила кантоваться на воздухе, сколько возможно. Около одиннадцати она потащила сынишку домой и поволокла коляску в подъезд, открыла первую дверь, попыталась справиться со второй и застряла. Колеса не желали перескакивать через порог. Вика дергала, дергала «экипаж», и тут раздались голоса. Кто-то стоял внутри подъезда, у самой входной двери, и Вика невольно подслушала чужой разговор.

— Если бросишь меня, умру, — почти рыдала какая-то девушка.

— Ну не преувеличивай, — ответил мужчина.

— Имей в виду, приду к тебе и выпрыгну из окна!

— Если учесть, что моя квартира расположена на первом этаже «хрущобы», — усмехнулся кавалер, — то твоя последняя фраза звучит страшно угрожающе!

— Ты мне не веришь?

— Верю, верю, только трудно разбиться, сиганув с высоты в один метр.

— Повешусь!

— Умоляю тебя, прекрати!

— Видела, видела, какими глазами ты на Аньку глядел вчера. Имей в виду: она врет, что владеет фирмой. У Ани нет никаких средств.

— Успокойся, я эту Аню даже не заметил!

— Врешь! Врешь!!! В углу ее обжимал, за коленки лапал и хихикал!

— Послушай, давай завтра поговорим, а?

— Гонишь меня, да? Гонишь?

— Ты же сама не можешь остаться, — устало попытался мужчина вразумить разошедшуюся даму, — боишься мужа.

Но та закусила удила:

— Имей в виду, я на тебя столько потратила, считай, всего купила!

Раздался сочный шлепок, вскрик, истерические рыдания, и сердитый мужской голос:

— Если ты дала мне денег в долг, именно в долг, я их скоро отдам, так вот, если ты одолжила мне доллары, это еще не позволяет тебе так со мной разговаривать. Убирайся!

— Ну миленький, любименький, прости, дорогой! — выкрикивала окончательно потерявшая голову любовница. — Хочешь, я на колени встану?

Вика, толкая туда-сюда коляску, только диву давалась. Надо же так унижаться перед парнем, никакой гордости, похоже, у бабы нет. Слушать противно. С лестницы понесся плач, потом вой. Вике наконец удалось открыть дверь, и она вкатилась в подъезд. Вопль мгновенно стих. Вика успела увидеть, что Артур маячит на пороге своей квартиры, а перед ним и впрямь стоит на коленях прехорошенькая женщина, совсем молодая, с густыми, переливающимися в свете тусклой лампочки волосами. Виктория — хорошо воспитанный человек, ей стало неудобно. Интеллигентные люди, став случайно свидетелем чужой интимной сцены, часто теряются, поэтому она опустила глаза и сделала вид, что целиком и полностью поглощена проблемой, возникшей с коляской. Раздался стук двери. Артур втащил любовницу в квартиру и закрыл дверь. Все действие заняло несколько секунд, но то, что женщина, унижавшаяся перед альфонсом, была молода и хороша собой, Виктория успела разглядеть.

— Вот как случается, — подытожила Вика рассказ, — небось сегодня опять чего-то не поделили.

— Вика, — донеслось откуда-то сверху, — обедать иди.

— Бегу, — отозвалась собеседница и потащила коляску к подъезду.

Я посмотрела на бумажку, где был записан номер «Мерседеса». Что ж, дело за малым, сначала установим фамилию и имя владелицы, а потом отправимся пугать ее Ромео.

С первой частью задачи я справилась без труда. У Дегтярева в отделе есть сотрудница, очаровательная Леночка, красавица и умница. Если столкнетесь с ней на улице, никогда не подумаете, что она служит в МВД. Журналистка, актриса, театровед, в конце концов, но только не следователь. Однако Леночка имеет звание майора, а за плечами у нее юрфак МГУ. Для меня она готова сделать все, что угодно. Объясняется это не только существующей между нами симпатией. Леночка страстно хотела собаку, причем не какую-нибудь, а питбуля. Вернее, четвероногого друга желал ее тринадцатилетний сын. Но зарплата сотрудника правоохранительных органов не так уж и велика, а цены на питов подбираются к тысяче долларов. Порода эта вошла в моду, а спрос повышает стоимость товара, во всяком случае, у нас. Вот мы и подарили ей щенка от Банди. Наш пит — замечательный производитель, «дамы» записываются к нему в очередь, а их хозяева обожают Бандюшу, потому что меньше семи щенков у него никогда не получается.

Только бы Ленка была на месте. Я стала набирать номер. Мне сегодня везло, из трубки послышалось:

— Алло.

— Ленусик!

— Дашка, — обрадовалась подруга, — ну ты совсем пропала.

— Дела все, как Лорд?

— Красавец, — завела Ленка, — по-моему, он вымахал больше Банди, мы его, конечно, перекормили...

— Ты уходить не собираешься?

— Нет пока.

— Можно к тебе подъехать?

— Что-то случилось? — посерьезнела Ленка.

— Нет-нет, — поспешила я успокоить ее, — просто совет нужен.

— Может, тогда лучше в пирожковой?

— Отлично, — согласилась я и порулила в центр.

Минут через сорок мы с Ленкой, взяв по паре ароматных чебуреков, устроились в углу маленького зальчика.

— Ну, — спросила подруга, — в чем дело? Только не говори мне, что решила выйти замуж и хочешь проверить благонадежность будущего супруга через компьютер.

— И часто к тебе обращаются с подобными просьбами? — засмеялась я.

Ленка хмыкнула:

— Позавчера одна прибегала, да ты ее знаешь — Нинка Тетеркина.

— Погоди, погоди, — удивилась я, — она же жена Коли из вашего отдела.

— Ну, вспомнила, — махнула рукой подруга, — они уж почти год, как разошлись. Прямо беда с нашими мужиками, почти все бобыли. Нинке тоже надоело целые вечера в одиночестве тосковать, вот и убежала от Кольки, а ко мне по старой памяти обратилась. Естественно, я проверила.

— И что?

— Трижды судимый за мошенничество гражданин, — спокойно поедая пирожок, сообщила Ленка.

— Да уж, не повезло Нине.

— Она все равно за него замуж собралась, — ухмыльнулась Лена. — Сказала: «Подумаешь, главное, что не вор и не убийца, а то что мошенник — это даже хорошо, может, деньги в дом приносить будет».

— Мне вообще-то тоже кое-что узнать надо...

— Ну, выкладывай.

— Понимаешь, голоснула, остановился «мерс», я и села в него... остановился...

— Тебя Дегтярев никогда не предупреждал, что садиться таким образом в машину, да еще в иномарку, не следует. Коли приспичило, выбирай тачки попроще.

— Да, говорил сто раз, — отмахнулась я, — но очень торопилась, ничего плохого со мной не случилось. Спокойно доехала, вот только забыла на сиденье папку с бумагами. Аркашка попросил меня привезти ему кое-какие документы. Представляешь, что он со мной сделает, когда узнает, что мамонька потеряла нужные листочки?

— Секир-башка тебе будет, — хмыкнула Ленка, — твой адвокат суров, я при нем просто робею. Можешь не продолжать. Ты случайно запомнила номер и хочешь узнать имя владельца, а к Дегтяреву боишься обратиться, потому как он тебе ата-та сделает, или ошибаюсь?

— Ты просто комиссар Мегрэ!

— Мне бы больше польстило сравнение с симпатичной Каменской, а не с толстым мужиком, любителем пива. Намекаешь на мой лишний вес?

Я оглядела ее хрупкую фигурку.

— На комплимент напрашиваешься?

— Ладно, — вздохнула Ленка, вытаскивая мобильный, — давай номерок, растеряха.

Через пятнадцать минут я знала имя и адрес любовницы Артура: Сара Абрамовна Краснова, Врачебный проезд, дом два. Смущал возраст дамы: получалось, что ей хорошо за тридцать, а словоохотливая Вика рассказывала о молодой девушке. Хотя, может, автомобилем владеет старшая родственница? Оставалось только одно — отправиться в этот Врачебный проезд и под благовидным предлогом взглянуть на Сару Абрамовну.

Перелистав атлас, я нашла нужную магистраль в районе метро «Щукинская» и, недолго думая, отправилась в путь.

Сразу хочу предостеречь: если кому-нибудь из вас вдруг придется искать сей проезд, пожалуйста, сначала как следует пообедайте. Я отправилась на голодный желудок и очень об этом пожалела. «Пежо» кружил по улицам, натыкаясь на тупики, наконец я вырулила к железной дороге и в полном отчаянии спросила у тетки, тащившей пудовую сумку.

— Простите, где Врачебный проезд?

— Тама, — махнула аборигенка рукой в сторону сверкающих на солнце рельсов.

— А как проехать?

— Ногами топай, — неожиданно зло отозвалась баба, — не все тебе королевой раскатывать, давай двигай, как простой люд...

Удивленная совершенно немотивированной злобой, я покорно заперла верного коняшку и пошла по шатким деревянным ступенькам через рельсы.

Естественно, второй дом оказался в противоположном от железной дороги конце. Я брела по узенькой улочке, уставленной машинами так густо, что кое-где приходилось протискиваться между ними. Интересно, отчего тут столько автомобилей?

Загадка выяснилась через пару минут: я подошла к небольшому зданию и обнаружила, что стою перед районным отделением ГИБДД. А за ним виднелось серое кирпичное здание, украшенное цифрой 2.

Отдышавшись, я поднялась на седьмой этаж и позвонила. Выглянула пожилая, но хорошо сохранившаяся женщина.

— Вам кого? — довольно приветливо поинтересовалась она.

— Красновы здесь живут?

— Да.

— А Сару Абрамовну можно увидеть?

— По какому вопросу вам понадобилась Сарочка? — насторожилась хозяйка.

— Видите ли, — вежливо ответила я, — выезжала со стоянки в Подлипецком проезде и случайно задела багажник «Мерседеса», припаркованного у подъезда. Хозяина в нем не было. Следовало, конечно, дождаться владельца, но очень торопилась в аэропорт встретить мужа, поэтому просто записала номер. А сегодня узнала имя и адрес владелицы. Вот, готова оплатить ущерб. Уж узвините, что так получилось, ей-богу, не нарочно.

— Ну надо же, — всплеснула руками внимательно слушавшая меня дама, — да вы просто уникум! Думала, таких людей не осталось на свете! Ведь могли не объявляться.

Я пожала плечами:

— Неудобно как-то.

— Только зря сюда ехали.

— Почему?

— Сарочка — моя дочь. Она живет в другом месте.

— Но в ГИБДД дали этот адрес.

— Правильно, дорогая, — улыбнулась Краснова, — машину ведь регистрируют по месту прописки, а Сара значится по документам в родительской квартире, сама же живет у мужа. Ее супруг очень обеспеченный человек, у него шикарные апартаменты.

— Будьте любезны, подскажите адрес.

— Знаете что, — оживилась собеседница, — зачем вам мотаться, можете у меня оставить деньги.

— Но сколько? Сумму должна назвать Сара Абрамовна.

— Действительно, — пробормотала дама, — очень жаль, что вам придется побеспокоиться.

— Ничего, ничего.

— А давайте позвоним Сарочке и спросим? — обрадовалась мать. — Так неудобно, что вам придется катить через весь город!

Мне захотелось треснуть услужливую даму. Ну какого черта не дать адрес дочери, когда той хотят вручить приличную сумму денег?

— Ерунда.

— Ну, если так...

— Совершенно не трудно...

— Вы уверены, сейчас такое движение, езда утомляет... Оставьте свой телефон. Сарочка вам сама позвонит!

— Уезжаю сегодня вечером на полгода в Париж, — в полном отчаянье выпалила я.

Если тетка и после этого заявления не даст адрес, я просто завою.

— Ах, так! Пишите, дорогая. Вот бумажка, а где ручка? Боже, постоянно все теряю!

Следующие пятнадцать минут она искала ручку или карандаш, потом куда-то задевался только что лежавший у зеркала листок бумаги. Одним словом, редко кому удавалось довести меня до такой степени ярости. Когда я наконец стала записывать адрес, руки тряслись и пальцы не слушались.

Уже уходя, я спросила:

— Простите, Сара Абрамовна сама ездит?

— Сарочка обожает водить!

— Она никому не дает машину?

— Что вы, никогда, а почему спрашиваете?

— Да женщины во дворе сказали, будто за рулем сидела молоденькая девушка, чуть за двадцать, а по документам Саре Абрамовне больше!

Краснова засмеялась:

— Моя дочь не стареет, выглядит потрясающе, все просто удивляются, глядя на ее красоту. Сарочке никогда нельзя дать больше двадцати трех, от силы двадцати пяти лет.

ГЛАВА 30

В полном восторге я вернулась к «Пежо» и снова поехала в Подлипецкий проезд. Наконец-то мне улыбнулась удача. Слабый голос благоразумия нашептывал: «Послушай, ну так нельзя, с бухты-барахты кидаться к этому Артуру...»

Но я приказала ему замолчать. Яйцо почти у меня в руках, сейчас узнаю, кто из милых, интеллигентных приятелей Юрия Анатольевича Рыкова является вором.

В подъезд я неслась бегом и, несмотря на то, что Мордвинов проживает на первом этаже, остановилась перед дверью, запыхавшись. Приведя в порядок дыхание, я позвонила. Но никто не спешил отворять дверь. Часы показывали восемь вечера, может, Артур смотрит телевизор? У Кешки есть наушники с дистанционным управлением. Он натягивает их и ничего не слышит вокруг, кроме любимых мелодий. Может, и Мордвинов обзавелся подобными? Я прижала указательный палец к черной кнопочке. Звонок заливался соловьем. Оглох хозяин, что ли? Может, ушел? Вроде должен быть дома, «Нексия» стоит рядом с подъездом, а Вика говорила, что Артур пешком не ходит!

Ага, всегда катался на автомобиле, а сегодня решил прогуляться пешочком! В полном отчаянии я изо всех сил пнула дверь ногой. Послышался легкий скрип, створка медленно приотворилась. Из квартиры не доносилось ни звука, было только слышно, как в ванной или на кухне капает вода из крана.

Я осторожно вошла внутрь и очутилась в маленьком, но великолепно отделанном холле. Стены украшала дорогая шелкография, на полу был наборный паркет, уложенный затейливым орнаментом, в дальнем конце имелся роскошный шкаф-купе с зеркальными дверцами, а с потолка свисала выпендрежная люстра из синих, изогнутых в разные стороны палочек. Даже странно, что человек потратил на ремонт более чем скромной квартиры такие большие деньги. Я бы лучше купила жилплощадь посвободней.

— Артур Романович! — крикнула я, оглядывая замок, дорогой, явно импортный. Такой не захлопнется сам, его нужно запирать ключом.

— Господин Мордвинов, вы забыли закрыть дверь...

Но хозяин не спешил откликаться. Ушел и оставил квартиру открытой? Внезапно мне стало страшно.

«Беги скорей отсюда», — шепнул внутренний голос.

Но ноги отчего-то шагнули в комнату. Она тоже оказалась роскошной. Дорогие гардины, белый кожаный диван, кресла, вычурная стенка. Я окинула взглядом не слишком большое помещение и вздрогнула. Из-за кресла выглядывала кожаная тапка, явно надетая на чью-то ногу. У меня быстро-быстро застучали в висках молоточки. Уже зная, что увижу, я тем не менее шагнула вперед.

На элегантном светло-бежевом ковре между окном и спинкой кресла лежал мужчина, одетый в костюм фирмы «Адидас». Многие любят ходить дома в спортивных костюмах — удобно и прилично выглядит. Парень был хорош собой: стройный, с копной блестящих светло-русых волос и с огромными темными, почти черными глазами, которые, не мигая, смотрели в потолок. Рот, очевидно еще недавно красиво изогнутый, сейчас был перекошен, а на лице застыло выражение легкого недоумения, словно Артур хотел спросить: «Что со мной случилось?»

Я отшатнулась к двери. Так вот почему Сара выскочила из подъезда и в полном ужасе впрыгнула в «Мерседес». Она явилась на свидание, открыла дверь, небось у нее имеется свой ключ, и увидела любовника, лежавшего на ковре... Представляю, как женщина перепугалась. Ясное дело, она не стала вызывать милицию. Служащие властных структур обожают задавать массу вопросов: имя, фамилия, почему оказались тут, в каких отношениях были с убитым? Ну как ответить на них замужней даме, нашедшей труп своего любовника?!

На цыпочках я дошла до входной двери, аккуратно протерла носовым платком ручку и, тихо радуясь, что соседние двери не имеют глазков, вышмыгнула из подъезда. Во дворе, как назло, толпился народ. Стараясь идти спокойно, я пошла в сторону проспекта, где поджидал хозяйку верный «Пежо». Слава богу, что всевидящие старухи Клава и Зина, очевидно, смотрели телевизор, во всяком случае, сейчас на их скамеечке обнималась парочка влюбленных.

Сев в машину, я закурила. Никаких следов насильственной смерти на Артуре заметно не было. Может, у парня просто приключился сердечный приступ? Нет, отчего-то в моей душе жила уверенность: Артура убили. Чувствуя невероятную, нечеловеческую усталость, я поехала в Ложкино. Руль у «Пежо» снабжен гидроусилителем, но мне сегодня казалось, что я ворочала огромное каменное колесо. В голове было пусто, а на сердце лежала тяжесть. Вот теперь на самом деле все, мне ни за что никогда не узнать, кто украл яйцо. Уже на въезде в коттедж в голове загнанной мышью мелькнула мысль, и я притормозила у ворот. А может, Краснова Сара Абрамовна вовсе не обнаружила труп Артура, войдя в его квартиру. Вдруг она сама убила любовника?

Постояв пару минут в задумчивости, я въехала во двор. Даже если и так, в данной ситуации это ничего не меняет. Носить мне теперь клеймо воровки до смерти, а бедная Амалия Густавовна никогда не увидит семейной реликвии.

Я загнала машину в гараж, вошла в дом и быстро поднялась в свою спальню. В черепе билась мигрень. Заползая под одеяло и устраивая отчаянно болевшую голову на подушке, я вяло подумала:

«Да уж, такой сокрушительной неудачи мне еще ни разу не случалось испытать».

В понедельник я понуро вошла в лабораторию. Регина, уже сидевшая за длинным черным столом, на котором толпились штативы с пробирками, злобно глянула в мою сторону:

— Явилась!

— Доброе утро!

— Опять опоздала!

Я глянула на большие часы, висящие на стене.

— Вовсе нет, точно пришла.

— Три минуты уже убавилось от рабочего дня, — сообщила мрачно мерзкая девица. — Понимаю, конечно, что такой творческой личности, как ты, трудно усмотреть за временем, но смею напомнить, что получаешь деньги за потраченный труд. Если не собираешься вкалывать, зачем сюда явилась?

Я со вздохом принялась мыть покрытые какой-то плесенью колбы. А действительно, зачем пришла сегодня в НИИ тонких технологий? Яйцо-то у покойного Артура, и он был последним человеком, который мог мне сообщить имя вора.

— Хватит грязь разводить, — рявкнула Регина, — ступай живей к Олегу Игоревичу за контейнерами, да пошевеливайся.

Девица явно нарывалась на скандал, ей нравилось унижать бесправную лаборантку, вынужденную из-за боязни потерять место терпеть издевательства.

— Ну, пошевеливайся, куча, — совсем разошлась Регина, — и почему это все уборщицы такие дуры? Сколько их тут перебывало! Стоят столбом, хлопают глазищами, и никакого толка от них, сплошная глупость! Давай, давай, ступай к Олегу Игоревичу, или дорогу забыла?

Глаза Регины горели злым огнем, по щекам гуляли красные пятна, а на лбу выступила легкая испарина. Девушка явно теряла контроль над собой. Внезапно в мою душу тоже вползла злость.

— Хорошо, — спокойно ответила я, — уже иду, дорогу отлично помню, не волнуйся.

Регина вновь разинула рот, но я ловко выскочила за дверь, понеслась по коридору, спустилась на первый этаж и села на подоконник, с трудом переводя дух. Я безумно устала, пытаясь справиться с собой, больше всего хотелось схватить Регину за пучок туго скрученных волос и сунуть головой в раковину. Но я удержалась от этого поступка. В глубине сердца начинал разгораться огонь ненависти. Вот ведь какая гадкая женщина! Представляю, в какое отчаянье приходили мои предшественницы. Думали, что устроились на хорошее место, а тут, бац, жуткая гарпия, выживающая несчастных женщин. Ладно, дорогая, на этот раз ты не на такую напала. Я только с виду безобидная, как бабочка, хотя, насколько знаю, среди этих милых ярких чешуекрылых встречаются на редкость вредные экземпляры с зубами. К тому же мне многое известно о делах, творящихся в лаборатории. Итак, решено.

Быстрее ветра я полетела в «Пежо», схватила миниатюрный фотоаппарат и сунула его в карман. Не знаю каким образом, но исхитрюсь и увижу то, что спрятано в контейнерах, сфотографирую банки с зародышами и, не медля ни секунды, поеду к Дегтяреву. Расскажу приятелю, что знаю, пусть примет меры. Такие люди, как Регина, не должны оставаться безнаказанными. Пусть полковник займется этими, с позволения сказать, учеными, творящими во имя науки безобразия.

Олег Игоревич при виде меня расплылся в счастливой улыбке:

— Дашенька, входи, входи, ступай к холодильнику.

Я пошла в смежную комнатку. Внезапно Олег Игоревич пробормотал:

— Туфельки у тебя красивые, молодец, правильный подход, платьишко может быть любое, но обувь должна быть всегда первоклассная.

Я посмотрела на мокасины от «Гуччи». Ну не дура ли? Натянула жуткое бордовое одеяние, а на ногах великолепного качества туфли. Еще хорошо, что ни Регина, ни Орест Львович не обладают проницательностью Олега Игоревича. Тот постоянно общается с женщинами и научился мигом оценивать шмотки. Надо было срочно исправлять положение.

— Красивые, да? — улыбнулась я и вытянула вперед ногу. — Вот уж свезло так свезло. У людей убираться хожу по вечерам, вот хозяйка и подарила ботиночки. Себе купила, да ноги натерла, мне достались. Просто замечательные.

— Очень симпатичные, — продолжал сладко улыбаться Олег Игоревич, — ну, ступай за контейнерами.

Я взяла два термоса, отметила, что они заперты на висячие замочки, вновь прошла мимо Олега Игоревича, открыла дверь... Вдруг словно что-то толкнуло в спину. Я обернулась. Гинеколог смотрел на меня суровым холодным взглядом. Я невольно вздрогнула, врач вновь расплылся в самой сладкой улыбке.

— Иди аккуратно, Дашенька, смотри не урони, там пробирки.

Я приволокла ношу в лабораторию и до полудня слушала бесконечные придирки Регины. Ровно в двенадцать, коротко сказав: «У меня обед до часу дня», — я выскользнула за дверь, потом, чуть-чуть приоткрыв створку, глянула внутрь.

Регина распахнула небольшой черный шкафчик с табличкой «Осторожно радиоактивность», достала коробочку, выудила оттуда ключик, открыла один контейнер, и тут зазвонил телефон.

— Ну? — недовольно спросила девушка. — Ладно, иду.

Я побежала в туалет, а спустя пять минут вернулась в лабораторию и принялась действовать. Добыла ключик, открыла замок, приподняла крышку и чуть не скончалась, увидав, что плавает в трех банках.

Трясущимися руками, ощущая себя просто Матой Хари, я сделала снимки. Сначала закрытые контейнеры, потом открытые, следом банки с эмбрионами. Потом, радуясь, что никто не застукал меня, вернула на место ключик и уже хотела захлопнуть дверки, как с верхней полки с легким стуком упал пакет. В воздухе он раскрылся, и я с удивлением увидела, что на пол вывалились какие-то непонятные предметы. При ближайшем рассмотрении стало понятно, что это огненно-рыжий парик, фальшивые усы разных цветов и две накладных бороды. Один комплект светло-рыжий, другой — угольно-черный. Я потрогала находки. Очень странно, надо их сфотографировать. Но не успел аппаратик издать легкий щелчок, как раздался резкий голос:

— Что ты делаешь? Отвечай немедленно!

От неожиданности я чуть не выронила фотоаппарат. В комнате стоял, одетый в коричневую куртку, Орест Львович. Очевидно, увлекшись рассмотрением содержимого пакета, я не услышала, как он вошел в лабораторию.

— Э-э-э, — забормотала я, тихо радуясь, что он не вошел в тот момент, когда банки с эмбрионами открыто стояли на столе, — вот порядочек навожу...

— Зачем ты открывала шкафчик! Ведь просил ничего не трогать без разрешения.

— Я ничего не открывала!

Орест указал пальцем на лежавшие на полу странные вещи.

— Да? А это откуда?

— Мыла колбы, а тут вдруг дверки раскрылись и выпал пакет.

— Прямо-таки сам?

— Ага, вот, хотела поднять. А зачем вам усы с бородой?

— У нас раньше был любительский театр, давно еще, при Советской власти, остался реквизит, — пояснил начальник и велел: — Покажи-ка фотоаппарат, экая крошка!

Я отступила к окну, Орест шагнул ко мне, внезапно что-то ярко сверкнуло. Я опустила глаза вниз и увидела, что на мужчине надеты модные ботинки с металлической пластинкой на мыске. Луч солнца попал на нее, и она заискрилась. Я уставилась на слегка сутуловатую фигуру Ореста Львовича, одетого в простую коричневую куртку, и неожиданно для себя спросила:

— Она ведь двусторонняя?

— Что? — удивился мужчина.

— Куртка, — медленно сказала я, — есть такие вещи: их можно носить, вывернув наизнанку... С той стороны она у вас светлая?

— Да, — подтвердил недоуменно Орест, — отличная финская куртка. Но при чем тут она?

Но тут я, ошарашенная невероятным открытием, совершила роковую ошибку.

— А при том, что, вывернув ее наизнанку и поменяв черную бороду на рыжую, вы вышли от Артура Романовича Мордвинова. Зачем вы убили его? Из-за яйца, да? Это вы украли вещь от Фаберже?

— Что за чушь, — подскочил Орест, — ты с ума сошла!

— Нет, — покачала я головой, — лучше повернитесь лицом к стене и поставьте ноги на ширину плеч. Узнала вас по ботинкам. Вернее, по металлической пластинке. То-то мне показалось, что видела того бородача раньше. Вы убили Артура, вы не только занимаетесь незаконным изучением человеческих зародышей, но и крадете чужие вещи. Неужели думали, что уйдете от ответственности? Давайте, поворачивайтесь к стене, имейте в виду, что я детектив, который следил за вами, давайте, живо, ну...

Но Орест Львович гадко ухмыльнулся:

— Где же наш револьвер, а? Чего не достаешь оружие?

Я попятилась.

— Ага, — ухмылялся заведующий лабораторией, — понятно.

Совершенно спокойно он вытащил из кармана шприц с какой-то розовой жидкостью, снял с иглы пластиковый колпачок и вздохнул.

— Извини, сама виновата. Одно обещаю: больно не будет, у тебя просто остановится сердце.

Он шел на меня, я пыталась отойти и в результате оказалась прижатой к стене.

— Вот так, хорошо, а теперь не дергайся, — велел Орест и больно сжал мне руку, — иди сюда, киска болтливая.

Я пнула его ногой по коленям и мигом получила оплеуху.

— Говорят тебе, не дергайся, — размахивал шприцем мужик.

Но я, естественно, пыталась вырваться, в ужасе понимая, что он намного сильней меня.

— Отпусти ее, — прозвучал холодный голос, — немедленно.

Орест отскочил. У двери стояла Регина, и в отличие от меня у нее в руке поблескивал черный пистолет.

— Положи шприц на пол и отойди, — велела девушка, — да поживей: стреляю на счет «три». Раз!

— Регина, ты чего? — забубнил Орест.

— Два...

— Все, все, иду, иду, но она знает про стимулятор.

— Про что? — изумилась я. — Про какой такой стимулятор?

Регина кинула на меня быстрый взгляд, и в ту же секунду Орест бросился на нее. Девушка нанесла ему удар в солнечное сплетение, потом схватила за руку, как-то ловко вывернула ее и швырнула мужика на пол. Но Орест ухитрился схватить Регину за ноги, и они упали вместе. Через секунду мужчина сел на девушку верхом и крепко стукнул ее головой об пол. И тут я наконец отмерла, схватила со стола большую настольную лампу и что есть мочи треснула начальника по затылку. Орест странно всхлипнул и упал на бок.

— Эй, ты жива? — бросилась я к Регине.

Та села, помотала головой и неожиданно улыбнулась хорошей, открытой белозубой улыбкой.

— Погоди, дай мне мою сумочку.

Я протянула ей кожаный мешочек.

— Живей, пока он не очухался, подтяни его к батарее, — велела девушка.

Я с трудом доволокла тяжеленное тело до трубы. Очевидно, с перепугу я здорово долбанула мужика, потому что он все еще не пришел в себя.

Регина, пошатываясь, встала, вытащила из сумки наручники и приковала Ореста к трубе, потом вынула мобильный и сообщила:

— Шапочка на проводе, всем подъем.

Затем она захлопнула крышку телефона и сказала:

— Ладно, давай знакомиться, Регина Коваленко, лейтенант. Извини, что вела себя как сволочь, но так было надо.

— Лейтенант?! — обалдело протянула я. — А каких войск?

Девушка вытащила сигареты, спокойно закурила и сообщила:

— Ну ты недогадливая, однако, бронетанковых, конечно.

Не успела я поинтересоваться, при чем тут танки, как в лабораторию ворвалась толпа парней в милицейской форме и штук пять мужиков в штатском.

Остаток дня прошел ужасно. Сначала меня отволокли в какое-то здание и принялись допрашивать. Я честно рассказала все и стала просить вызвать Дегтярева. Где-то около девяти вечера появился хмурый Александр Михайлович. Мне пришлось повторить свой рассказ при нем. По мере выплескивания информации приятель делался все мрачнее и под конец превратился в грозовую тучу.

Дома мы оказались после полуночи.

— Ступай к себе, — хмуро велел полковник и заорал: — Эй, все вниз!

Из комнат посыпались домашние.

— Чего выступаешь? — удивилась Ритка.

— Молчать, — взвизгнул Дегтярев, — шагом марш в гостиную, разговор есть. А ты, Дарья, в койку! Где ключ от ее комнаты? Запереть снаружи, убрать от окна садовую лестницу, запрещаю с ней общаться. Ну, живо! Вперед!

Напуганные домашние ринулись в указанном направлении, я влетела в свою комнату и услышала, как в замке проворачивается ключ. Из глаз полились злые слезы. Так и не узнала, кто спер яйцо!

ГЛАВА 31

Следующая неделя была кошмарной. Меня держали под домашним арестом. Регулярно в спальне появлялась Ирка, молча ставила поднос с едой и убегала. Я пыталась с ней поговорить, но домработница мигом исчезала. Один раз она, правда, прошептала:

— Ой, Дарья Ивановна, лучше ничего не спрашивайте, ваши так обозлились, а Дегтярев так прямо озверел.

Где-то около полуночи в мою дверь тихо скреблась Маня и бормотала в замочную скважину:

— Мулечка, я тебя люблю, ты самая хорошая.

Справедливости ради следует сказать, что содержали меня лучше, чем заключенных Бутырского изолятора. Кормили, поили, оставили телевизор и даже приволокли несколько сумок, доверху набитых детективами. Судя по тому, что произведения Поляковой, Марининой, Платовой и Хмелевской лежали вперемешку с книгами Бушкова, Акунина и Дышева, покупал их Аркадий. Небось подошел к ларьку и одним махом смел все, что увидел.

Бежать из спальни не представлялось возможным. Она расположена на втором этаже, а хитрый Дегтярев велел убрать от окна садовую лестницу. Короче говоря, к субботнему вечеру я одурела окончательно. Программу телевидения выучила наизусть и даже увлеклась мексиканскими сериалами.

Около полудня в воскресенье ключ заворочался в замочной скважине, дверь приоткрылась, и появился поднос. Я увидела, что на нем стоит большой кофейник, блюдо с моими любимыми корзиночками и эклерами, отвернулась к окну и спросила:

— Меня отсюда не собираются выпускать? Между прочим, это незаконно и просто некрасиво!

— А красиво срывать людям тщательно разработанную операцию? — неожиданно ответил звонкий голос.

Я обернулась и с удивлением увидела, что поднос держит в руках Регина, а за ней маячат Дегтярев, Оксана и Зайка с Маней.

— Ты чего здесь делаешь? — от неожиданности ляпнула я.

— Ну вот, — усмехнулась Регина, ставя поднос, — вот она, человеческая благодарность. Я уговорила Александра Михайловича впустить к тебе всех, чтобы поговорить...

Я во все глаза глядела на Регину. Дурацкий пучок исчез, сейчас у нее на затылке мотался завитой «конский» хвост, а на лоб спускалась челочка. И одета она была не в жуткий серый костюм, а в джинсы и ярко-синий пуловер.

— Ты кто? — обалдело спросила я. — Ничего не понимаю.

— Не понимаешь, а везде лезешь, — рявкнул Дегтярев.

— Ты обещал больше не ругать мусечку, — взвилась Маня.

— И хотел рассказать, что к чему, — влезла Зайка, — целую неделю слышали: потом, потом, отстаньте!

Регина усмехнулась:

— Я как раз для этого и приехала. Кому кофе? Кстати, пирожные очень свежие.

— Возьму, пожалуй, — обрадовалась Маня и схватила корзиночку.

— Кто начнет? — продолжала улыбаться Регина.

— Давай ты, — буркнул Дегтярев.

— Ладно, — усмехнулась девушка, — может, так

и правда лучше. Значит, слушайте. Сначала скажу пару слов о себе, чтобы было понятно, почему именно мне поручили это дело.

Регина, сколько себя помнит, мечтала работать в милиции. Но ее родители-биологи ни о чем таком даже слышать не хотели. Поэтому после школы приказали дочери идти на биофак МГУ. Регина, очень послушная и отлично успевавшая в школе девочка, поступила и даже получила диплом. Потом мама напряглась — папа к тому времени уже умер — и устроила дочь на работу в НИИ. Через полгода Регина поняла, что она просто скончается, переливая из пробирки в пробирку какие-то жидкости, но мамочка твердо стояла на своем. Дочь должна стать кандидатом наук. Бедная Регина, желавшая работать в милиции, мучилась еще шесть месяцев, а потом решилась и подала документы в Академию МВД, а маме наврала, что переходит в лабораторию, работающую на оборону, такую секретную, что даже дома нельзя рассказывать, чем занимаешься. Нехорошо, конечно, обманывать мать, но другого способа заниматься любимым делом Регина не видела.

Так она стала сотрудником МВД. Кстати, ее мама до сих пор полагает, что дочурка возится с пробирками.

Примерно полгода назад в отдел, где трудится Регина, поступило заявление от гражданина Никифорова. Он сообщал, что его жена, вполне здоровая и еще достаточно молодая женщина, погибла после того, как в косметической клинике ей назначили курс очень дорогих уколов. Потянули осторожно за ниточку, клубок неожиданно начал разматываться и прикатился в НИИ тонких технологий. Желая узнать все и собрать доказательства преступной деятельности, в МВД решили внедрить в это исследовательское учреждение оперативного сотрудника. Регина с ее дипломом биофака МГУ показалась начальству лучшим вариантом. Так девушка оказалась в лаборатории у Ореста.

Начальник принял новую подчиненную с распростертыми объятиями. Во-первых, он и предположить не мог, что за ним начнет следить милиция, а, во-вторых, Орест Львович хорошо знал маму Регины. Научный мир узок.

Первое время начальник присматривался к девушке, потом начал доверять, и наконец настал день, когда перед Региной стала открываться неприглядная правда. Простому человеку даже представить трудно, чем занимались в НИИ тонких технологий.

— Знаю, — перебила я Регину, — к Олегу Игоревичу ходили тетки, которые беременели по заказу, затем делали на поздних сроках аборты, а Орест Львович изучал эти эмбрионы. Желал получить Нобелевскую премию.

Девушка усмехнулась:

— Первая часть заявления — абсолютная правда, зато вторая целиком неверна. Ни Ореста, ни Олега, ни остальных членов преступной группы не волновала наука, их воображение будоражили только деньги. Ты слышала что-нибудь об эмбриональных клетках?

Я, вспомнив про лекарство «Бурмиль», «обновляющее» старых животных, кивнула.

— Орест готовил инъекции и кремы по специальной технологии, — сообщила Регина, — эффект и впрямь потрясающий: женщины, проходившие омолаживающие курсы, менялись буквально на глазах.

— Но ведь работа с эмбриональными клетками запрещена, — растерянно сказала Оксана.

— Почему? — влезла Зайка.

— Потому что нужный эффект для омоложения дает только материал, выделенный из здорового эмбриона на сроке между четырьмя и пятью месяцами беременности, — мрачно пояснила Регина, — конечно, случаются выкидыши, но, сами понимаете, это не такое уж частое дело. А Оресту требовался постоянный источник.

— Какой ужас, — передернулась Зайка.

Регина вздохнула:

— Да уж, приятного мало, но женщин, способных беременеть по заказу, Олег Игоревич находил с легкостью.

— Ни за что бы не согласилась на такое, — негодовала Ольга.

— Но ты и не живешь на грани нищеты, — парировала Регина, — ладно, слушайте дальше.

Производство материала для инъекций и кремов было поставлено широко. В прибыльном бизнесе участвовало все руководство института. Помощник директора Яков сбывал продукцию через врачей-косметологов с богатой клиентурой. Стареющие женщины готовы отдать за вторую молодость любые деньги. Впрочем, им, естественно, не говорили, из каких компонентов состоит «средство Макропулоса», просто обещали, что оно абсолютно безвредно и более чем эффективно.

— Сколько же лекарства могли сделать в лаборатории НИИ? — удивилась я. — Вас же работало там всего двое.

Регина кивнула.

— Правильный вопрос. Имелось еще одно производство в медуниверситете у Рыкова. Кстати, именно он и придумал все это. Плешков, Рамин и Яков были у Юрия Анатольевича в подручных.

— Рыков! — подскочила я. — Тот самый, который обвинил меня в краже яйца?

— Именно он, — мрачно сообщил Дегтярев, — все они — Роза Андреевна Шилова, Владимир Сергеевич Плешков, Леонид Георгиевич Рамин и Яков Федорович Селиверстов — дружили с давних пор. Еще со студенческих лет держались вместе, и первую лабораторию открыл Рыков, начал сбывать ампулы и кремы через Шилову. Потом Плешкова назначили директором НИИ тонких технологий, и у ребяток появилось еще одно местечко. Поверь, им на жизнь хватало, и все же они начали душить друг друга, словно пауки в банке.

— Почему? — удивилась я.

Дегтярев вздохнул:

— Деньги портят, а средства, добываемые нечестным путем, заставляют идти на преступление, хотя у этих ребятишек все получилось плохо из-за глупой бабы. Шерше ля фам, как говорят любимые тобой французы.

— А если поподробней? — попросила Оксана.

— Изволь, — ответил Дегтярев. — У Рыкова есть жена Сабина, не то чтобы очень молодая, но прекрасно выглядящая благодаря инъекциям. Кстати, она всем врет, что ей двадцать пять, а на самом деле намного больше, но невинное дамское кокетство тут ни при чем.

Сабина — темпераментная женщина, а Рыков, увы, мужчина с проблемами. Деньги он зарабатывает гигантские, но как любовник частенько оказывается несостоятельным, вот дама и нашла способ ублажить себя: взяла себе в качестве сексуального партнера Артура Мордвинова.

— Кого? — подскочила я.

— Мордвинова, — повторил Дегтярев, — того самого Артура. И вот ведь какой случай вышел — влюбилась в парня без памяти.

Сабине хочется развестись с Рыковым и соединиться с обожаемым Артуриком, но тогда придется жить на медные гроши. И ей приходит в голову гениальная мысль.

Женщина, естественно, знает о пасхальном яйце, великолепно понимает его стоимость. Она рассказывает Артуру о махинациях с зародышами. Рыков полностью доверяет жене, Сабина в курсе всех его дел.

Артур звонит Рыкову и ультимативно заявляет:

— Знаю все, за молчание хочу вещицу от «Фаберже».

Юрий Анатольевич пугается и отдает шантажисту требуемое.

— Он сам взял яйцо! — заорала я. — Вот негодяй! Но за каким чертом он обвинил в этом меня?!

Александр Михайлович вздохнул:

— Сделай милость, не кричи так. О том, что у Рыкова есть уникальное пасхальное яичко, знают многие. Юрий Анатольевич из той породы людей, которым мало просто владеть вещью, им нужно еще и похвастаться перед другими. Частенько во время званых вечеров Рыков выносил «игрушечку» для показа гостям и рассказывал присутствующим легенду о фрейлине. Кстати, у него в доме антикварная мебель, якобы доставшаяся от бабки, и портреты «предков». Ну хочется Рыкову быть графом, его не устраивает то, что его отец и мать были дворниками. Вот Юрий Анатольевич и старается. Кстати, часто гости, наслышанные о реликвии, сами просят ее показать. И что теперь прикажете делать Юрию? Говорить, что продал? Но это же невозможно. Вот он и придумывает план: надо, чтобы яйцо украли.

Рыков разрабатывает хитроумную операцию. Сначала он хотел «сделать вором» Жору Колесова, для чего и зазвал его в гости в сопровождении дамы. Но Жора, как назло, ни на секунду не отходит от хозяина, зато пришедшая с ним дама исчезает почти на полчаса. И Юрий Анатольевич очень доволен: удача сама плывет к нему в руки. «Воровка» найдена. Он обвиняет Дашу и дает статью в газету «Улет».

— Зачем? — поинтересовалась Оксана.

— Хотел, чтобы все знали, что его обворовали. Ему требовалась огласка факта пропажи яйца, — ответил Дегтярев.

— Так вот почему он не желал идти в милицию, — прошептала я.

Александр Михайлович кивнул.

— Ну да, ему же не нужно, чтобы начали копать. Сабина очень довольна: яйцо работы самого Фаберже у любовника. Теперь вещицу нужно выгодно продать.

— А я-то никак понять не могла, зачем вор отдал яйцо Мордвинову!!!

Полковник хмыкнул и продолжил:

— Но у милого Артура другие планы, он совершенно не собирается связывать свою дальнейшую судьбу с Сабиной. Жизнь холостяка, не считающего средства, устраивает его намного больше. Поэтому он решает действовать и начинает звонить Рыкову с требованием денег.

Юрий Анатольевич слишком поздно понимает, что шантажисту не следовало вообще ничего давать, теперь он оказался на крючке.

Но Артур успокаивает мужика:

— Это моя последняя просьба. По получении денег сообщу, кто вас подставил.

Рыкову приходится вновь раскошелиться, и Артур говорит:

— Мне о ваших делах рассказала дама, которая знает все, очень близкий вам человек.

Артур рассчитывает, что Рыков подумает на Сабину и убьет бабу, но Юрию Анатольевичу в голову не приходит мысль о жене. Зато он мигом вспоминает про Розу Андреевну Шилову. Она близкий человек и в курсе всех махинаций.

В полном негодовании Рыков едет домой. Он пока не знает, как поступить с Шиловой. Но тут ему звонит женщина и тоже сообщает, что ей известно, чем он занимается, а когда растерянный Юрий Анатольевич просит представиться, тетка брякает:

— Я любительница кремов и подтяжек.

Рыков пугается почти до обморока, но испуг моментально сменяется приступом ярости. Вот оно как! Милая Розочка решила заработать тугую копеечку шантажом. Рыков ни на минуту не сомневается, что яйцо у Шиловой, тем более что хитрый Артур сообщил:

— Я всего лишь посредник. За небольшие комиссионные передаю вещи из рук в руки.

Вне себя Рыков несется к Розе, в кармане у него шприц с кардиотропным средством, большая доза которого моментально убивает человека. Юрий Анатольевич ведет себя глупо, но злоба застит ему глаза. К тому же ему приходит на ум, что Шилова, имеющая не самый большой доход от ампул, живет роскошно, не отказывая себе ни в чем. На этом основании он делает скоропалительный вывод: Роза — шантажистка. Рыков даже не сообщает о своих догадках компаньонам, он хочет сам наказать предательницу и забрать яйцо.

Роза Андреевна сначала даже не понимает, в

чем ее упрекают, потом возмущается, начинает все отрицать, Рыков наседает, налетает на косметолога с кулаками, а та, дурочка, кричит:

— Только тронь меня, мигом сообщу этой Даше Васильевой правду о яйце.

Все, этим она подписала себе смертный приговор. Рыков втыкает в Шилову шприц и быстро уходит. Дело происходит в косметической лечебнице, в коридорах которой полно народа, поэтому никто не обратил внимания на постороннего мужчину.

— Она шептала перед смертью про яйцо, — вздохнула я.

Дегтярев нахмурился.

— Ну ты везде успела! Скажи-ка, ты случайно не в курсе, какая же это дама так напугала Рыкова фразой про кремы и подтяжки?

— Это я...

— Так и думал, — стукнул кулаком по столу полковник, — всех перебаламутила, в лабораторию влезла, людям помешала...

— Не ругайте ее, — улыбнулась Регина, — сырбор разгорелся из-за Анны Константиновны.

ГЛАВА 32

— Круглова, ненавидящая Плешкова, начала следить за ним, но ничего компрометирующего не узнала. После смерти Владимира Сергеевича она развернула особо бурную деятельность, — продолжила Регина.

— А кто убил директора НИИ? — не выдержала я.

— Никто, — в голос ответили Дегтярев и Регина, — у него произошел обширный инфаркт.

— Точно?

— Абсолютно, — вновь одновременно ответили полковник и девушка, — у Плешкова это был уже третий инфаркт, так что в его кончине нет ничего загадочного.

Я тяжело вздохнула: опять ошибалась.

— Уж не понимаю, каким образом, но Анна Константиновна узнала, что в лаборатории Ореста творится нечто незаконное. Она пыталась заслать туда своих шпионов. Но женщин, нанимающихся лаборантками, я успешно выживала, придираясь к ним по каждому поводу, — сообщила Регина.

— Зачем?

— Мне не нужны были в лаборатории посторонние, — усмехнулась девушка, — одна из теток полезла в мою сумочку и нашла там пистолет, хорошо Орест в тот день отсутствовал. И вообще, мне было необходимо брать различные пробы и уносить материал с собой. Лаборантка, постоянно толкавшаяся под ногами, жутко мешала. Поверь, никто больше пяти дней не выдерживал. Одна ты оказалась стойкой, не ушла даже после того, как я пирожками начала швыряться.

Я вздернула брови:

— Да уж, стерва из тебя получилась отменная.

Регина рассмеялась:

— Наверное, во мне это есть, сидит где-то внутри.

— А что случилось с Кругловой? — в нетерпении спросила Оксана.

— Она как-то выяснила, что в лабораторию поступают эмбрионы.

— Это я ей сказала про зародыш собаки...

Девушка развела руками.

— Круглова к тому времени уже много о них знала и сразу поняла, что животные тут ни при чем. Она была импульсивной дамой и не слишком умной. Ей и в голову не могло прийти, что заниматься такими расследованиями смертельно опасно. Круглова вызвала Ореста к себе в кабинет и велела ему подать заявление об уходе. Тот, естественно, отказался. И тогда Анна Константиновна принялась пугать мужчину милицией. Сказала, что после работы пойдет на Петровку, что выведет их всех на чистую воду. Очень глупое поведение, но Анна Константиновна всю жизнь провела в одном НИИ, она плохо представляла себе, на что способны люди ради денег. Круглова, несмотря на почтенный возраст, была наивна, и эта наивность ее погубила.

Орест Львович мигом сделал вид, что испугался, и предложил:

— Хорошо, хорошо, согласен, сейчас принесу журнал, где мы все записываем, только, пожалуйста, не ходите в милицию, заявление напишу.

Круглова торжествует. Орест, не чуя под собой ног, несется к Леониду Георгиевичу. Мужики решают убить идиотку.

Совершенно случайно они выбирают тот же способ, что и Рыков: входят в кабинет к Анне Константиновне и делают ей смертельный укол. Убивать человека не так легко, как кажется на первый взгляд. Леонид Георгиевич и Орест Львович никогда не делали этого лично. Впрочем, Орест работает с эмбрионами, но их он не считает за живые существа, поэтому никаких особых эмоций не испытывает. Но случай с Кругловой — это уже уничтожение личности, женщины, которую они хорошо знали. Мужчины нервничают и начинают делать глупости.

Во-первых, втыкают иголку в правую руку Кругловой, а, во-вторых, Леониду Георгиевичу приходит в голову «гениальная» мысль: написать письмо от имени Анны Константиновны. Сказано — сделано. **Мужик быстро печатает на машинке «предсмертную записку», а вместо подписи ставит фак-**

симильную печать, которую Анна Константиновна шлепала на многочисленные документы.

Убив Круглову, парни разбегаются по кабинетам. Они знают, что сейчас по коридорам пойдет уборщица. Так и вышло, начинается крик, приезжает милиция. С удрученным видом Леонид Георгиевич рассказывает, что Круглова страшно переживала смерть брата, к которому была привязана.

— Она не смогла пережить его кончину, — чуть ли не всхлипывает Рамин.

Затем он звонит Жанне и зачитывает той письмо Кругловой. Но Леонид Георгиевич, хоть и дружил с Владимиром Сергеевичем со студенческой скамьи, не в курсе семейной тайны Кругловой. Никто, кроме Жанны, не знает правды о рождении Владимира и о том, как Анна Константиновна относится к «брату». Все в институте считают, будто у них великолепные отношения, и Рамин не исключение.

Но Жанночка-то отлично знала, как Круглова ненавидела Владимира.

— Это я ей рассказала про письмо, и что в нем было. Жанна наняла меня искать убийцу, — тихо сказала я.

Дегтярев кивает:

— Без тебя и здесь не обошлось. Только Жанна была несдержанным человеком, а Леонид Георгиевич, как на грех, вечером перезванивает бывшей жене Владимира и начинает рассказывать о похоронах Кругловой.

— Это ты ее убил! — кричит в негодовании Жанна. Она не в силах больше сдерживать свои эмоции.

Рамин дико пугается, но находит в себе силы и говорит:

— Милая, успокойся, сейчас приеду.

Он и впрямь несется к Жанне, и та выкладывает ему всю правду про Владимира и Анну Константиновну.

— Прямо сейчас пойду в милицию, — окончательно теряет рассудок Жанна, — вы уничтожили мою Анечку, имей в виду, знаю все!

Ох, не следовало ей так себя вести, но бедная Жанна слишком взволнована, чтобы контролировать себя.

Приходится Леониду делать укол и Жанне.

— Интересно, — пробормотала я, — откуда она узнала, у кого находится украденное яйцо?

Дегтярев вздохнул:

— Хочешь знать мое мнение? Она тебя обманывала, хотела, чтобы ты помогла ей найти убийцу Кругловой, вернее, желала иметь доказательства вины Рамина, чтобы было с чем пойти в милицию. Жанна поняла, как тебе хочется заполучить это яйцо, вот и соврала.

— Ну и как бы она поступила, собери я нужную информацию?

Дегтярев рассмеялся:

— Да просто. Скорей всего бы предложила тебе первой рассказать ей, что ты узнала о Рамине, и пообещала бы дать после этого информацию о яйце. Ты бы явно попалась на удочку! Выболтала бы все и получила фигу.

Я молчала. Очень уж не хотелось признавать правоту полковника, но он прав. Я бы выложила Жанне без колебаний все необходимые ей сведения.

— Если бы Рамин не позвонил Жанне и не завел речь о похоронах, женщина не сорвалась бы и осталась жива, — вздохнула Регина, — но получилось нехорошо.

Удача отворачивается от негодяев. Им устраивает скандал Люба Ракитина, обозленная тем, что Вале Колосковой дали тысячу долларов. Олег Игоревич, как может, успокаивает бабу, даже дает ей 500 долларов. Но та, почувствовав, что гинеколог испугался, ведет себя нагло. Пришлось убрать и эту даму. Правда, тут действует Яков. Нанимает бомжа, готового за деньги на все, тот и нападает на Ракитину ночью в подворотне. А заодно забирает у убитой деньги и дешевые украшения.

Не успевают мужики перевести дух, как новая неприятность. К Олегу Игоревичу приходит странная донельзя дама, в роскошных шмотках, с загримированным лицом, в парике и, представляясь соседкой Колосковой, заявляет о своем желании стать «источником».

Олег в панике звонит Леониду и рассказывает о непонятном явлении. Леонид успокаивает подельника:

— Не дрожи.

— Но она шикарно выглядела! — не успокаивается гинеколог. — Такой нет нужды зарабатывать беременностью.

— Успокойся, может, ей муж денег на личные нужды не дает. Лучше позвони Колосковой и спроси, посылала ли она кого.

Но Валечка уехала с мужем в санаторий, ее телефон не отвечает. Олег Игоревич дергается, он страшно ругает себя, что растерялся и дал тетке уйти.

Тем временем у Ореста Львовича новое несчастье. Артур, в руки которого попала от Сабины информация о НИИ тонких технологий, решил заработать. Он звонит в лабораторию и без обиняков заявляет Оресту, что знает, чем занимаются в НИИ, и требует денег за молчание. Артуру очень легко досталось от Рыкова яйцо, и он слегка зарвался.

Орест Львович не теряет головы, как Юрий Анатольевич, и в отличие от Рыкова рассказывает компаньонам о шантажисте. Сами понимаете, какое они принимают решение. Орест Львович делает вид, что согласен с условиями Мордвинова. Более того, он даже приносит требуемую сумму, но потом следит за Артуром, видит, как тот садится в машину... Дальнейшее — дело техники. Узнать по номеру автомобиля адрес его владельца ничего не стоит. Орест Львович гримируется и едет к Артуру. Начальнику лаборатории кажется, что он предусмотрел все: отправляясь к своей жертве, он приклеил черные усы и бороду, на нем была надета коричневая куртка. Убив Артура, вышел во двор рыжим, в вывернутой на светлую сторону куртке. Вот только ботинки он не менял. И уж совсем Орест Львович не мог предположить, что на скамеечке возле дома сидела вооруженная отличной оптикой Даша.

Далее события несутся, словно сани с горы. Дарья приходит на следующий день в лабораторию. Регина отправляет ее к Олегу Игоревичу, и тот замечает на ногах бедной лаборантки очень дорогие туфельки. Гинеколог приглядывается внимательней к женщине и чуть не теряет сознание. В полной панике он звонит Оресту:

— Это твоя лаборантка приходила ко мне в гриме.

— Ты уверен? — спрашивает подельник.

— Абсолютно, узнал по туфлям и по голосу. Это она!

— Разберусь, — обещает Орест. Он наполняет шприц кардиоспазмалитиком, идет в лабораторию и застает Дашу в тот момент, когда она рассматривает фальшивые усы и бороды.

— Такую операцию загубила, — вздохнула Регина, — еще хорошо, что мне показалось странным поведение Ореста, и я решила последить за ним.

У нас ведь еще одна комната есть, только тебя туда не пускали. Он ворвался в нее, схватил шприц и был таков.

— Мерзавцы, — вскипела Оксана, — человек в белом халате не имеет права быть преступником!

— Ты идеалистка, — вздохнула Зайка, — вспомни про доктора Менгеле, ставившего в Освенциме эксперименты на людях.

— Выродок! — кипела Ксюта.

— Очень трудно будет доказать, что они принуждали женщин делать аборты, — качала головой Регина, — все дамы твердят: случился выкидыш. Есть только один железный эпизод.

— Какой? — спросила я.

— Девушка Юля, которую ты привезла к Оксане, — сказал Дегтярев, — помнишь ее?

— Конечно, ей хотели сделать искусственные роды, убеждая, что вследствие перенесенной матерью краснухи плод погиб.

— Не было краснухи, — устало сказал полковник, — муж Юлии, Николай, категорически не желавший детей и понявший, что жена настроена родить, вышел на Олега Игоревича.

Тот угостил Юлю таблетками, от которых бедняжка покрылась сыпью и обвесилась соплями. Поэтому убедить женщину в том, что она больна краснухой, не составило для врача никакого труда.

— Какой гад, — заорала Маня, — таких врачей следует лишать права заниматься практикой!

— Думаю, преступники понесут суровое наказание, — мрачно сообщил Дегтярев и спросил: — Все ясно?

— Нет! — выкрикнула я. — С какого бока тут была Краснова Сара Абрамовна?

Дегтярев тяжело вздохнул:

— Ты чем слушаешь? Сказал же, все из-за нее и

началось. Захотела жить счастливо с милым Артуром, вот и придумала, как отнять у муженька семейную реликвию, яйцо Фаберже.

— Так это сделала жена Рыкова, Сабина.

— Правильно.

— При чем тут Краснова Сара Абрамовна?

— Так она и есть Сабина. Девушке очень не нравится ее настоящее имя, и она всем говорит, что ее зовут Сабина, но в паспорте у жены Рыкова стоит — Краснова Сара Абрамовна, — спокойно пояснил Дегтярев и, видя мое обалдевшее лицо, спросил: — А ты не знала?

— Нет, выходит, что ничего не знала, — потрясенно ответила я и улыбнулась.

— Прекрати хихикать, — обозлилась Зайка.

— Улыбка сорок пятого калибра, — тяжело вздохнул Дегтярев.

— Ты о чем говоришь? — удивилась Оксанка.

— Бывает оружие сорок пятого калибра, — абсолютно серьезно заявил Александр Михайлович, — а у нашей Дашутки вместо пистолета улыбочка.

— Ты меня похвалил или поругал? — осторожно спросила я.

— Он на тебя жутко рассердился, — закричала Машка, — поэтому и дразнится? Мусечка, ты чудесно улыбаешься.

Дегтярев крякнул, но ничего не сказал.

ЭПИЛОГ

Забегая вперед, скажу, что все четверо преступников были осуждены. Ореста Львовича, Леонида Георгиевича приговорили к пожизненному заключению, а Олег Игоревич и Яков были осуждены на пятнадцать лет лишения свободы. К разным срокам были приговорены и некоторые сотрудники роддома, помогавшие Олегу Игоревичу. Следствие установило и тех косметологов, которые получали от преступников ампулы и крем. В конечном итоге на скамье подсудимых оказалась большая группа людей. Не было среди арестованных только Юрия Анатольевича Рыкова, он наказал себя сам. Когда пришли его арестовывать, мужчина выпрыгнул с балкона. То ли боялся наказания, то ли не хотел, чтобы правда о его происхождении стала известна всему свету. Некоторым людям легче убить себя, чем признаться в том, что в их жилах течет «подлая» кровь. Сабина отвертелась от наказания. На следствии она твердила как заведенная:

— Ничего не знала, совсем ничего.

А поскольку непосредственного участия в работе лабораторий дама не принимала, ей удалось выйти сухой из воды.

Антон Чебуков не подвел и напечатал в своей мерзкой газетенке «Улет» всю правду про Рыкова, чем значительно поднял тираж издания. На следующий день после публикации ко мне явилась улыбающаяся Карина Сыромятникова.

— Дашутка, — затараторила она, — чего не заглядываешь? Ой, какие щеночки, двое беленькие, прямо, как Гектор.

— Можешь взять их себе, — спокойно разрешила я.

— Лелька, — заорала Кара, — ну что, возьмем? Ну и лапушки.

Леля с покрасневшим лицом робко вошла в гостиную. Девочке явно было стыдно. Но Карина тарахтела без умолку, не испытывая никакого дискомфорта.

— Вечерком попьем чаю? Да? Приходите с Маней, давно не встречались.

— Обязательно, — пообещала я.

Но, когда Карина, прихватив щенят ушла, я подумала:

«Ну уж нет, ни за что не переступлю порог твоего дома».

Впрочем, Леля пусть ходит к Марусе, ребенок же не виноват, что у него такая мать.

Наша жизнь потихоньку налаживалась. Агата забрала Юню, щенков, правда, оставила нам. Олеся, приехавшая за своей кошкой Флорой, поступила так же с котятами. Но мы не слишком горевали. Я схватилась за телефонную книжку, и кошачье-собачье потомство оказалось в хороших руках.

Ритка наконец-то убралась от нас. К слову сказать, у нее на голове, а у Масика на всем теле вновь начали отрастать волосы.

Юля родила отличного здорового мальчика и уехала к маме в Астрахань. С Колей она развелась. Он попал под следствие и получил срок за то, что хотел убить ребенка в утробе матери. Дали, правда, ему немного: всего два года, да еще парень попал под амнистию. Наверное, теперь заведет себе новую жену и запретит той рожать.

Амалия Густавовна Корф получила назад яйцо. Мы отвезли его ей, и старушка долго плакала, прижимая к груди сокровище. Кстати, вернувшаяся реликвия словно влила в старушку новые силы. Амалия Густавовна чувствует себя сейчас великолепно и совсем не собирается умирать.

Седьмого июня, в мой день рождения, вся семья села за стол. У нас был двойной повод для радости. Во-первых, всем хотелось поздравить меня и вручить подарки, а во-вторых, только что от нас унесли последнего котенка, и все в доме вздохнули с облегчением. Не успела я перецеловать домашних и начать разворачивать красивые обертки, как раздался звонок.

— Кто-то еще придет? — спросил Дегтярев.

Зайка покачала головой:

— Нет, должны быть только мы и Регина, вроде все на месте.

Не успела она захлопнуть рот, как в столовую вошла высокая черноволосая женщина и девочка с кошкой в руках.

— Дашута, — завопила дама, — давно не виделись!

— Здравствуй, Алла, — со вздохом сказала я, — и впрямь давно не встречались. Ты же вроде в Израиле теперь живешь?

— В Москве проездом, — тараторила Аллуся, — еду к брату в Иркутск. Будь другом, приюти на две недели Алину и Алису.

— Алиса — это я, — тоненьким голосом сказала девочка, — а Алина вот.

Она показала кошку и бесхитростно добавила:

— Нам в Иркутск нельзя, бабушка нас с Алиной терпеть не может, а в Иерусалиме остаться не с кем. Там, если ребенка кому подсовываешь, платить надо.

Я почувствовала легкое головокружение.

— Будь другом, — тарахтела Алла, — ты же знаешь мою мать, та еще жаба, детей и зверей на дух не переносит, я бы ни за что к ней не поехала, да старуха ногу сломала...

— Погоди, — сурово сказала я и ткнула пальцем в девочку, — говори честно, она беременна?

— Ты чего?! — возмутилась Алла. — Алисе восемь лет!

— Я про кошку!

— Она стерилизована.

— Точно?

— Тебе поклясться? — взвизгнула Алла. — Да в чем дело, в конце концов?

— Спокойствие, только спокойствие, — пробурчал Дегтярев, — главное не нервничай. Мы обязательно приютим девочку и кошку, но только после небольшой процедуры.

— Какой? — оторопела Алла.

— Поедем в ветлечебницу и сделаем киске УЗИ, — пояснил полковник, — если она не беременна, примем с дорогой душой.

— По-моему, вы психи, — вспылила Алла. — Так ненавидеть котят!..

Услыхав слово «котята», Черри взвыла и кинулась под диван.

— Чего с собакой-то? — изумилась Алла.

Повисло молчание. Потом Маруся робко хихикнула, за ней засмеялись Зайка и Регина, последним к общему хору присоединился Дегтярев.

— Да что произошло? — недоумевала Алла.

— Ничего, — спокойно пояснил Аркадий, — просто с некоторых пор у нашей пуделихи при словах «щенки» и «котята» начинается психоз.

— Еще она не любит, когда говорят «лысый Масик», — взвизгнула Маня.

После этого заявления Зайка с Иркой упали на диван и зашлись в приступе звонкого смеха.

— Все ясно, — резюмировала Аллочка, — давай, Алиска, отпускай Алину, и садимся пить чай. Они тут все просто сумасшедшие.